# BRO DOR ION

*I Jano Rael*

# BRO
# DOR
# I ON

# Ifan Morgan Jones

Diolch yn fawr iawn i holl weithwyr y Lolfa,
yn arbennig Meleri Wyn James
am ei gwaith golygu penigamp.

Argraffiad cyntaf: 2021
© Hawlfraint Ifan Morgan Jones a'r Lolfa Cyf., 2021

Cynllun y clawr: Sion Ilar

Rhif Llyfr Rhyngwladol:  978 1 80099 036 4

Dymuna'r cyhoeddwyr gydnabod cymorth ariannol
Cyngor Llyfrau Cymru

Cyhoeddwyd ac argraffwyd yng Nghymru
ar bapur o goedwigoedd cynaliadwy gan
Y Lolfa Cyf., Talybont, Ceredigion SY24 5HE
*e-bost* ylolfa@ylolfa.com
*gwefan* www.ylolfa.com
*ffôn* 01970 832 304
*ffacs* 01970 832 782

'This we know: The earth does not belong to man, man belongs to the earth. All things are connected like the blood that unites us all. Man did not weave the web of life; he is merely a strand of it. Whatever he does to the web, he does to himself.'

– Geiriau honedig y Pennaeth Seattle wrth gyfarch Arlywydd yr Unol Daleithiau, 1852

'No man is an island, entire of itself;
every man is a piece of the continent, a part of the main.'

– John Donne, 1623

# RHAN UN

# Efa

YN Y DECHRAU doeddwn i'n gweld dim byd yng ngoleuni'r haul ond y tywod gwyn yn sgleinio fel tudalen wag a honno'n fy ngwahodd i a'r lleill i'w llenwi fel y mynnen ni. Ac yna wrth i fi warchod fy llygaid rhag pefrio gronynnau'r haul ymysg y tonnau daeth rhywfaint o liw i'r byd – coed palmwydd a'u dail mor llym â chyllyll a llwyni llawn blodau coch yn agor eu cegau fel pe baen nhw eisiau fy llarpio i. A thu hwnt i'r rheini llyncwyd y golau gan dywyllwch barus wal o goedwig a oedd mor gaeedig ag yr oedd y traeth yn agored.

'Sdim byd 'ma,' meddwn i gan edrych i fyny ac i lawr y traeth a chwarae â blewyn o fy ngwallt fel y byddwn i'n ei wneud wrth boeni am rywbeth.

'Nac oes, siŵr,' meddai Morys gan rydio drwy'r dŵr tu ôl i mi, a'i wn hela wedi ei ddal uwch ei ben i'w warchod rhag gwlychu. 'Does neb i *fod* yma, nac oes? Dyna'r holl bwynt.'

Edrychais yn ôl a gweld fy nghariad Myfyr a'i chwaer Teleri yn cerdded drwy'r môr, i fyny at eu botymau bol, eu dwylo yn llawn pethau o'r cwch. Codai'r gwres fel tarth nes bod y môr a'r awyr yn asio'n un gan wneud iddynt edrych fel pe baent yn arnofio yng nghanol marblen las.

Morys y Capten oedd eu tad. 'Rhaid i ni frysio, neu fydd yna ddim digon o fwyd ar gyfer y daith yn ôl,' meddai. Roedd yn ddyn byr ond cydnerth, fel llosgfynydd oedd prin wedi codi uwch lefel y môr. Gwisgai un o'r hetiau siâp bwced oedd yn boblogaidd gan gefnogwyr pêl-droed Cymru er mwyn gwarchod ei ben moel. Llifai barf ddu wedi britho yn rhaeadr o'i ên. 'Sbia!'

Cododd law fel rhaw a chyfeirio fy llygaid dros goronau gwyrdd y coed palmwydd ac at y pegwn llethrog a safai reit yng nghanol yr ynys. Roedd ei siâp cnotiog yn fy atgoffa o fynydd y Cnicht nôl adref ond am un gwahaniaeth, sef fod y mynydd i gyd ond ei gopa uchaf wedi ei wisgo mewn carthen o wyrddni mwsoglyd.

'Mynydd y Duwiau!' meddai. 'Dyna lle dan ni'n mynd.'

Cymerias ambell gam i fyny'r traeth gwlyb cyn cyrraedd tir sych. Yna neidiais yn ôl i'r dŵr. 'Blydi hel!' Roedd y tywod yn llosgi fel pe be bawn wedi sefyll ar darmac yn toddi ar ddiwrnod chwilboeth o haf.

'Wrth gwrs ei fod o'n boeth, yr hulpan wirion!' chwarddodd y Capten wrth i mi dynnu fy fflip-fflops o'm cesail a'u gosod yn y dŵr bas a'u gwisgo.

'Le y'n ni'n aros?' gofynnais.

'Wel, fan hyn,' meddai'r Capten, gan frasgamu ymlaen yn ei sandalau ac edrych o'i amgylch yn falch fel pe bai'r ynys gyfan yn eiddo iddo ef, a finnau'n ymwelydd.

Suddodd fy nghalon. 'Pan es i i'r Maldives o'dd *hut* 'da ni. A *jacuzzi*—'

'Wel dan ni ddim ar wyliau, nacdan?' meddai'r Capten yn ddiamynedd a phoeri ar y tywod, heb edrych arna i. 'Does neb yma. Neb! A rhaid i ni ddod i drefn ein hunain.'

'Myfyr,' gwaeddais i gyfeiriad fy nghariad, a oedd yn stryffaglu tua'r lan a'i frechiau main yn gwegian dan bwysau bocs oer, ei sbectol yn fflachio. 'Credu bo ni'n campo.'

Stopiodd a gwthio ei sbectol fyny ei drwyn. 'Mae gin Teleri babell dwi'n meddwl.'

'Dos i nôl y tarpolin o gefn y cwch,' cyfarthodd ei dad arno. 'Mae'r traeth yma'n ddiawledig o boeth.'

'Ond mae'r tarpolin dros y bwyd,' atebodd.

'Dan ni'n mynd i ddod â'r bwyd i gyd i'r lan rŵan, tydan?' meddai ei dad gan rythu arno. 'Fydd o'n dda i ddim ar y cwch pan eith y llanw allan.' Ysgydwodd ei ben. 'A deud wrth Aled am siapio hi.'

Gollyngodd Myfyr y *cool box* ar y traeth cyn troi'n anfodlon a rhydio'n ôl i'r dŵr i gyfeiriad y llong, ei freichiau'n siglo fel rhwyfau.

Camais o un droed i'r llall ac edrych o'm cwmpas. 'Le ma'r tŷ bach?'

'Does 'na'm tŷ yma, bach na mawr. Bydd rhaid i ti neud dy fusnas yn y clawdd, yn bydd?'

Brathais fy ngwefus rhag rhegi arno ac ymlwybro i lawr y traeth gan godi'r tywod yn donnau ar flaen fy sandalau. *Dynion!* meddyliais. *Dyw e ddim mor hawdd i ferched. Dy'n ni ddim yn gallu sefyll yn piso mewn i glawdd. Fe ddylen i fod wedi holi mwy cyn dod yma. Bachu rholyn o bapur tŷ bach o'r cwch o leiaf.*

'Ynys boeth.' meddai Myfyr. 'Am wyliau!'

*Am wyliau!*

'Ti'n fachgen clefar, Myfyr, ond sdim synnwyr cyffredin i ga'l 'da ti,' meddwn i wrthyf fy hun, gan baratoi fy ngeiriau ar gyfer pan oedd e o fewn clyw. Os oedd angen gwaith ar unrhyw ddyn erioed, Myfyr oedd hwnnw. Roedd ei ben mor bell lan yn y cymylau roedd e yn yr *upper atmosphere*.

Doeddwn i ddim am fynd i dywyllwch y goedwig i biso ymysg y bonion coed oedd yn tyfu ar draws ei gilydd fel bysedd hen ddynion. Roedd ofn arna i styrbio neidr neu gorryn a gorfod dianc oddi yno gyda fy micini o amgylch fy sodlau a theulu Myfyr yn chwerthin ar fy mhen. Felly dilynais dro'r traeth nes fy mod i allan o'u golwg nhw i gyd. Ar ôl dyddiau yn rowlio o gwmpas yng nghorff y cwch fel minlliw mewn bag colur roedd hi'n braf cael ymestyn fy nghoesau, o leiaf. Es i i nôl deilen o goeden ac yna tynnais fy siorts a gostwng gwaelodion y bicini a mynd ar fy nghwrcwd yn y dŵr, oedd mor gynnes â dŵr bath ac mor glir â gwydr. Codais fy mhen wrth gysgodi a gwylio rhes o goed palmwydd yn siglo yn awel y môr, rhai â'u pennau gan troedfedd yn yr awyr ac eraill â'u gyddfau hir yn crymu fel petaent am gael sgwrs â rhyw granc neu grwban i lawr yn y tywod. Sgleiniai pelydrau'r haul fel gwydr wedi torri rhwng y palmwydd gan wneud iddynt oleuo'n llachar fel adenydd angylion.

*BAFF!*

Cododd twr o adar o'r goedwig fel nyth cacwn yn prysur wagio. Neidiais i fyny gan feddwl bod y Capten wedi tanio ei wn ac roeddwn ar fin fy nhaflu fy hun i'r dŵr i arbed fy mywyd pan welais Aled, cariad Teleri, yn sefyll ar y traeth gyda'i gefn ataf a wompen o garreg fawr yn ei law chwith.

'Wow!' meddai, a chwerthin wrth weld yr adar yn crawcian yn ddryslyd. "Nest ti weld hwnna? Parots!'

'Be ti'n neud yn taflu ffycin cerrig pan dw i hanner ffordd fyny'r goeden?' sgrechiodd llais o'r brig.

Stryffaglais i godi fy micini ac yna gosod llaw dros fy llygaid i weld o le'r oedd y sgrech flin wedi dod. Gwelais Teleri'n hongian fel mwnci oddi ar ganol y goeden.

'Trio taro'r *coconuts*,' atebodd Aled. Trosglwyddodd yr ail garreg i'w law dde a'i chodi uwch ei ysgwydd yn barod i'w thaflu. Doedd ganddo ddim byd amdano ond pâr o siorts Bermuda gwyrdd llachar a chefais gyfle am eiliad i edmygu cyhyrau ei gefn yn symud dan ei groen wrth iddo anelu'r garreg. Cyhyrau wedi eu meithrin ar glos fferm nid mewn campfa.

'Aros i fi ddod i lawr!' gwaeddodd Teleri a gollwng ei gafael yn y goeden. Syrthiodd a glanio ar ei thraed fel cath. 'Aw! Y ffycin wew!'

Lansiodd Aled y garreg i'r awyr a bwrodd honno risgl uchaf y goeden gyda chlec. Syrthiodd y cnau coco fel llond bag o beli rygbi blewog a bwrw'r tywod gyda sŵn *boff*.

'Wey! Drinks are on me!' meddai Aled.

Cododd Teleri ar ei thraed. 'Bechod am yr adar.'

'E?'

'Wedi byw ar yr ynys am ddegau o filoedd o flynyddoedd heb ddynion i'w styrbio nhw.' Cododd un o'r cnau coco a'i throelli yn ei dwylo. Yna gwelodd hi fi. 'Efa!'

Yn wahanol i mi, edrychai Teleri yn gwbwl gartrefol ar yr ynys, gyda'i chorff cyhyrog, athletaidd a'i gwallt du wedi ei dynnu'n ôl yn gynffon tu ôl i'w phen. Capten y tîm hoci na chymerai lol gan neb oedd hon. Yn hollol wahanol i'w brawd – ond yn debyg iawn i'w thad.

'*Catch*,' meddai.

Taflodd y gneuen goco at fy mrest. Bu bron i mi gwympo wrth ei dal.

'Wff! Wotsha mas – ma'n nhw'n drwm.'

'Dan nhw ddim yn drwm iawn.'

'W't ti'n gwbod sut i agor un?' gofynnodd Aled. Roedd wedi codi un o'r cnau coco ac yn ei harchwilio o bob ongl am agoriad, un llygad ar gau a'i dafod rhwng ei wefus.

'Ti 'di trio cnocio un yn erbyn dy ffycin ben?' gofynnodd Teleri. Trodd ata i. 'Jest deud, well ti fynd i helpu Myfyr i godi'r babell cyn iddo sticio un o'r polion 'na yn un o'i lygadau.'

Cododd Aled y gneuen a'i hysgwyd ger ei glust. 'Dw i'm yn clywed dim byd.'

'Be? Dim llefrith?' gofynnodd Teleri.

'Ti 'di treial godro hi?' gofynnais i, gan dynnu coes.

Ond edrychodd arna i braidd yn gas. 'Ffyni!'

Ro'n i'n amlwg wedi pechu felly troeais ar fy sawdl ac ymlwybro'n ôl i chwilio am Myfyr. Gwyddwn nad jocan oedd Teleri – os oedd Myfyr wir yn ceisio adeiladu pabell roedd well i mi frysio.

Roedd e'n waith blinedig brasgamu ar draws y tywod yn fy fflip-fflops ac ar ôl rhyw ganllath stopiais i gael fy ngwynt ata i, gan edrych allan i gyfeiriad y cwch unwaith eto ac ystyried a oedd rhywun wedi mynd i nôl y bwyd a'r cwrw eto. Ro'n i'n llwgu erbyn hynny a syched arna i. O'r fan honno gallwn weld llinell wen y tonnau mawr yn taro yn erbyn y greigres gwrel a'r cyfysodiad rhwng y dŵr gwyrdd-las yr ochr yma i'r cerrig a'r glas tywyll allan ar y môr mawr, fel petai'n wal rhwng dau fyd.

Yr ennyd honno clywais sŵn hollti pren. Cododd haid arall o adar o'r coed gan sgrechian, a llenwyd y lle gan lais Aled yn hwtio mewn llawenydd.

'*Timber!*'

Cerddais yn ôl at y man y cyrhaeddais yr ynys a darganfod bod y clwt gwyn o draeth a oedd mor ddilychwin â lliain bwrdd deg munud yn ôl bellach yn gybolfa o gesys, bagiau llawn prydoedd parod ac ambell i focs o gwrw a gwin, y cyfan eisoes yn orchuddedig â thywod gwlyb ar ôl y daith o'r cwch. Edrychais ar y cyfan mewn penbleth – ro'n i'n un am or-bacio i fynd ar wyliau, ond…

'Lot o stwff ar gyfer cwpwl o ddyddiau,' meddwn i. Roedd yn edrych fel petai digon i bara mis yno.

Des o hyd i Myfyr ym mhen arall y pentwr, ar ei gwrcwd ar dywel. Roedd wedi gosod esgyrn a chroen y babell yn ofalus ar y gwair hir yng nghysgod y goedwig ac yn edrych arnynt â'i dalcen yn rhych. Doedd Myfyr ddim yn un am DIY. Cymerodd drwy'r dydd i godi cwpwrdd IKEA unwaith ac roedd y drysau yn agor y ffordd anghywir hyd heddiw.

Gwelodd fi ac ysgwyd ei ben yn ddwys. 'Dw i'm yn siŵr oes gynno ni'r darnau i gyd.'

'Ife'n pabell ni yw honna?'

'*Six man tent.* Mae yna le i ni i gyd, meddai Dad.'

Crychais fy nhrwyn. 'Sai'n cysgu yn yr un pabell â dy dad.' Meddyliais am y sŵn rhochian, y gallwn ei glywed yn glir drwy'r wal pan fydden i'n aros yn nhŷ Myfyr. Heb sôn am wynt y traed...

Gallwn weld ei dad ymhellach i lawr y traeth, yn martsio yn ôl ac ymlaen fel sowldiwr, y dryll dros ei ysgwydd a chwbwl.

'Beth yn y byd sy mla'n 'da fe?'

'Dwn i'm, ma'r boi yn nyts,' atebodd Myfyr. 'Ma'n dal i fwydro am y ffycin trysor 'na.'

'Wel os y'n ni'n ca'l gwyliau am ddim, sdim ots 'da fi faint ma fe'n hurto. Pasa'r tywel 'ma, 'nei di?'

Cymerais y tywel yr oedd wedi bod yn cyrcydu arno a'i osod ar ei hyd ymhellach i lawr ar y traeth. Lledorweddais arno, fy mreichiau ar led a theimlo gwres yr haul yn tylino fy nghroen. O leiaf fydden i'n cael lliw haul iawn, i ddisodli'r un syth mas o'r botel. Byddai hynny'n gwneud yn iawn am orfod dioddef cwmni tad Myfyr a Teleri a'i chariad swrth.

Roedd yr haul yn pigo fy llygaid. Lle'r oedd fy sbectol haul? Codais ar un benelin. 'Ddest ti â 'mag i o'r cwch, Myfyr?' gofynnais.

'N- na dim eto...'

'Allet ti nôl e, 'te, plis?'

'Ond mae Dad 'di gofyn i fi–'

Codais a syllu arno.

'Iawn, jest gad i fi orffen hwn,' meddai'n ddiamynedd. Gwyddwn fod Myfyr yn casáu cael ei styrbo ar ganol tasg. Dyna'r unig adeg y byddai'n troi tu min efo fi.

Ond doeddwn i ddim am adael iddo fy nhrin i fel yna. 'Pwy yw dy gariad di – fi neu dy dad?' Troeais drosodd ar fy mol.

Clywais Myfyr yn codi yn anfoddog ac yn brwsio'r tywod oddi ar ei bengliniau.

'Fedri di–?' gofynnodd.

'Sai'n rhoi pabell dy dad at ei gilydd. Geith e neud hynny 'i hunan. A gobeitho bo ti 'di paco pabell i ni 'fyd. Aw!'

Roedd rhywbeth wedi brathu fy mhigwrn. Codais ef a gweld lwmpyn bach coch yn codi ac yn ffurfio ebychnod blin.

'Drych, taset ti 'di dod â'r bag o'r cwch 'sen i 'di gallu defnyddio'r mosgito *repellent* a 'sen i ddim newydd ga'l cnoad y diawl!'

'O, ia, mae yna bryfaid ar y traeth, meddai Dad.'

'Ffycin grêt!' Codais, bachu'r tywel a chwilio am le newydd i'w osod. Ond doedd dim dewis ond traeth llawn pryfaid a chysgod y goedwig dywyll.

Dyma'r gwyliau gwaethaf erioed, meddyliais.

# Teleri

'Ŵ HWI' GALWAIS, A sboncio yn yr unfan gyda'm dwylo
uwch fy mhen. Dyma oedd byw.

Ro'n i wedi dringo un o'r cerrig rhuddgoch oedd fel petaent
wedi cael eu taflu i fyny ar y traeth gan donnau'r môr ac yn
teimlo ias o gyffro yn rhedeg fel cerrynt byw drwy fy ngorff.
Edrychai ehangylch y traeth, y coed palmwydd a'r môr bas
y tu hwnt braidd yn afreal, fel petawn i wedi camu i mewn i
gerdyn post. *Wish you were here.* Wel, mi'r oeddwn i yno, yn
teimlo'r tywod rhwng fy modiau ac yn ogleuo melyster yr
awel.

'Mae hyn mor cŵŵŵŵl!' gwaeddais.

Mor wahanol oedd y lliwiau llachar, peryglus hyn i'r
gwyrddiau a'r browniau corsiog yr oedden i wedi arfer â nhw
adref. Mor wahanol oedd synau'r anifeiliaid yma i gyfarth
cŵn defaid a brefu gwartheg yn y cae. Er bod y goedwig yn
gwbwl lonydd roedd rhyw dwrw peryglus yn codi ohoni, fel
canu grwndi teigr, yn gefndir i drydar gwichanllyd parhaus
yr adar.

Rhoddais fy nwylo o amgylch fy ngheg a gweiddi. 'Dan ni
yma!'

Cododd Myfyr ac Efa eu pennau ac edrych arnaf fel pe
bawn i o'm co, gyda golwg fel pe baen nhw'n cnoi gwenyn ar
eu hwynebau. Roedd y ddau mor *boring* a 'soffistigedig'. Os na
allen nhw fod yn hapus ym mharadwys, pa obaith oedd iddyn

nhw? Ond dim ots. Roedd yna waeth llefydd i orfod dioddef cwmni fy mrawd a'i gariad biwis.

Yn wir, y nhw oedd yr unig bethau oedd yn difetha'r olygfa ddilychwin – wel, Efa, beth bynnag. Edrychais arni yn anfodlon drwy gornel fy llygad a newidiodd fy hwyliau bron yn syth. Roedd y sguthan yn brysur yn gwneud sioe ohoni'i hun gan dynnu ei chrys-T a'i siorts i ddatgelu ei bicini pinc. Roedd corff Efa yn ddrych i'r goeden drofannol ar y traeth y tu cefn iddi – yn hir ac yn fain gyda phâr o gnau coco brown perffaith yn eistedd tua'r brig. Fyddai gen i fyth yr hyder i ddangos fy nghorff fel yna – roedd fy nghluniau'n rhy lydan a'm bronnau fel wyau wedi'u potsio. Sut oedd fy mrawd baglog wedi rhwydo merch mor brydferth, wyddwn i ddim.

Wel, roedd gen i ryw fath o syniad – roedd newydd orffen ei ddoethuriaeth ac wedi camu'n syth i swydd yn dysgu yn y Brifysgol. Ac roedd hon wedi gweld y *big bucks* yn dod a'i rwydo cyn i unrhyw un arall gael cyfle.

Ro'n i'n nabod digon o ferched fel Efa yn yr ysgol uwchradd. Er gwaethaf yr olwg pob blewyn yn ei le oedd arni, y tu ôl i'r mwgwd colur roedd blaidd – hen ast a fyddai'n brathu a chrafu ei ffordd i ben blaen y cnud. Ro'n i ar y llaw arall wedi fy ngeni'n fach ac yn dywyll ac yn wledig, yn ast o gi defaid bach cleplyd, ac wedi dysgu'n iawn sut i ddelio efo sylwadau *bitchy* y *townies* fel hi – roi llond pen o Gymraeg lle bo angen, a chicio a brathu fel arall. Roedd ambell un a oedd wedi dod i fyny o'r dinasoedd a'r trefi i'n herio i ar y cae hoci wedi deffro yn ddigon dolurus y bore wedyn.

I'r gwrthwyneb yn llwyr i deip Myfyr ac Efa oedd fy nghariad i, Aled. Doedd dim byd rhwng clustiau hwnnw ond gwellt a thail fferm a dim byd yn ei boced ond arian cwrw. Ond roedd yn ddyn ymarferol o fodiau ei draed hyd at flaenau ei fysedd. Roedd eisoes wedi dechrau ar y gwaith o adeiladu rhyw fath o loches ar ein cyfer ni.

'Meddwl allwn ni greu to allan o'r palmwydd 'ma,' meddai hanner wrtho'i hun, gan grafu ei ben ac edrych i lawr ar weddillion y goeden yr oedd wedi ei thorri i lawr efo'r twca wrth ei draed. 'Eu plethu nhw at ei gilydd.'

Dyna oeddwn i'n ei hoffi amdano. O roi tasg iddo gallai dreulio ei oriau'n ddigon hapus, ar goll mewn ystyriaethau digon di-ddim. Roedd wedi dweud y byddai yn codi tŷ gyferbyn â'i rieni i ni ar glos y fferm deuluol ar ôl i ni briodi. Gallwn i gredu hynny hefyd. Ond doeddwn i ddim am aberthu fy annibyniaeth mor hawdd â hynny iddo eto chwaith.

'Os ga'i dipyn bach o help i roi'r boncyff yma yn ei le,' cyhoeddodd Aled wedyn. Meddyliais i ddechrau ei fod yn awgrymu bod Myfyr yn rhoi help llaw iddo ond yna gwelais ef yn troi i edrych at le'r oedd Efa'n gorwedd. Ychydig yn rhy hir, ei lygaid yn crwydro o frig ei choesau tuag at ei bronnau. Trodd hithau ei phen tuag ato a gwenu, ei llygaid glas yn disgleirio dros ben ei sbectols haul.

Teimlwn yn flin wedyn, nid yn unig efo fo am syllu, ond efo hi am fodloni iddo syllu. Tasai dyn arall yn rhythu arna i fel yna fe fyddwn i wedi rhoi swadan iddo.

'Aled!' meddwn i ychydig yn fwy llym nag oeddwn i wedi ei fwriadu.

Trodd i edrych i fyny ata i, ei lygaid yn fach yn yr haul. 'Ia?'

'Bydd angen... sgubo'r tywod dan y lloches. Neu fydd o'n llawn pryfaid erbyn i ni gysgu yno.'

'Gei di neud hynna,' meddai, a throi'n ôl at ei waith. 'Job merch 'di sgubo, 'de? Ha ha. Gneud yr *heavy lifting* dw i.'

'Pfff!' Neidiais i lawr o'r garreg a brasgamu tuag ato. Cododd ei fraich o'i flaen yn disgwyl swadan. Ond cymrais afael yn ochr arall y boncyff palmwydd, a mynnu ei helpu i'w godi i'w le. Roedd y man lle'r oedd wedi torri drwyddo gyda'i dwca yn brathu cledrau fy nwylo ond doeddwn i ddim am ddangos ei fod yn poeni dim arna i. Os oedd o'n meddwl y byddai Efa yn gwneud gwraig fferm... ha!

'Pryd ti'n meddwl dechrau arni, Myfyr?' gofynnais yn ddrygionus, yn fyr fy ngwynt wedi halio'r boncyff i'r rhigol rhwng brigau'r goeden. Rhwbiais fy nwylo dolurus at ei gilydd.

Roedd Myfyr wedi bod yn syllu braidd yn freuddwydiol allan tua'r môr lle'r oedd yr haul wedi chwyddo'n fawr ac yn oren wrth iddo nesáu at y gorwel. 'A,' meddai. 'Dan ni ddim am gael swper gynta?'

Codais botel o ddŵr o'r bocs oer a'i dywallt dros fy nhalcen. 'Ma Dad wrthi'n paratoi bwyd. Ond well i ti godi rhyw fath o gysgod, fydd hi'n tywyllu toc – neu fyddwch chi'n rhannu pabell efo Dad.'

Edrychodd Efa'n llym ar Myfyr, ac fe drodd o wedyn i edrych ar loches Aled. Gwthiodd ei sbectols i fyny'i drwyn. ''Di hwnna ddim i bawb, felly?'

'Un fi ac Aled 'di hwn,' meddwn i, a phlethu fy mreichiau. Allwn i ddim meddwl am ddim byd gwaeth na chysgu dan yr un to – wel, palmwydd – ag Efa a'i chlywed hi'n swnian fel mosgito yn fy nghlust. Roedd gorfod ei goddef hi ar y cwch clos am ddyddiau, a phawb fel sardîns mewn tun, yn ddigon.

Cododd Myfyr ar ei draed ac edrych ar ein lloches, a'i lygaid yn fawr. Tynnodd ei siorts i fyny dros waelod ei grys-T a rhwbio ei ddwylo at ei gilydd. Teimlwn braidd yn flin drosto yn sydyn iawn. Gwyddwn nad oedd gobaith ganddo adeiladu lloches o unrhyw fath. Roedd wedi treulio tair awr yn codi pabell Dad ac wedi llwyddo i dorri un o'r ffyn plastig, gan beri bod un ochr yn ysigo'n ddigon llwm nes i Aled ei chlymu'n ôl at ei gilydd gydag edau wedi ei rhwygo o ganol deilen palmwydd. Roedd honno mor gryf â chortyn belar, meddai.

'Be am y cwch? Fedrwn ni'm cysgu yn hwnnw?' gofynnodd Myfyr.

'Mae'r llanw wedi mynd allan rŵan, sbia.'

Pwyntiais allan i'r môr. Roedd pegynau creigiau'r greigres gwrel, a fu'n ddim ond cysgod dan wyneb y dŵr, bellach wedi codi fel rhes o ddannedd wedi'u gorchuddio â thartar seimllyd ac roedd corff y cwch bron â diflannu yr ochr arall iddyn nhw.

Cododd Efa ar ei heistedd. 'Wel, bydd rhaid i ni gael rhwle teidi i gysgu, Myfyr, neu fe fydda i'n bigiadau i gyd,' meddai. Gallwn weld bod rhes o smotiau coch ar ei choes lyfn-frown yn barod ac roedd hi wedi ceisio eu cuddio efo ochr y tywel.

'Mae Dad 'di pacio mosgito *nets* a sachau cysgu, felly dim ond rhwbath i gadw'n sych sydd isio,' meddwn i.

'OK,' meddai Myfyr ac ymlwybro draw i edrych ar un o'r coed palmwydd.

Edrychodd Aled arna i ond ni ddywedais i unrhyw beth. Gwyddwn y byddai hwnnw wedi bod yn fwy na hapus i godi ail loches i Myfyr ac Efa ond ar ôl y ffordd y gwelais ef yn edrych ar Efa doeddwn i ddim am ei annog i fod o unrhyw gymorth iddi. Efallai ar ôl noson neu ddwy yn cysgu yn yr awyr agored fe fyddai hi'n edrych yn llai fel *supermodel* ac yn fwy fel merch gyffredin – yn fwy fel fi.

'Bydd angen twca arnat ti,' meddai Aled o'r diwedd gan estyn y *machete* i Myfyr.

Cymerodd hwnnw ef, ac edrych i lawr y traeth ar y rhes o goed palmwydd. Camodd at y nesaf draw a rhoi pwniad iddi gyda'i droed. Yna trodd y twca wysg ei ochr ac ergydio'r goeden â'i holl gryfder.

'Myfyr!' gwaeddais mewn braw, gan sylweddoli'n rhy hwyr beth oedd ar fin digwydd.

Gyda sŵn *thwmp* syrthiodd sawl cneuen goco bob ochr iddo, gan adael crateri bach yn y tywod, ond trwy rhyw wyrth ni thrawyd Myfyr o gwbwl. Gollyngodd afael ar y twca gan ei adael yn gaeth ym monyn y goeden ac edrych mewn dryswch ar y lympiau brown chwyddedig bob ochr, cyn codi ei olygon at frig y goeden. Yna llamodd o'r neilltu â'i ddwylo dros ei ben wrth i gneuen coco arall ddatod o'i hangor ymysg y palmwydd a glanio yn yr union fan y bu'n sefyll eiliad ynghynt.

'Blydi hel, mae'r rheina yn beryg bywyd,' meddai gan droi yn ôl i edrych.

'Ti'n lwcus i fod yn fyw!' meddai Aled. 'Byddai un o'r rheina 'di gallu torri dy wddw di.'

'My-fyr!' cwynodd Efa.

Ar ôl gwylio am funud i weld nad oedd rhagor o'r cnau am syrthio, cripiodd Myfyr yn ôl at y goeden fel pe bai honno'n anifail allai ddeffro a dechrau taflu cnau coco ato drachefn. Yna gyda phob gofal tynnodd y twca o foncyff y goeden gan wneud iddi siglo'n ôl ac ymlaen eto.

Yna cododd Myfyr un o'r cnau coco dan ei gesail, a mynd â hi draw at un o'r cerrig rhuddgoch ar lan y dŵr. Gosododd y gneuen mewn rhych yn y graig, cyn codi'r twca uwch ei ben ac ergydio'r gneuen dros ei thalcen. Holltodd yn ddau a chododd Myfyr yr ymyl i'w geg ac yfed y llaeth ewynnog oedd yn tasgu ohoni.

'Sut ddiawl nest ti hynna?' gofynnodd Aled gan grafu ei ben.

'Hawdd, ti jest yn ei tharo reit fan 'na,' meddai Myfyr gan

bwyntio. 'Ar y lwmp ar ei thalcen.' Cododd gneuen goco arall a gwneud yr un peth, a throsglwyddo hanner i Aled.

Cymerodd Aled ef a llowcio'r llaeth. 'Mmmm! Dreulish i blydi oes yn trio agor un.'

'Welish i fideo ar YouTube,' meddai Myfyr gan godi ei ysgwyddau tenau. 'Y *coconuts* brown 'di'r rhai gorau – ma'r rhai melyn yn gneud i ti gachu.'

Cymerodd Aled y twca, gosod un o'r cnau coco yn yr hollt a'i bwrw yn union yr un man ac fe holltodd ar ei hyd. Cododd y twca ac edrych arno fel pe bai'n rhyw fath o hudlath. 'Sbia hyn, Teleri, dydi dy frawd ddim mor iwsles â ddudist di.'

Edrychodd Myfyr arna i'n gyhuddgar.

'Hei!' meddwn i, a chwerthin yn chwithig. 'Nes i 'rioed ddeud ei fod o'n dwp, naddo?' Es i draw a derbyn hanner cneuen o law Aled. Blasai'n llawer mwy hufennog na'r gymysgedd siwgrllyd oeddwn i wedi ei gael mewn pwdinau adref.

'T'isho darn, Efa?' cynigiodd Myfyr.

'Yyych!' meddai hi, a throi ei chefn atom ni. 'I beth? Ma digonedd o ddŵr yn y *cool box*.'

Erbyn i Myfyr orffen torri'r goeden a dechrau ar y gwaith o greu lloches iddo'i hun roedd yr haul yn goron danllyd yn pipio dros ymyl y gorwel. A phan gyffyrddodd â wyneb y môr roedd fel petai wedi cyffwrdd ag olew – roedd yr awyr ar dân, y cymylau'n llosgi. Ond o fewn hanner munud ciliodd y fflamau ac fe aeth y traeth mor dywyll nes i mi neidio o 'nghroen pan waeddodd Dad bod ein swper yn barod.

Fe gerddon ni ar draws y traeth â sŵn distrych y tonnau ar un ochr a grwnian y goedwig ar y naill yn ein cadw tua'r canol nes baglu ar draws gwersyll fy nhad.

'Dowch at y bwrdd,' meddai Dad, o arfer a dim byd arall, gan nad oedd bwrdd na hyd yn oed cadair o amgylch y tân.

Yn wir, yn y golau gwan roedd hi'n anodd gweld beth oedd ar ein platiau hyd yn oed ond o brocio yma a thraw dyfalais mai rhyw fath o gyrri o becyn ydoedd. Doedd fy nhad ddim yn llawer o gwc ond roedd wedi gorfod gwneud ymdrech ers i mam farw.

'Mae yna ddigon i bawb,' meddai wrth hwrjo rhagor ar blatiau Aled a Myfyr. 'Helpwch eich hun.'

'Dw i 'di cael digon, Dad,' protestiodd Myfyr, ond llenwyd ei blat beth bynnag.

'Angen i ti fagu nerth.'

Doedd Aled byth yn cwyno – roedd wrth ei fodd yn rhannu'r un bwrdd bwyd â dyn oedd yn bwyta'n ddi-stop fel fo, ac yn cymryd boddhad mawr yn ei weld yn llowcio'r cwbwl.

Ond wrth i'r awr fynd yn ei blaen daeth yn amlwg fod rhywbeth wedi mynd dan groen Dad ac yn ôl ei arfer pan oedd mewn hwyliau drwg roedd yn dechrau beirniadu Myfyr am bob peth oedd o'n ei wneud. 'Dos i nôl rhagor o goed tân.' 'Gwylia mhlat i efo dy benelin.' Wedi cymryd lle Mam yn fag dyrnu i Dad pan oedd mewn hwyliau drwg oedd Myfyr, ac fel Mam roedd yn rhy fwyn i frwydro'n ôl. Ac fel Mam, pan oedd Dad yn dechrau beirniadu fe fyddai Myfyr yn dad-bwyllo ac yn dechrau gwneud camgymeriadau ac fe fyddai Dad yn beirniadu mwy. 'Paid cyffwrdd hwnna pan mae'n boeth! Yli, ti 'di llosgi dy law rŵan.'

Roeddwn i wedi hen arfer gyda'r sioe yma ond gallwn weld bod Aled braidd yn anghyfforddus ac wedi ymdawelu. Doedd Efa ddim fel petai ots ganddi, ac roedd ar goll yn ei meddyliau ei hun.

'Allwn ni ga'l y tortsh nawr?' gofynnodd hi'n sydyn. Roedd hi'n ddu bitsh erbyn hynny a'r tân wedi dechrau gostwng.

'Mae angen cadw'r tortsh rhag ofn i'r batris fynd,' meddai

fy nhad. Ro'n i'n gweld hynny braidd yn od o ystyried mai am ychydig ddyddiau bydden ni ar yr ynys ac roeddwn i'n gwybod o brofiad bod digon o fatris yn y tortsh i bara wythnosau wrth wyna ar fferm rhieni Aled. Ond roedd fy nhad mor ystyfnig doedd dim pwynt tynnu'n groes iddo dros fanion fel yna. A beth bynnag roedd yna rywbeth reit ramantus am fwyta gyda dim ond golau crynedig y tân yn goleuo ein gwynebau.

Serch hynny o fewn eiliad roedd Efa wedi estyn ei ffôn symudol o rywle ac roedd yn defnyddio'r fflachlamp i oleuo ei phlat. 'Sdim 4G,' meddai wrth fyseddu'r sgrin. 'Beth yw'r pwynt bod ar *tropical island* os na alla i *uploadio*'r llunie i Instagram?'

'Gorffen dy fwyd reit handi fel ein bod ni'n gallu mynd i gysgu!' meddai fy nhad yn fwy diamynedd fyth. 'Mae diwrnod mawr o'ch blaena chi fory.'

'Lle dan ni'n mynd fory?' gofynnodd Myfyr.

'Ti'n gwbod pam ein bod ni yma!' meddai Dad.

'Y trysor,' meddwn i ag ochenaid, ac edrychodd arna innau braidd yn flin hefyd.

'Ddudis i nad dod yma i orwedd gwmpas lle o'ddach chi, yn do?' atebodd. 'Dan ni wedi dod yma er mwyn ei ffindio fo o'r diwadd.'

Roedd fy nhad wedi bod yn mwydro am y trysor yma ers misoedd ac roedden ni wedi gadael iddo wirioni gan ei fod yn addo gwyliau ar ynys boeth am ddim i ni.

'Dw i o ddifri,' meddai. Gosododd bâr o sbectols ar ei drwyn a thynnu rhywbeth o'i boced. 'Ylwch, gen i fap.' Agorodd hwnnw a'i ddal o'i flaen yng nghryndod goleuni'r tân. 'Map sy 'di bod yn ein teulu ni ers cenedlaethau.' Edrychodd arna i a Myfyr dros ei sbectol.

Roedd dad wedi bod yn mwydro ymlaen ac ymlaen am y map yma ers misoedd hefyd.

'Eich hen-hen-hen-hen-hen Daid greuodd hwn. Y môr-leidr Edward Davis.'

Edrychais i a Myfyr ar ein gilydd a meimio'r 'hen-hen-hen-hen' ond doedd Dad ddim yn cymryd sylw. Llyfnhaodd y darn papur gyda'i law a'i droi i'w ddangos i ni, gan ei ddal braidd yn beryglus o agos at y fflamau. Fflachiodd amlinell gyfarwydd yr ynys mewn inc du ar y dudalen. 'Wedi ei guddio yn y Beibl teuluol. Map o'r union fan yr oedd wedi claddu ei drysor.'

'Sut chi'n gwbod bod neb arall o'r teulu 'di bod yn whilo am y trysor 'ma'n barod?' gofynnodd Efa, gan lyncu'r reis oedd yn ei cheg o hyd.

'Doedden nhw ddim yn gwbod lle i edrach, nac oedden?'

'Wel, sut dach chi'n gwbod, 'ta?' gofynnodd Myfyr.

'Dwi 'di deud 'that ti, am fod gen i rwbath oedd ddim gan neb yn y teulu o'r blaen,' meddai Dad. 'Google maps! Mi edrychais i drwy bob ynys yn y rhan yma o'r byd nes dod ar draws yr un oedd yn edrych yr union yr un fath â'r ynys ar y map yma.'

Roedd saib hir. 'Google maps?' ebychodd Efa. Edrychodd ar Myfyr a'i thalcen yn rhych. Dechreuais boeni faint oedd Myfyr wedi esbonio iddi am obsesiwn Dad cyn iddi ddod yma. Ddim eisiau ei dychryn hi i ffwrdd, mae'n siŵr.

'Caewch eich pennau a sbïwch!' meddai Dad. Tynnodd ddarn arall o bapur o'i boced, darn A4 gwyn gyda map mewn lliw wedi ei argraffu arno. 'Mae bob dim yn union yr un lle.' Cododd yr hen fap a'r argraffiad newydd o'i flaen. 'Siâp yr ynys. Lleoliad y traeth. Lleoliad y mynyddoedd. Siâp y greigres gwrel. Y gors. Y goedwig. Y cildraeth. Union yr un fath! Heb eu cyffwrdd ers dau gant a hannar o flynyddoedd. Sy'n golygu y bydd y trysor yn union yr un lle a heb ei gyffwrdd chwaith.'

'Maen nhw bach yn wahanol, tydyn?' meddai Myfyr gan estyn bys tuag at y map.

'OK, Mr ffycin PhD!' meddai fy nhad gan dynnu'r darn papur ymhellach o'i afael. 'Gafodd y map yma ei greu ddwy ganrif a hanner yn ôl, yn do? Doedd ganddo fo ddim ffycin drôn i dynnu lluniau o'r awyr! Ond yr un ynys ydi hi,' meddai'n bendant. 'Ac mae o wedi sgwennu yn y gornel fan hyn, "Mynydd y Duwiau – yma mae'r trysor."' Byseddodd y dudalen ac yna pwyntio dros bennau'r coed. 'Yr union fynydd welais i'n glir pan gyrhaeddon ni yma, mor amlwg â'r trwyn ar dy wyneb di.'

'Felly'r plan 'di nôl o fory, 'ta,' meddai Aled, a'i geg yn hanner llawn o gyrri.

''Na chdi. Dyna'r agwedd. Fe allat ti, Myfyr, ddysgu gan Aled fan hyn, yn lle cwestiynu popeth o hyd.' Plygodd y Capten yr hen fap yn ofalus drachefn a'i osod mewn ffeil. 'Fory bydd angen i chi fynd i dop y mynydd, i'r union fan sy ar y map, a thyllu am y trysor. Roedd Edward Davis yn gadfridog ar long Barti Ddu, 'lwch, môr-leidr mwya llwyddiannus ei oes. Fe gipiodd o 400 o longau – a mwy heb os!'

Edrychais i a Myfyr ar ein gilydd eto. Roedd nifer y llongau yn cynyddu bob dydd.

Rhwbiodd Dad ei fynegfys a'i fawd at ei gilydd. 'Sy'n golygu y bydd siâr unrhyw un oedd ar ei gwch hefyd yn anferth. Os gawn ni afael ar y trysor mi fyddwn ni'n gyfoethog – bob un ohonon ni. Fydd gynnon ni fwy o arian na fedrwn ni wario!'

Pwysodd Efa ymlaen, a gallwn weld ei llygaid yn disgleirio yng ngoleuni'r tân – a'i ffôn.

'Ond be os dio ddim yna?' gofynnodd Myfyr.

'Wrth gwrs y bydd o yno.' Gosododd Dad y map yn ôl yn ei fag. 'Fe fydd gynnon ni rai dyddiau wedyn i'w gario fo i lawr bob yn dipyn o'r mynydd. Wythnos os oes angen. Dwi wedi pacio digon o'r pecynnau bwyd yma i bara.'

Roedd hi wedi tywyllu gormod i mi ddarllen wynebau pawb ond Efa. Roedd hi'n dawel, yn meddwl. Teimlais Aled yn ystwytho fel pe bai'n ysu i fwrw ymlaen gyda'r gwaith yn syth. Tynnodd Myfyr ei sbectol a'i sychu ar ei grys-T. Fel fi roedd yn rhy gyfarwydd â chynlluniau ac addewidion mawr ein tad i gyffroi cyn pryd.

Ro'n i'n poeni. Y gair gorau i ddisgrifio Dad oedd obsesiynol. Beth os nad oedden ni'n dod o hyd i'r trysor? Fyddai Dad yn ein gorfodi i fartsio i fyny'r mynydd bob dydd o'r gwyliau nes i ni ddod o hyd iddo? A fyddai o'n bodloni i adael yr ynys heb y trysor?

Dyma'r dyn oedd wedi brwydro gyda'r Cyngor am bymtheg mlynedd dros fedwen yn ei ardd a oedd yn taflu cysgod dros baneli solar y dyn drws nesa. 'Blydi hipis Saesneg yn dod fan hyn ac yn meddwl y gallan nhw ddeud wrthan ni be i'w neud,' oedd ei gŵyn wythnosol. 'Wna i ddim ildio – ar egwyddor. Wnaeth Eileen Beasley ildio? Naddo!'

Ond mi roedd yna ran arall ohona i'n cyffroi wrth feddwl am y daith i frig yr ynys. Roeddwn i'n hoffi'r syniad o antur erioed. A dweud y gwir roedd meddwl y bydden ni'n troedio lle nad oedd neb wedi troedio ers dau gant a hanner o flynyddoedd yn gyrru ias o gyffro drwy fy nghorff. Heb sôn am feddwl am agor cist y trysor...

'Wel?' gofynnodd fy nhad wedyn.

'Beth os o's rhywun 'di melltithio'r arian?' gofynnodd Efa.

'Be–?!'

'Chi'mod, melltithio – damnio'r trysor a phawb fydd yn twtsh ag e.'

'Be ddiawl ti'n siarad am felltithio, ferch?! Dim blydi *Pirates of the Caribbean* 'di hwn, neu ryw stori ffantasi hanner pan. Dan ni yn y byd go iawn 'ŵan.'

'Mae o werth siot, tydi?' meddai Aled wedyn. 'Pwy sy'n gêm?'

'Dach chi i gyd yn mynd,' meddai fy nhad. 'Un ar gyfar pob cornel o'r gist.'

Disgwylais am eiliad gan feddwl y clywn i ryw brotest gan Efa – ryw gŵyn am gorynnod neu fadfallod. Ond ni wnaeth yr un smic wedyn. Mae'n rhaid ei bod hi eisiau gwneud yn siŵr ei bod hi'n hawlio ei siâr o'r ffortiwn, meddyliais i.

'Ond dach *chi'n* aros fan hyn?' gofynnodd Myfyr.

'Yndw, 'na chdi.'

'Pam?' gofynnais i.

'Am mod i'n rhy hen i ddringo mynydd mewn coedwig law, tydw? Fi 'di'r brêns. Jobyn i chi hogia a genod ifanc 'di halio cist i lawr mynydd.' Gwnaeth sioe o godi ar ei draed gyda chryn ymdrech ac ystwytho ei gefn. 'Fel arall 'swn i 'di gallu taflu rhaw yng nghefn y cwch a gwneud y jobyn fy hun reit handi. Rŵan, gynnoch chi ddiwrnod mawr o'ch blaenau chi fory, felly well chi feddwl am ei hel hi i'ch gwlâu.'

Fe aeth Dad i'w babell yn syth wedyn a'n gadael ni i siarad o amgylch y tân. Dechreuodd awel y môr chwythu'n feinach ac roedd y newid o wres y dydd yn gwneud iddi deimlo'n oerach byth rywsut. Dechreuodd fy nannedd sgrytian ond taflodd Aled ei siwmper drosta i a'm tynnu dan ei gesail. Roedd ei ddillad yn dal yn ogleuo o wrtaith, hyd yn oed fan hyn.

Ni ddywedodd neb unrhyw beth am y trysor.

Roedden ni ar fin ei throi hi hefyd pan edrychodd Efa i fyny o'i ffôn ac ebychu: 'Waw – y sêr!'

Codais fy mhen a rhyfeddu. Doeddwn i erioed wedi deall bod cymaint o sêr yn yr awyr. Roedd cymaint uwch ein pennau ni ag oedd yna o ronynnau tywod dan ein penolau. Ac roedd cyn lleied o donnau ar y môr y pen yma i'r greigres gwrel, roedden nhw wedi eu hadlewyrchu yn y dŵr ac edrychai fel pe bai'r ynys yn arnofio ar sêr hefyd.

'Be 'di'r peth yna?' gofynnais gan bwyntio at fwa cymylog oedd yn amgylchynu'r awyr.

'Y llwybr llaethog, ynde,' meddai Myfyr.

Do'n i erioed wedi deall bod modd *gweld* y llwybr llaethog yn yr awyr, a'i fod yn edrych yn reit debyg i'w enw, yn stribyn hir gwyn cymylog. Y cyfan a welwn i adref ar noson glir oedd pump neu chwech o sêr os oeddwn i'n lwcus.

'Rhyfadd meddwl, tydi, bod y rhain yr un sêr ag sy uwch ein penna' ni yng Nghymru?' meddai Aled wrtha i.

'Be? Ti'n gallu gweld y sêr yma i gyd ar y fferm?'

'Na, deud ydw i, ei fod o'n deimlad braf. Bod dan yr un awyr. Fatha tasan ni i gyd yn perthyn i'r un lle, ti'n gwbod?'

Ysgydwais fy mhen. Roedd Aled yn mwydro weithiau.

Ymddangosodd pen Dad o geg y babell.

'Ewch i ffycin gysgu!' cyfarthodd.

Roedd hi'n rhy dywyll wedi'r cwbwl i ni fentro yn ôl a cheisio dod o hyd i'r lloches yr oedd Aled wedi ei hanner adeiladu felly dyma ni'n tynnu'r bagiau cysgu amdanom a gorwedd ar y traeth gyda rhywfaint o'n dillad oddi tanom ni a'r netiau mosgito dros ein pennau.

Gorweddais yno am amser hir a'm llygaid yn llawn sêr, yn gwrando ar y môr yn anadlu i mewn ac allan, yn fy suo yn agosach at gwsg. Ond roedd sŵn arall hefyd. Gallwn glywed

Efa a Myfyr yn sibrwd i'w gilydd tu draw i le'r oedd y tân yn mudlosgi.

'Paid grando ar Dad,' meddai Myfyr. 'Ma'r boi'n fwydryn o'r radd flaena.'

'Wel ma isie i ti ddechre sefyll lan iddo fe pan ma fe'n gas i fi.'

'Mae o'n licio ti go iawn, sti. Mae o jest yn foi blin. Run fath efo pawb.'

'Sai'n meddwl bod Teleri'n lico fi chwaith. Pawb yn meddwl mod i'n *airhead* am bod 'da fi wallt melyn.'

Troeais fy mhen at Aled i weld a oedd o'n gwrando hefyd, ond roedd ei lygaid ar gau a meddyliais am funud ei fod wedi mynd i gysgu'n barod – gallai gysgu yn unrhyw le – ond ni allwn deimlo ei frest yn codi a gostwng fel megin anferth fel y byddai yng nghanol nos adref.

Yna sibrydodd, yn ddistaw bach, bach, i mewn i'm clust: 'Gin i syniad.'

'Be?' gofynnais. Doeddwn i ddim yn cofio iddo gael syniad erioed o'r blaen.

Symudodd ei ben yn agosach a sibrwd hyd yn oed yn dawelach.

'Tasan ni'n dau'n dod o hyd i'r trysor gynta... mi allwn ni beidio deud wrth y lleill...'

'Be?'

'Wyt ti wir isio rhannu'r pres efo Myfyr ac Efa? Efo dy dad? Sut w't ti'n gwbod y cawn ni'n siâr hyd yn oed? Ma'r Efa 'na'n astudio i fod yn *lawyer*, tydi?'

Aeth ryw gryndod drwyddof a thynnais y sach gysgu yn dynnach amdana i.

'Ni'n dau fydd yn neud y gwaith i gyd, ynde,' meddai Aled. 'Fydd Myfyr ac Efa ddim help o gwbwl. Fydd dy dad fan hyn, yn crafu ei din ac yn disgwyl i ni ddod 'nôl. Felly os oes yna drysor... mi allwn ni ei guddio fo... dros dro... dod 'nôl rhywbryd eto ella? Ar ein mis mêl?' Oedodd. 'Cadw'r cyfan, fysan ni'n set wedyn, bysan?'

Troeais i ffwrdd rhagddo fel fy mod i'n wynebu'r môr. Ond pan roddodd Aled ei fraich fawr yn garthen amdanaf, ni symudais hi i ffwrdd. Bûm yn meddwl yn hir wedyn cyn ymgolli i sŵn anadl y môr. Dylyfais ên ac yn araf bach suddodd fy nghorff i grychdonnau cwsg, a hedfanodd fy meddwl a'm henaid i fyny fel balŵn i gwrdd â'r lleuad a safai mor grwn a sgleiniog â wyneb babi yng nghanol y cyfanfyd.

# Myfyr

'**M**ŵ-ᴅŵ!'
Lle ddiawl oeddwn i? Ro'n i'n wlyb braidd. Ddim yn gysurus o gwbwl. 'Y ngwddw i'n gam. Ac roedd yna aderyn yn cwynfan yn rhywle. Cri unig, ddeusill, gras.

'Mŵ-dŵ!'

Codais fy mhen ac edrych o'm cwmpas. Y traeth. Dyna fo. Ar y blincyn ynys annifyr yna. Estynnais am fy ffôn, o reddf yn fwy na dim, ond yna cofiais. Doedd dim we. Dim cysylltiad â'r byd tu allan. Dim Twitter na Facebook. Dim modd dianc o gwmni fy nheulu, i'r llyfrgell am brynhawn o ymchwilio.

Edrychais i lawr heibio fy mhengliniau a gweld y llanw'n llyfu gwaelod fy mag cysgu. Dyna'r gwlypder. Heblaw am gri'r aderyn doedd braidd dim i'w glywed ond y sŵn sugno parhaus hwnnw. Roedd y traeth yn rhynllyd a difywyd a'r awyr yn las gwelw fel croen rhywun marw.

'Mŵ-dŵ!'

Tynnais y sach gysgu a brwsio'r tywod oddi arni a theimlo ias y bore yn mynd drwyddaf. Rhaid fod yr haul wedi codi, ond roedd y tu ôl i ni, tua'r dwyrain, tu ôl i'r mynydd du 'na'n rhywle. 'Mynydd y Duwiau,' meddai Dad. Doedd dim golwg ogoneddus iawn arno – roedd yn fwy o fryn, efallai tua 1,000 o droedfeddi ar y mwyaf, er fod y gorchudd cyndyn o wyrddni oedd yn tyfu fel ffwng dros yr ynys gyfan yn ei gwneud yn anos barnu beth oedd yn bell ac yn agos.

Teimlwn bryder rhagargoelus yn belen boenus yn fy stumog wrth edrych ar y pegwn unig, a'i gopa llwyd a wthiai uwchlaw y llystyfiant. Nid dim ond y mynydd oedd yn fy mhoeni. Roedd yna rywbeth annifyr am yr ynys i gyd na allwn i roi fy mys arno. Beth oedd y gair gorau i'w ddisgrifio? Gelyniaethus, efallai? Roedd rhywbeth gelyniaethus am y traeth a'i dywod gwyn fel sgerbwd a thywyllwch anghynnes y goedwig.

'Mŵ-dŵ!'

Ond na, nid gelyniaethus oedd y gair gorau chwaith. Difater. Dyna fo. Roedd yr ynys yn ddifater. Ddim yn malio'r un daten amdanom ni. Ac roedd hynny'n fwy brawychus na'i bod yn elyniaethus, rywsut. Gallai'r goedwig wlyb, wenwynig yna ein llyncu'n gyfan ac o fewn wythnos ni fyddai unrhyw un ar ôl ar wyneb y ddaear fymryn callach beth oedd wedi digwydd inni.

'Mŵ-dŵ!'

''Nei di weud wrth yr aderyn 'na i gau ei ffycin ben?'

Edrychais ar Efa, a oedd wedi tynnu'r sach gysgu dros ei phen. Syllodd arna i drwy'r agoriad, ei llygaid yr un lliw â'r awyr.

''Nest ti gysgu'n iawn?'

'O'n i'n meddwl bod tywod i fod yn feddal.'

Pwysais i lawr wrth ei hymyl. 'Snam rhaid i ni fynd efo nhw heddiw, nac oes? Allen ni jest aros fan hyn...'

Ysgydwodd ei phen. 'Na.'

'Pam?'

Trodd Efa yn ei sach gysgu a phipian draw at le'r oedd Aled a Teleri yn lled-orwedd ymhellach i lawr y traeth. 'Ma trysor 'na, on'd o's e?'

'Trysor! Ma nhad i'n nyts.' Sibrydais. 'Dim nofel T Llew ffycin Jones ydi bywyd, sti.'

'Mŵ-dŵ!'

'Ffyc sêcs ma'r aderyn 'na'n boen tin go iawn,' meddwn i. 'Lle ma gwn Dad er mwyn i fi ga'l 'i saethu fo?'

'Ti'n trysto nhw i fynd hebddon ni?' gofynnodd Efa. 'Ti'mod, so nhw'n lico ni, nag'yn nhw... Siŵr allwn ni ddod i ben â dringo un mynydd bach.'

'Mynydd yn ganol jyngl.' Pwyntiais at safn y goedwig yn agor fel ogof ddu, y drain yn ddannedd o amgylch ei cheg wlyb.

'Bydd Aled 'da ni.'

Teimlais fy ngwddf yn tynhau. Roedd Aled a'i gyhyrau mawr a'i allu i wneud bob dim dan haul yn mynd ar fy nerfau. Yn gwneud i mi deimlo'n ddiwerth. Wel, mi'r *oeddwn* i'n ddiwerth mewn jyngl, dyna'r gwir amdani, ac roeddwn i'n casáu'r teimlad hwnnw.

'Iawn mi ddo' i,' meddwn i. 'Ond ella 'sa'n well i ti aros fan hyn.'

'Ni'n dau'n mynd,' meddai Efa. 'Neu fyddi di wedi cwmpo mewn i ryw dwll yn rhywle.' Ac yna crwydrodd ei llygaid yn ôl at ein cymdogion ar y traeth. 'Neu rhywun 'di gwthio ti mewn.'

Dringodd allan o'i sach gysgu a chrwydro draw at le fu'r tân. Tynnodd siwmper amdani rhag yr oerfel a dechrau brwsio ei gwallt euraid.

Gwyliais hi a rhyfeddu unwaith eto fod gen i gariad mor brydferth. Fi, oedd heb gusanu merch nes fy mod i yn fy ugeiniau, yn sydyn iawn ag Efa ar fy mraich.

Sut? Pam? Wel, fe allwn i ddadansoddi'r cwestiwn hwnnw fel traethawd ond doeddwn i ddim eisiau gwneud, oherwydd roedd hi'n berffaith bosib na fyddwn i'n hoffi'r casgliad. Ond fy mlaenoriaeth ar hyn o bryd oedd ei chadw hi. Achos ro'n i'n gwybod, o golli Efa, na fyddwn i fyth yn cael merch hanner mor ddel yn ei lle hi.

'Mŵ-dŵ!'

Ond roedd yr un peth yn boen yn y tin bob tro yr oedd Efa yn treulio amser efo fy nheulu – roedd hi a Dad mor ddiawledig o ystyfnig. Ac ro'n i'n cael fy nal yn y canol bob tro, yn cael fy llusgo bob ffordd fel taswn i'n rhaff mewn gornest dynnu.

Fe fyddai'n well o lawer gen i fod adref, efo fy llyfrau. Lle *nad* oeddwn i'n hollol ddiwerth.

'Mŵ-dŵ!'

Clywais sip pabell Dad yn agor, ac ymddangosodd ei ben drwy'r agoriad fel baban yn cael ei eni.

'Wneith rywun dagu'r ffycin aderyn 'na?' gwaeddodd yn gandryll.

Deffrodd ei waedd Teleri ac Aled ac, ar ôl i Aled lwyddo i ddychryn yr aderyn i ffwrdd â charreg, eisteddodd pawb i lawr am uwd yn frecwast, wedi ei goginio ar y tân mewn padell oedd yn dal i flasu ychydig o gyrri y noson flaenorol.

Roedd pawb yn reit dawel wrth fwyta. Roedd rhyw olwg bell ar Dad hyd yn oed. Roeddwn i wedi disgwyl iddo gwyno am y babell – roedd ei chornel yn hongian i lawr eto ar ôl i fi dorri un o'r ffyn ddoe. Ond roedd yna rywbeth arall ar ei feddwl.

'Mi af i nôl 'chydig bethau o'r cwch heddiw – tra dach chi ben mynydd,' meddai o'r diwedd. Camodd yn ôl ac ymlaen ar hyd y traeth heb fwyta llawer o'i uwd, yn edrych allan i'r môr ac yna ar y mynydd bob yn ail. 'Os ewch chi'n gynnar rŵan mi fydd digon o amser gen i i gyrraedd y cwch cyn i'r llanw fynd allan.' Gwgodd a rhwbio ei glust. 'Bore piau hi.'

'Reit, be sy angan arnan ni, 'lly?' gofynnodd Aled.

'Dim ond bwyd a diod – a rhaw, a'r twca,' meddai fy nhad,

heb edrych arno. Rhwbiodd gefn ei wddf, ac yna gosod cledr ei law ar ei frest, fel pe bai'n paratoi i ganu'r anthem genedlaethol. Yna dywedodd: 'Fe ddylsach chi fod ar ben y mynydd erbyn cinio.'

Cyn gynted ag iddo orffen ei ail ddogn o uwd roedd Aled wedi llenwi ei fag gyda bariau grawnfwyd, bisgedi, poteli dŵr a phecynnau creision ac yna wedi ymlwybro am y goedwig gyda'i dwca ei law, gyda Teleri yn dynn ar ei sodlau.

'Dere,' meddai Efa, gan fy siarsio i orffen llenwi ein bag ninnau â llawer llai o fwyd a diod a brysio ar eu holau.

Aethom i mewn i ddüwch y goedwig law yn llaw. Caeodd y coed dros ein pennau fel caead arch. Ond roeddem ni'n gallu gweld nad oedd Aled a Teleri wedi mynd yn bell. Y tu hwnt i'r wal o brysgwydd wrth y traeth tyfai coed â rhisgl cennog tywyll mor agos at ei gilydd nes eu bod yn debycach i wrych, eu dail gwyrddlas yn cau dros ein pennau fel nad oedd unrhyw olau'n hidlo drwyddynt. Roedd Aled wedi gorfod atal i dorri drwodd gyda'i dwca ac roedd yn waith blinedig.

Roeddwn i wedi disgwyl iddi fod yn oerach dan gysgod y goedwig ond wrth i'r haul godi a thasgu pelydrau gwyrdd i lawr drwy'r dail cynhesodd fel tŷ gwydr. Nid gwres tanbaid cyson fel ar y traeth ond gwres llaith, llithrig, llysnafeddog. Roedd aroglau marw yma yn hytrach na'r aroglau byw, ffres ar y traeth. Cyn bo hir roedd rhaid i hyd yn oed Aled orffwys i gael ei wynt ato.

'Ti isio i fi dorri am bach?' gofynnodd Teleri.

Ond fe estynnodd Aled y twca i fi.

'Hei, dw i'n gryfach na Myfyr!' meddai Teleri.

'Mi geith pawb ei dro,' atebodd Aled gan bwyso ar ei benngliniau.

Dechreuais daro fy ffordd drwy'r drysni. Roedd yn waith

digon boddhaol a rhwydd i ddechrau, cael hollti'r boncyffion gyda'r twca miniog. Ond trymder y twca, yr aer llaith a'r symudiadau ailadroddus oedd yn blino rhywun. Cyn pen dim roedd fy ysgwydd dde yn llosgi gan yr ymdrech. Teimlwn fel ein bod ni'n ceibio ein ffordd drwy ryw isfyd, i lawr gyda'r abwydod a'r ymlusgiaid eraill tra bod y creaduriaid nefolaidd yn gôr uwch ein pennau. Yma a thraw ffrwydrai pelydrau'r haul drwy dyllau yn y canopi gan greu llennyrch o oleuni bron rhy lachar i edrych arnynt.

'Reit, Teleri, go ti 'ŵan,' meddwn i wedi chwarter awr, pan oedd poen fel seiatica yn sathu i lawr fy mraich. Gwyddwn hefyd i beidio â mynd ymlaen yn rhy hir cyn rhoi'r twca i fy chwaer am y byddai yn rhy gystadleuol i'w basio i'r nesaf nes ei bod hi wedi torri drwy lawn cymaint o goed â fi.

Ond digwydd bod, gwasgarodd y coed gyda rhisgl cennog tywyll yn fuan wedyn a daeth ychydig yn haws symud yn ein blaenau. Roedd y tir yma'n sychach ac yn fwy agored. Roedd glaswellt ar lawr a oedd yn tyfu o amgylch ein canol naill ai'n goesau gwag meddal fel gwellt neu'n llym fel llafnau, ac roedd yn amhosibl gwybod beth oedd beth nes iddynt dorri ein croen.

Ac wrth i ni gerdded yn ein blaenau fe welon ni fod yna rywbeth arall yn tyfu yma hefyd – cerfddelwau anferth a ymrithiai drwy'r coed. Y rhan fwyaf ohonynt yn llwyd ac yn farw, ond eraill yn lliw pridd rhuddgoch.

'*Termite mounds*,' meddais i, wrth agosáu, a gweld bod y rhai newydd yr olwg wedi eu gorchuddio â miloedd o forgrug gwyn.

'Waw, sbïwch, maen nhw fatha... cociau anferth!'

'O, Aled, paid â bod mor fabïaidd!' meddai Teleri.

'Coedwig o bidyns!' cyhoeddodd Aled. 'Watsia hyn!'

Cymerodd y twca oddi ar Teleri. Bwriodd un o'r twmpathau anferth ac fe aeth y morgrug gwyn yn wyllt, gan heidio o filoedd o dyllau a dringo ymysg y gwair.

Sgrechiodd Efa a rhedeg i ffwrdd.

Safodd Aled yno'n chwerthin ar ei phen. 'Ha ha ha!' Ond yna clywais o'n gweiddi: 'Ffycin Iesu Grist goc o'r nef! Teleri!' Dechreuodd ddawnsio yn yr unfan ac roeddwn i'n meddwl ei fod wedi colli arno'i hun ond yna gwelais fod y morgrug gwyn yn dringo dros ei goesau, ei frest ac yna ei frechiau.

'Aros llonydd!' meddai Teleri, wrth i Aled redeg o amgylch y twmpath gan fwrw ei ddwylo yn erbyn ei gorff fel pe bai ei ddillad ar dân gan dasgu morgrug gwyn fel ewyn i bob cyfeiriad. Rhedodd Teleri ar ei ôl a cheisio bwrw'r creaduriaid oddi ar ei gefn gyda'i dwylo.

'Gwarad y ffycars!' sgrechiai. Dechreuodd Aled ddadwisgo, gan rwygo ei grys i ffwrdd ac wedyn ei siorts, gan ddatgelu bod cannoedd o'r creaduriaid dros ei gorff i gyd. 'Mae'r bastads bach yn brathu!'

Yn y pen draw rhwygodd hyd yn oed ei ddillad isa i ffwrdd ac yna hyrddio drwy'r goedwig fel tarw o'i go, ac aeth Teleri ar ei ôl yn sgrechian: 'Aled!'

Bu saib. Edrychais i ac Efa ar ein gilydd yn syn. Yna clywyd sŵn annisgwyl yn y pellter: *Sblosh!*

Brysion ni draw a chael ein hunain ar ymyl clogwyn. Edrychais dros yr ochr a gweld nad oedd dim oddi tano am ugain troedfedd ond pwll dwfn o ddŵr.

Safai Teleri ar yr ymyl yn dal i sgrechian 'Aled!' gan ofni'r gwaethaf, a bu'n rhaid i mi gydio yn ei llaw rhag iddi hithau syrthio hefyd.

Ond yna gwelwyd rhywbeth yn codi i'r wyneb fel corcyn. Pen Aled, ac yna ei gorff noeth.

Poerodd ddŵr o'i geg. 'Meddwl 'mod i 'di boddi'r ffycars bach!' gwaeddodd yn fuddugoliaethus. Yna edrychodd o'i amgylch. 'Waw, ylwch lle 'ma!'

Cymaint oedd fy mhryder fod Aled wedi plymio i'w farwolaeth nad oeddwn i wedi sylwi'n iawn ar yr hyn yr oedd wedi glanio ynddo. Roedd y dŵr mor glir roedd modd gweld pelydrau'r haul yn dawnsio ar y creigiau gwyrddlas ar ei waelod. Roedd y pwll wedi ei hemio ar un ochr gan wyrddni'r jyngl ac ar yr ochr arall gan y clogwyn uchel. Diferai rhaeadr i lawr o'r graig uwchben i mewn iddo.

'Ty'd lawr, Teleri!' gwaeddodd Aled. 'Ma'r dŵr yn oerrrr!'

Oedodd Teleri am eiliad yn unig i wasgu'r rhaw a'r bag y bu'n eu cario i'm dwylo ac yna llamu oddi ar ymyl y clogwyn a glanio gyda chymaint o sblash y teimlais ambell i ddiferyn o ddŵr yn taro fy ngwyneb o frig y clogwyn.

Sbonciodd yn ôl i'r wyneb. 'Wowww!' gwaeddodd.

'Sut beth ydi o?' gofynnodd Aled.

Troellodd Teleri yn y dŵr fel plentyn yn chwarae mewn bath. 'Dowch!' galwodd arnom ni.

'C'mon, Myfyr!' meddai Aled.

Ond doedd Efa ddim yn hapus. 'Allet ti dorri dy go's,' meddai'n sbecian dros yr ymyl.

'Myfyr! Myfyr! Myfyr!' llafarganodd Teleri.

'Ty'd 'laen, Myfyr,' meddai Aled, a'i ddwylo o amgylch ei geg. 'Paid â deud bod gan dy chwaer fwy o gyts na ti!'

Teimlwn gnofa o gythrudd tuag at Aled, a rhaid bod Efa wedi deall hynny. 'Fe nawn ni neido gyda'n gilydd,' meddai hi.

Taflodd y rhaw i ben basaf y pwll lle y glaniodd gyda sŵn *sblwts*. Yna cripiodd at yr ymyl a, braidd yn ddisymwth i mi, cydiodd yn fy llaw a neidio i mewn mor unionsyth â phensil.

Llusgwyd fi gyda hi dros yr ymyl, yn ceisio dal fy sbectols yn sownd i fy nhrwyn y gorau allwn i, a theimlais eiliad neu ddwy o ruthr brawychus cyn bwrw'r dŵr â chlec boenus. Amgylchynwyd fi mewn cawod o swigod ac roedd bwrlwm y rhaeadr fel storm bell yn fy nghlustiau.

'Aha! Myfyr! *Bellyflop!*' meddai llais Aled o rywle wrth i mi dorri i'r wyneb.

Ymddangosodd pen Efa wrth fy ochr.

'Ti'n iawn?' gofynnais.

'Odw.'

Nofiais at ymyl y pwll, cyn edrych o'm hamgylch. O'r fan hyn roedd y goedwig wedi ei hadlewyrchu yn wyneb y dŵr gan roi gwawr werdd ymbelydrol iddo. Ond roedd y dŵr yn bur, fel nofio mewn gwydr tawdd, ac yn nefoedd ar ôl gwres gludiog y goedwig.

Fe arhoson ni yno am ryw awr dda, yn sblashio. Dringodd Aled a Teleri i'r brig eto er mwyn casglu'r dillad a'r bagiau cyn neidio yn ôl i mewn. Erbyn hynny roedd yr haul yn ddigon uchel fel ei fod yn tywynnu i lawr yn syth ar ein pennau gan oleuo'r stêm a godai o'r goedwig bob ochr a llenwi'r pwll â golau arallfydol.

Codais allan o'r dŵr a mynd i chwilota ar ymyl y pwll am garreg y gallwn i ei chodi. Roedd un fawr, wen-sgleiniog a chrwn yno, yn llyfn fel wy deinasor. Cariais hi a'i hanner-taflu-hanner-gollwng i mewn i'r dŵr â *sblwj* boddhaol.

'Beth ti'n neud?' gofynnodd Efa.

'Taflu carreg i'r dŵr.'

Ro'n i'n ofni y byddai hi'n meddwl 'mod i'n blentynnaidd pe bawn i wedi cyfaddef bod gen i ryw awydd rhyfedd i adael fy ôl ar y byd, hyd yn oed os mai dim ond carreg fawr ar waelod pwll o ddŵr oedd hynny. Roedd ei gweld yn sgleinio yno yn brawf i mi fod yno, i mi newid pethau, dim ots pa mor ddiystyr oedd y newid hwnnw. Roedd yn foddhaol iawn am resymau na allwn i eu hesbonio.

'Well ni gychwyn am dop y mynydd yna,' meddwn i wedyn, gan fy mod i bellach wedi sychu rhyw fymryn a ddim eisiau mynd yn ôl i'r dŵr oer.

'I be?' gofynnodd Teleri. 'Dan ni ar wyliau i fod. Allen ni aros fan hyn, yn enjoio. Be 'di'r ots am Dad a'i blydi trysor?' Rowliodd drosodd yn y dŵr fel morlo. 'Sdim byd yno beth bynnag, mae'n siŵr.'

'C'mon, Teleri, ti'n gwybod sut fydd Dad os nad ydan ni'n trio, o leia.' A fi fydd yn cael y bai, ro'n i'n gwybod hynny. Fyddai o byth yn dweud gair cas am ei hoff blentyn, Teleri, nac am Aled – y mab uwchraddol na chafodd erioed.

Dilynodd Efa fi allan o'r dŵr, ei chorff yn edrych yn rhyfeddol o denau gyda'i dillad gwlyb wedi glynu'n dynn wrtho.

'Ewn ni hebddyn nhw...' meddai Efa. Cydiodd yn fy llaw a mwytho fy arddwrn gyda'i bawd.

'Fe ddown nhw rŵan.'

'Os y'n nhw ddim isie'r trysor, wel...' Winciodd arna i.

Teimlais ias o gyffro wrth i ni gynllwynio. Roedd rhyw gyfrwystra dichellgar yn perthyn i Efa ac roeddwn i'n hoffi hynny. Yn hoffi ei chlyfrwch hi.

'Rydan ni'n mynd ymlaen ar ein pennau ein hunain, 'ta,' galwais ar Teleri ac Aled.

Ond roedd hynny fel petai wedi deffro rhywbeth yn Teleri.

'OK, 'ta, dw i'n dod,' meddai gan nofio ar draws y pwll gyda'r rhaw yn un o'i dwylo. 'Ty'd, Aled. Lle mae'r twca?'

Ond roedd Aled wedi llithro i fyny y tu ôl iddi heb iddi

wybod a neidiodd ar ei chefn a gwasgu ei phen dan y dŵr. Daliodd hi i lawr ar bum eiliad dda gan chwerthin cyn gollwng ei afael. Ond pan ddaeth Teleri i'r wyneb gwelais yn syth ei fod o wedi mynd yn rhy bell.

'Ffyc off, y twat!' gwaeddodd a'i fwrw ar ei ben, cyn nofio am yr ymyl.

'Jest jôc oedd o!' meddai Aled yn syn. 'Mistêc! Sori!'

'Dim mistêc oedd o, naci? Ti oedd yn bod yn hurt. Ti'm yn rhoi bys arna i heb i fi roi caniatâd, OK?'

'Iawn, OK,' meddai Aled, mor ddifater ag y gallai a throelli i nofio ar ei gefn. 'Gwas fferm dw i. Ti yw'r bos. O, y twca,' meddai, a phlymio dan y dŵr, a dod yn ôl i'r wyneb gyda'r arf yn sgleinio yn ei ddwylo.

# Aled

'MAE'N DDIWRNOD BRAF,' meddwn i'n uchel. 'Piti am y cwmni, ynde?'

Ni atebodd y lleill. Roedd Myfyr ac Efa yn sibrwd efo'i gilydd ryw ugain llath yn ôl, a Teleri ryw ddeg llath rhyngom ni. Doedd hi ddim wedi torri gair efo fi ers i ni adael y pwll, yn benderfynol fy mod i'n cael gwybod ei bod hi'n dal i bwdu efo fi yr holl ffordd i dop y mynydd.

'Tybed be 'di'r tywydd 'nôl yng Nghymru? Glaw, ma'n siŵr.'

Dyma oedd fy nhacteg i bob tro oedd Teleri yn pwdu. Cymryd arna i nad oeddwn i'n sylweddoli bod unrhyw beth o'i le, chwibanu'n siriol. Peidio â gadael iddi fy rheoli i.

Beth bynnag, gyda fi oedd y twca a'r rhaw felly doedd gen i fawr o ots a oedd y gweddill ohonyn nhw yno o gwbwl. Fe allwn i gyrraedd top y mynydd a datgloddio'r trysor ar fy mhen fy hun pe byddai rhaid, a'i gario i lawr i'r traeth. Duw a ŵyr na fyddai Myfyr ac Efa ddim help. Dechreuais gerdded yn gyflym iawn, heb edrych yn ôl, na chwaith ar y coed tal ar y naill ochr, gan ganolbwyntio'n llwyr ar gyrraedd troed y mynydd a oedd bellach yn codi fel wal werdd o 'mlaen i.

A dyna sut y baglais dros y garreg oedd ar goll ymysg y gwair hir.

'Ffycin hel,' meddwn i, yn fflat ar fy ngwyneb ac yn anadlu

llwch y pridd â bob gair.

'Ti'n iawn?' gofynnodd Teleri, wedi anghofio am eiliad ei bod hi'n pwdu.

'Yndw, diolch am ofyn.' Codais ar fy nhraed a chrafu'r cerrig bach a oedd yn frech ar fy mhengliniau.

'Wel, dylsat ti sbio lle w't ti'n mynd.'

'Ma llwybr fan hyn.'

Roedd rhes o gerrig fflat wedi eu gosod mewn rhes yn croesi gan ddiflannu i'r gwrych ar y naill ochr.

'Snam posib mai llwybr 'dio,' meddai Myfyr, gan ddal i fyny. 'Does neb yn byw yma, meddai Dad.'

Datganiad doeth arall gan Mr Gwybod y Cwbwl. Ystyriais droi'r twca at ddefnydd gwahanol.

'Yli,' meddwn i. 'Be ydi hwn, 'ta? Roedd pobol yma, yn doedd?' Pwniais y cerrig rhydd gyda fy nhroed.

'Ti'n meddwl bod y llwybr yn arwain at y trysor?' gofynnodd Efa â chyffro yn ei llais.

'Na, achos ar y mynydd ma'r trysor, meddai Dad,' meddai Myfyr.

*Ca' dy ben*, meddyliais. Roedd Myfyr yn gwybod digon ond roedd hi'n un peth gwybod lot a pheth arall gwerthfawrogi beth oeddet ti ddim yn ei wybod. Clyfrwch oedd y cyntaf a doethineb oedd yr ail. Dyna ddywedodd hen ddyn yn y Ring yn Llanfrothen wrtha i unwaith. Ond roeddwn i'n rhy flin i'w roi yn ei le efo geiriau rŵan. Rhwng Teleri yn fy anwybyddu a hwn yn mwydro, a'r blydi carreg yna, doedd dim modd cuddio fy hwyliau drwg rhagor.

Ro'n i wastad wedi ffansïo fy hun yn goroesi ar ynys ddiffaith ond nawr mod i yma roedd y lle'n mynd ar fy nerfau. Roedd y goedwig yma'n cau fel rhaff am fy ngwddf, a'r haul fel gwresogydd trydanol fodfeddi o fy mhen. Ro'n i eisiau bod 'nôl yng nghanol cae oer, gwlithog ar ochr mynydd yng Nghymru, yn gwylio'r tarth yn codi o'r tir, ac yn anadlu.

'Dewch i ni gael ffeindio'r ffycing trysor yma,' meddwn i, a mynd yn fy mlaen gan sychu'r chwys oddi ar fy nhalcen â chefn fy llaw.

'Os oes yna drysor,' meddai Teleri.

'Trysor neu beidio, fe gawn ni weld a mynd yn ôl i nofio. Fe fyddwn ni ar y top mewn chwarter awr.'

Fel y bu hi, roedden ni dri chwarter awr yn ddiweddarach yn dal i stryffaglu hanner ffordd i fyny'r mynydd, yn bennaf oherwydd fod Efa a Myfyr mor araf. Roedd y mynydd mor serth bod yn rhaid i ni dynnu ein hunain i fyny'r llethr gerfydd bonion trwchus y coed. Roedd sŵn brygawthan a baldorddi yr adar a'r trychfilod a phwy a ŵyr beth arall o'n cwmpas yn fyddarol, ac oglau siarp dail yn pydru a blas lleithder cynnes yr aer yn llenwi fy ngheg a'm trwyn nes bron â gwneud i mi gyfogi.

'Alla i ddim mynd dim pellach!' meddai Efa yn sydyn, a hanner llewygu yn y fan a'r lle. Roeddwn i'n meddwl mai bod yn ddramatig oedd hi ond yna gwelais fod ei hwyneb mor wyn ag esgyrn dafad.

'T'isio aros fan hyn efo hi?' gofynnodd Teleri wrth Myfyr.

'Na!' meddai Efa. 'Rhowch funud i fi. Myfyr – dŵr!'

'Fydda inna ar 'y nghefn hefyd os ydan ni'n aros yma yn hir eto,' meddwn i. Roedd hyd yn oed y pantiau tu ôl i'm pengliniau yn chwysu. 'Ty'd.' Gwelais fy nghyfle yn sydyn i dalu'r pwyth yn ôl i Teleri *a* Myfyr yr un pryd. Codais Efa dros fy ysgwydd fel doli glwt a'i hailgychwyn hi am frig y mynydd.

'Hei!' gwaeddodd Teleri a Myfyr gyda'i gilydd.

'Oes un ohonoch chi'n mynd i'w chario hi i fyny?' gofynnais i.

Caeodd hynny eu cegau nhw ond gallai'r olwg yn llygaid Teleri fod wedi rhoi'r goedwig ar dân.

Er gwaetha'r mwynhad o wybod bod Myfyr a Teleri'n berwi y tu ôl i mi ro'n i'n difaru codi Efa o fewn dim oherwydd er ei bod hi'n denau fel rhaca roedd fy nghoesau i fel jeli erbyn i ni gyrraedd y brig a 'mhen i'n troi. Gollyngais Efa ar lawr mor ysgafn ag y gallwn i ar y copa cyn sythu fy nghefn poenus, agor potel arall o ddŵr cynnes, a breuddwydio am gael neidio eto i'r pwll oer yna. Ond pan edrychais o fy nghwmpas gwelais nad oedd unrhyw olwg o wlypni fan hyn chwaith. Tir diffrwyth, du oedd ar y copa. Fel arwyneb y lleuad. A hongiai oglau cas fel wy neu rech dros y cwbwl.

Snwffiodd Myfyr yr awyr wrth gyrraedd ar fy ôl. 'Swlffwr ydi hwnna.' Gosododd gledrau ei ddwylo ar y llawr. 'Mae'r cerrig 'ma ar dân.'

'Ty'd â'r rhaw i mi, Teleri,' meddwn i, gan anadlu'n ddwfn.

Taflodd hi ar y llawr o 'mlaen i.

'Sdim isio bod yn fabïaidd, nagoes,' meddwn i.

'Ti ofynnodd amdani hi.'

Codais y rhaw a'i phrocio i'r llawr. 'God, mae o fatha concrid,' meddwn i. 'Sut ddiawl ydan ni fod i gloddio am drysor ar hwn?' Edrychais o'm cwmpas. 'Lle dan ni fod i ddechrau?'

Roedd Myfyr wedi cerdded at ben arall y copa ac yn brysur yn edrych i lawr y llethr serth.

'Hei, sbia hwn.'

Es i draw i ymuno ag o, a rhoi fy llaw dros fy llygaid er mwyn gallu gweld yn iawn. Roedd golygfa benigamp yno a gododd fy nghalon ryw fymryn. Gallwn weld y cyfan o'r ynys yn ymestyn i bob cyfeiriad o'n cwmpas, ar siâp pedol ceffyl, gyda'r fraich chwith ychydig yn hirach na'r un dde. Rhwng dwy gainc y bedol, ar yr ochr draw i'r ynys yr oedden ni wedi glanio arni, roedd bae eang bas lliw turcas. Yn y pellter gallwn weld ymylon y greigres gwrel fel wal dywyll yn amgylchynu'r ynys yr holl ffordd o'i chwmpas.

'Hei, ti'n gweld y plancton yn y dŵr?' gofynnodd Myfyr, gan gyfeirio at chwyrliadau o bob arlliw o las ar wyneb y môr, fel tasai rhywun wedi tollti gwahanol liwiau o inc i'r dyfroedd o'n cwmpas.

'Atgoffa fi o'r llun Van Gogh 'na,' meddwn i. 'Ti'n gwbod, y paent glas *swirly* 'na.' Troeais fy mys yn yr awyr o'n blaenau.

'*Starry Night*,' meddai Myfyr, ac edrych arna i â gwên o syndod fel petai'n rhyfeddu mod i'n gwybod am unrhyw fath o gelf. 'Ti'n iawn – mae o, tydi?'

'Jesus motherfucking Christ!'

Teleri oedd wedi gweiddi ac wrth edrych draw i ben arall y copa gwelais hi'n sefyll yno gyda'i dwylo ar ei phen a'i chefn tuag ata i. Meddyliais am funud bod rhaid fod rywbeth wedi digwydd i Efa – ei bod hi wedi marw, neu o leiaf chwydu neu rywbeth. Ond wrth redeg draw gwelais fod Efa hefyd wedi codi ar ei heistedd ac yn edrych yr un ffordd, i lawr i gyfeiriad y lle'r oedden ni wedi dod.

'Beth sy–?' gofynnais i.

'Y ffycin cwch!' meddai Teleri.

'Lle?'

Yna fe'i gwelais o – allan wrth y greigres gwrel i'r cyfeiriad yr oedden ni wedi dod roedd cudynnau mawr trwchus o fwg du yn codi tua'r wybren las, ddigwmwl.

'Ti'n siŵr mai'r cwch 'dio?'

'Be arall allai o fod?'

Teimlais fy nghalon yn suddo i waelod fy esgidiau. 'Ffycing hel.' Roedd y cwch ar dân.

'O my god, Dad!' meddai Teleri.

'Sut ffwc ydan ni'n mynd i adael yr ynys?' gofynnais i. Teimlwn oglais fel pinnau bach yn codi o fodiau fy nhraed i gorun fy mhen.

Cyrhaeddodd Myfyr wrth fy ochr. Tynnodd ei sbectols, fel pe na bai'n gallu credu'r peth â'i lygaid ei hun, a gwthio ei law drwy ei wallt.

'Ffycing hel!' meddai. 'Y cwch.'

'Oh my god!' adleisiodd Efa.

'Falle allen ni ddiffodd o?'

'Dan ni'n rhy bell...'

Ond doedd dim angen rhagor o anogaeth arna i. 'Dw i'n mynd.' Teflais y rhaw i'r naill ochr a'i bomio hi i lawr y bryn mor gyflym ag y gallwn, drwy ganol y dail a'r gwe pry cop, fy nghorff yn ddideimlad i'r poen wrth i'r brigau rwygo fy nghroen.

# RHAN DAU

# Myfyr

'Ti'n mynd i nôl un arall?'

'Dos di i nôl o dy hun.'

'Ti'm yn dal i bwdu?'

'Dw i'm yn pwdu, jest yn dweud wrthat ti i stopio bod yn ddiog.'

'Ond ti'n mynd draw yna dy hun.'

'Mae Efa isio un hefyd. Dim ond dwy law sy gin i.'

'Ti'n dal i bwdu – ar ôl bob dim arall sy wedi digwydd!'

'Dwy law sy gen i.'

'Na'i nôl un fi ac Efa,' meddwn i, gan geisio torri rhywfaint ar y ddadl rhwng Aled a Teleri.

'Ti 'di cael digon yn barod,' meddai Efa.

Edrychais i lawr ar y poteli oedd yn fy amgylchynu ar y traeth. Un... dwy... tair... oedd yna ddwy botel fan yna wrth y tywod neu un? Ro'n i'n gweld dwy botel, ond ro'n i'n gweld dwy Efa hefyd.

'Af fi i nôl nhw,' meddai Efa gydag ochenaid gan godi a chamu yn ochelgar drwy'r gwydr oedd wedi ei wasgaru ar lawr.

'Mae'n iawn...'

'Na! Ffraewch chi. Fi moyn brêc.'

Diflannodd Efa o oleuni'r tân i ganol y niwl oedd wedi ymgripian dros y traeth gyda'r nos. Aeth i gyfeiriad y babell tua chanllath i ffwrdd, a oedd wedi ei goleuo yn oren llachar fel llusern gan fflachlamp fy nhad.

Syllais i'r tân am funud. 'Fuodd tad-cu Lord Byron yn sownd ar ynys unwaith' meddais.

'Dw i'm yn gwbod pwy 'di Lord Byron,' meddai Teleri.

'Heb sôn am ei dad-cu,' ychwanegodd Aled.

'Mi fytodd o'i sgidiau yn y diwedd,' meddais i.

'Sut ti'n gallu byta sgidiau?' gofynnodd Aled. Daliodd ei sgidiau ei hun i fyny o flaen y tân. Trainers Nike. Rwber, plastig a sbwng. Doedden nhw ddim yn edrych yn flasus iawn. 'Wel, dan ni'n byta dy dad gynta, sori.'

'Hoi!' pwniodd Teleri ef.

'Dyna mae'n haeddu ar ôl be sy 'di digwydd. A fo ydi'r tewa.'

'Hoi!'

Gorweddais ar led ar y gwair a chwythu gwynt allan drwy fy mochau. Roedd uchelfannau'r coed palmwydd fel petaent yn troelli uwch fy mhen. Braf fyddai cau llygaid, mynd i gysgu ac anghofio'r diwrnod erchyll yma, anghofio ein bod ni'n sownd fan hyn am byth...

*Clinc, clinc, clinc.*

'B-b-b-be 'di hwnna?'

Roedd tinc o ofn go iawn yn llais Aled felly gwthiais fy hun yn ôl ar fy eistedd. Roedd yn pwyntio i ganol y pentwr poteli ar y traeth.

'Be?'

*Clinc, clinc, clinc.*

Roedd y poteli yn... symud.

*Clinc, clinc, clinc.*

'Pysgodyn?' meddwn i.

'Ar y traeth?' gofynnodd Teleri.

Yna gwelais goesau bach yn symud ymysg y poteli a thynnais fy nghoesau innau i fyny yn belen.

'Aa!' gwaeddodd Teleri.

Taswn i'n llai meddw efallai y byddwn i wedi rhedeg i ffwrdd ond roedd diod yn rhoi, wel, nid dewrder i rywun, ond absenoldeb ofn, felly ar ôl eiliad o gilio penderfynais fynd i lawr ar fy mhengliniau a chropian ymlaen i gael golwg agosach. Roedd goleuni'r tân yn crynu ymysg y poteli ond drwyddynt gallwn weld siâp cyfarwydd.

*Clinc, clinc, clinc.*

'Cranc 'di o,' meddwn i.

'O!' meddai Teleri. "Dyn... 'dyn nhw'n beryglus?'

'Dibynnu pa fath o granc,' meddwn i gan grafu fy ngwyneb. Doeddwn i ddim wedi siafio am ychydig ddyddiau ac roedd fy ngên yn arw. 'Mae yna lot ohonyn nhw. Dach chi 'di clywed am *carcinization*?'

'Carci– be?' gofynnodd Aled.

'Car-ci-ni-zat-ion,' meddwn i, gan ynganu'r sillau yn araf ac yn ofalus fel y mae rhywun yn tueddu i'w wneud pan maen nhw'n trio profi i'w hunain nad ydyn nhw'n chwil. 'Mae yna tua un ar ddeg creadur gwahanol wedi esblygu i mewn i grancod.'

Bu tawelwch am eiliad. 'Un ar ddeg ohonyn nhw i gyd fan hyn?' gofynnodd Aled gan godi. 'Ar y traeth?'

'Na, yn y byd i gyd, ynde. Un ar ddeg math gwahanol o granc, yn edrych bron yn union yr un peth, ond ddim un yn perthyn i'w gilydd.'

'O.' Eisteddodd drachefn. 'So be?'

'Y pwynt ydi fod o'n dangos bod pethau byw yn gallu bod yn rhai da am newid i ffitio i mewn i lle maen nhw'n byw.' Ystumiais. 'Addasu.'

'Ia, dros filiynau o flynyddoedd,' meddai Teleri, oedd bob tro'n gallu dal ei diod yn well na fi. 'Dan ni ddim am fod yn styc yma mor hir â hynna.'

Oedodd y cranc am eiliad, efallai wedi ei ddallu gan oleuni'r tân. Yn sydyn taflodd Aled botel wag i'w gyfeiriad a chwalodd yng nghanol y lleill.

'Aled!'

Trodd y cranc a'i heglu hi wysg ei ochr 'nôl i'r tywyllwch, i gyfeiriad sŵn sgubo'r tonnau ar draws y tywod.

'Ydi cranc sy 'di dal hi yn cerddad yn syth?' gofynnodd Aled.

'Bydd o'n ôl rŵan efo'i fêts, yn barod i ddial arnat ti,' meddai Teleri.

'Paid â malu cachu.'

'Go iawn. Un ar ddeg 'nyn nhw, ganol nos. Fyddi di'n deffro'n sgrechian efo un yn pinsho dy drwyn, un arall dy droed, ac un mawr ar dy–'

'Ca' hi!''

Clywyd sŵn *clinc, clinc* eto a neidiodd y tri ohonom ni. Ond dim ond Efa oedd yno a llond ei dwylo o boteli.

'God! 'Nest ti roi ofn i ni,' meddai Teleri.

'Pam?'

'O'n i'n meddwl mai cranc oeddat ti.'

'O, diolch.'

'Myfyr yn mwydro ni,' esboniodd Aled. 'Deud y byddwn ni i gyd yn esblygu mewn i grancod os nag 'dan ni'n dianc oddi ar yr ynys 'ma.'

'Sut oedd Dad – yn iawn?' gofynnodd Teleri.

'Gei di ofyn iddo fe dy hunan, mae e ar ei ffordd draw.'

'Geith o ffoc off,' meddai Aled.

'Dim bai fo oedd o, naci?' meddai Teleri. 'Mae'n teimlo'n ddigon drwg am y peth yn barod.'

'Mi ddylia fo, 'fyd. Dan ni'n styc ar y ffycin ynys 'ma rŵan, ac am faint?' Estynnodd ei botel o law Efa. 'Dylwn i 'di rhoi ffycin stid iddo fo.'

'Ti 'di meddwi.'

'Trystia fi, mod i wedi meddwi ydi'r unig beth sy'n stopio fi roi stid iddo fo.'

Roedd yn dweud y gwir hefyd, meddyliais. Cofiais yn ôl i ddigwyddiadau'r prynhawn hwnnw. Roeddwn i, Teleri ac Efa – yn hercian ar un droed – wedi bod dipyn arafach yn cyrraedd yn ôl i'r traeth o'r mynydd nag Aled. Ac ro'n i'n gwybod yn barod erbyn i mi rwygo'n ffordd allan o'r goedwig, a gwylio blaen y cwch yn diflannu dan wyneb y dŵr, y byddai'n rhy hwyr i mi wneud dim.

Roedden ni wedi gweld Dad yn sefyll yno ar y traeth yn rhyfeddol o ddisymud, yn ein hwynebu ni. Fel delw. Ei gysgod yn las ar y tywod gwyn. Ro'n i wedi disgwyl ei glywed yn gweiddi ac yn rhegi ac yn beio rhywun heblaw amdano ef ei hun. Ond roedd rhyw olwg lonydd, benderfynol, beryglus ar ei wyneb. Roedd ganddo'r dryll yn ei ddwylo.

'Lle mae Aled?' gofynnodd Teleri iddo cyn gweld bod hwnnw allan yn y môr, yn nofio yn yr unfan yn gwbwl analluog i wneud dim wrth i'r bwrlwm swigod olaf godi o waelod y dŵr.

'Be ffyc ddigwyddodd?' gofynnais i.

Cododd fy nhad ei war. 'Y nwy, mae'n rhaid,' meddai. 'O-o'n i'n meddwl mod i wedi troi popeth i ffwrdd. Dwn i'm be...' Chwaraeodd ei fys â gwaelodion ei farf.

'O, Dad.' Cydiodd Teleri yn ei fraich i'w gysuro.

Trodd Efa ata i. 'Sut ddiawl y'n ni'n mynd i ddod off yr ynys 'ma nawr?' Tynnodd ei ffôn o'i phoced ac edrych arno. 'Dim signal. O's signal 'da rhywun?'

Tynnais i a Teleri ein ffonau o'n pocedi ac edrych arnyn nhw.

'Nac oes, snam signal,' meddai fy nhad. 'Does 'na'm ynysoedd eraill am ddegau o filltiroedd.'

Caeais fy ffôn a'i agor eto, fel pe bai hynny'n mynd i wneud gwahaniaeth.

'Dad, be am y teclyn SOS yna?' gofynnodd Teleri.

'Yr EPIRB? Roedd o ar y llong,' atebodd.

'Pam ddiawl oedd o ar y llong?'

'Achos doedd neb wedi ei gludo oddi ar y llong, dyna pam!'

Llyfais fy ngwefus isaf. Roeddwn i'n cofio gweld y ddyfais blastig oren a melyn yn yr howld ond ro'n i wedi bachu bocs o gwrw yn ei le. Teimlwn yn euog yn fwyaf sydyn, gan feddwl fy mod i'n mynd i gael y bai am y cwbwl. Ond ddywedodd fy nhad ddim byd.

Fe safon ni yno am funud ar y lan, yn syllu allan i'r môr fel petai'r cwch am atgyfodi o'r dyfnderoedd ac y byddai popeth yn iawn eto. Er gwaethaf gwres y prynhawn, ymledodd teimlad oer dros fy nghorff fel petai rhywun wedi agor corcyn ar fy mhen a thywallt concrid i mewn, wrth i mi sylweddoli faint o lanast oedden ni ynddo.

'Be dan ni fod i'w wneud, 'ta?' gofynnais i.

Roedd Aled wedi bod yn araf yn nofio yn ôl a dringodd allan o'r dŵr tuag atom ni. Roeddwn i'n disgwyl iddo fod yn gandryll ond roedd gwên fawr smala ar ei wyneb. Cododd fy nghalon ryw fymryn am eiliad wrth feddwl bod ganddo ateb. Ei fod wedi achub y teclyn SOS efallai.

'Wel, dan ni'n ffycd rŵan,' meddai. 'Ffycin ffycd.'

Suddodd fy nghalon eto. Fe aeth Aled heibio heb edrych ar fy nhad, draw i le'r oedd wedi gollwng ei dwca ynghynt. Cododd ef a rhoi waldad mor galed i un o'r coed palmwydd roeddwn i'n ofn y byddai'r holl beth yn syrthio ar ei ben.

'Be *ffyc* ddigwyddodd?' sgrechiodd wrth ystumio allan tua'r môr.

'Mae'r llong 'di suddo,' meddai fy nhad a'i lais yn chwiban.

'Dwi'n gallu ffycin gweld hynny.' Cerddodd Aled yn ôl ac ymlaen ar y lan, fel llew mewn cawell, gan gicio'r tywod. 'Sut ddiawl dan ni'n mynd i fynd oddi ar y ffycin ynys yma rŵan?'

'Tydan ni ddim, nadan?' meddai fy nhad.

'Be? Mae'n rhaid fod yna... fod cychod yn pasio...'

'Dan ni'n aros yma.'

'Mae'n rhaid bod yna ffordd o alw am help–'

'Does neb yma, Aled,' poerodd fy nhad. Fflachiodd ei lygaid fel mellt. 'Neb. Dim pobol. Dim signal. Neb byth yn hwylio heibio. Dim byd.'

Teimlais fel petai rhywun wedi fy waldio i yn fy stumog.

'Be ffyc ti'n feddwl, neb?' Camodd Aled tuag ato, a ro'n i'n meddwl am eiliad ei fod yn barod i gydio ynddo, a'i daflu i'r môr gyda'r cwch. Ond yna roedd fel petai wedi ailystyried. 'Wel, dw i ddim yn aros ar y ffycin ynys yma.' Edrychai fel petai'n ysu am wneud rhywbeth, am fwrw iddi, am gerfio coeden mewn i ganŵ a hwylio i ffwrdd, ond ni wyddai beth. Yn hytrach fe edrychodd arna i. 'C'mon, Myfyr, ti 'di'r un clyfar i fod – meddylia am rywbeth!'

Doedd gen i ddim syniadau.

Roedden ni wedi bwrw'r botel yn reit galed wedyn. Ro'n i'n disgwyl i fy nhad ddweud rhywbeth, i ddwrdio, ond wnaeth o ddim, dim ond mynd i'w babell ac aros yno nes iddi dywyllu.

Ac roedd hi wedi tywyllu, a ninnau wedi meddwi, a fy nhad wedi cadw draw.

Ond dyma ei lais yn dod o'r tywyllwch wedyn: 'Dach chi 'di cael llond crât.'

'Mae 'na un neu ddwy ar ôl,' meddai Efa.

Daeth fy nhad i'r golwg yng ngoleuni'r tân gyda'i ên yn ei farf a'i ddwylo yn ei bocedi. Eisteddodd ar foncyff a rhwbio ei gledrau at ei gilydd. Do'n i erioed wedi ei weld mor dawedog.

'Cofiwch, os dach chi'n defnyddio pethau rŵan fyddan nhw ddim i'w cael wedyn.'

'I bwy mae'r diolch am hynny?' gofynnodd Aled, a chymryd swig o'i botel.

'Ti'n meddwl mod i eisiau i hyn ddigwydd?' gofynnodd Dad, a'i dymer yn dechrau codi'n barod. 'Mi gostiodd y cwch 'na ffortiwn i fi, ti'n gwbod. Fy arian ymddeol i gyd.'

'Wel, dan ni i gyd wedi ymddeol rŵan.'

Nodiodd ei ben. 'Ydan wir.'

Roedd yr holl beth yn teimlo'n afreal rywsut, fel taswn i'n arnofio oddi ar y llawr a'm pen yn llawn tarth.

'Diolch byth, dwi wedi bod yn edrych ac mae yna ddigon o fwyd i bara ychydig wythnosau, os ydan ni'n dogni pethau,' meddai fy nhad wedyn.

'A wedyn be?' gofynnodd Teleri. 'Llwgu?'

'Mi'r ydan ni ar ynys, tydan? Mae yna ffrwythau, bwyd môr, anifeiliaid yn y goedwig y gallwn ni eu dal a'u bwyta.'

'So fe'n deg,' meddai Efa mewn modd didaro, ond fe allwn i synhwyro o'r cryndod yn ei llais ei bod hi ar fin crio. Do'n i erioed wedi gweld Efa'n crio o'r blaen. Llithrais draw tuag ati a rhoi fy mraich amdani yn barod, am nad oeddwn i'n gwybod sut i wneud unrhyw beth arall heb deimlo'n chwithig. 'Falle fydda i byth yn gweld Mam a Dad 'to,' meddai hi, a'i hysgwyddau yn ysgwyd.

'Wel, fe allai pethau fod yn waeth,' meddai fy nhad. 'Fysan ni 'di gallu bod ar y llong pan suddodd hi. Dan ni gyd yn fyw ac yn iach. Dyna sy'n bwysig. Dan ni'n lwcus.'

'Lwcus?' poerodd Aled.

'Dad, stopia hi,' meddai Teleri, gan weld bod ei chariad ar fin ffrwydro.

'Lwcus? Dan ni'n styc ar ffycin ynys!' ategodd Aled.

'Wel, mae yna waeth llefydd i fod,' meddai fy nhad. Roedd wedi bywiogi yn sydyn. 'Does yna ddim rheswm pam na allwn ni fod yn hapus fan hyn. Yr un pethau sy'n gneud pobol yn hapus heddiw ag sy wedi ein gneud ni'n hapus erioed. Byta, yfed, gwres, cymdeithas, cariad.' Daliodd ei ddwylo o flaen y tân. 'Mae popeth sydd ei angen arnom ni fan hyn. Gwastraff amser ydi popeth arall – dan ni ond isio'r pethau hynny oherwydd fod hysbysebion yn deud 'than ni ein bod ni isio nhw.'

'O'n i *yn* hapus!' meddai Efa.

'Ie, wel, dach chi'n rhy ifanc i wbod beth 'di hapusrwydd go iawn.'

'Dad, dim rŵan 'di'r amser–' meddai Teleri.

'Y cyfan ydw i'n ddeud ydi bod angen i chi adael fynd,' meddai fy nhad. 'A sylweddoli bod hapusrwydd y tu mewn i chi, a dim ond drwy ddod i nabod eich hunain yn iawn ar ynys y byddwch chi'n sylweddoli hynny. Fe allwn ni greu cartra i'n hunain fan hyn – creu Cymru Newydd!'

Goleuodd wyneb Efa yn y tywyllwch wrth iddi tsecio ei ffôn unwaith eto, allan o arfer. Roedd ei hwyneb yn goch a dagrau yn sgleinio ar ei bochau.

'Mae gyda ni gyfle fan hyn, i greu cartra newydd i'n hunain,' aeth fy nhad yn ei flaen. 'Gwell cartra, hyd yn oed.'

Dechreuodd Aled chwerthin.

'Be sy'n ffyni?'

'Y jôc ydi,' meddai, 'doedd yna ddim trysor ben y mynydd 'na, nac oedd.'

'Y, trysor?' gofynnodd fy nhad.

Codais fy mhen a syllu arno'n hir.

'O ia, y trysor,' meddai, wrth ddal fy llygaid. 'Wel ella bod o yna rwla. Ond dydi o fawr o ddefnydd i ni rŵan.' Rhwbiodd ei fys ar hyd gwaelod ei drwyn. 'Hen dro.'

Edrychais i ac Aled ar ein gilydd, a gallwn weld fy nrwgdybiaeth i wedi'i adlewyrchu yn ei lygaid o.

# Efa

'**Y**FFYCIN CONT uffar!'

Fi glywodd waedd Aled yn gyntaf. Roedd hi'n amser cinio ac roeddwn i, Myfyr a Morys wedi bod yn segura o dan y coed gyda chysgodion gwyrdd y palmwydd yn batrwm ar ein hwynebau pan glywais i Aled yn gweiddi. Ro'n i'n meddwl i ddechrau ei fod wedi gollwng rhywbeth ar ei droed.

Chlywodd Morys ddim a pharhau i dynnu coes Myfyr am ddarllen gormod.

''Na chdi eto, yn dianc o'r byd go iawn, dy ben mewn llyfr!'

'Nid dianc ydw i – dw i'n cael gweld y byd o safbwynt pobol eraill,' esboniodd Myfyr.

'Safbwynt pobol sy'n hoffi sgwennu llyfrau,' meddai'r Capten. 'Ti'm yn clywad gan bobol fel fi.' Pwniodd ei frest. 'Pobol sy'n gneud pethau go iawn, yn lle mwydro a ffalsio.'

'Y twat!'

Cododd Myfyr a Morys eu pennau oherwydd yn awr gallent weld Aled yn brasgamu tuag atynt gyda rhywbeth yn cyhwfan yn ei law. Rhyw fath o glwtyn neilon glas a choch a melyn.

'Ty'd yma'r nob!'

Roedd Aled yn anelu am Morys, a safodd hwnnw wrth iddo nesáu a sgwario'i ysgwyddau fel reslwr. Ond tarodd Aled yr hen ŵr ar ei ên gyda'i ddwrn. Syrthiodd fel cerflun ac aeth Aled i lawr ar ei ben.

'Ladda i di.'

Cododd y Capten ei ddwylo o'i flaen i'w amddiffyn ei hun. 'Heeelp!' gwaeddodd.

Roedd Aled yn penlinio ar frest Morys ac yn bwrw ei ben yn erbyn y tywod ac yna'n ei dagu â'i ddwy law.

Ro'n i eisoes ar fy nhraed. 'Myfyr, gwna rwbeth!' meddwn i.

Ond dim ond syllu wnaeth Myfyr a'i geg yn agored wrth i Aled glymu'r brethyn oedd yn ei law o amgylch gwddf Morys. Ciciodd y Capten ei goesau'n wyllt gan dasgu tywod i'r aer, ei wyneb yn prysur droi'n biws tywyll.

'Aled, ti'n mynd i' ladd e!' meddwn i, gan glywed y wich ofnus yn fy llais fy hun.

'Mae'n... ffycin... haeddu...' meddai Aled a'i wyneb yntau'n cochi wrth iddo dynhau ei afael.

A dw i'n meddwl y byddai wedi gwneud hefyd oni bai i Teleri faglu i lawr y traeth ar ei ôl ac, heb oedi eiliad, gafael yn ei chariad o amgylch ei ganol, ei droi tin dros ben a'i ollwng yn drwm ar y tywod nes bwrw'r anadl allan ohono a pheri iddo ollwng gafael yn ei thad. Cropiodd Morys i ffwrdd ar ei bedwar, yn tagu am ei anadl wrth i'w ferch ymgodymu gydag Aled yn y tywod.

'Be ddiawl wyt ti'n neud?' sgrechiodd hi wrth ei fwrw o amgylch ei ben.

'Fo naeth! Fo ffycin naeth!' gwaeddodd Aled wrth geisio dianc o'i gafael.

'Mae o 'di mynd o'i go,' meddai Morys gan godi a rhwbio'r croen briw ar flaen ei wddf. Trodd a hercian i lawr y traeth i gyfeiriad ei babell.

'Le mae e'n mynd?' gofynnais i, yn methu credu'r hyn oeddwn i'n ei weld. Roedd popeth yn digwydd yn gyflym ond yn araf bach ar yr un pryd.

'I nôl y gwn!' gwaeddodd ef ar ei ôl.

Erbyn hynny roedd Aled wedi llwyddo i ddianc o afael Teleri ond roedd fel petai wedi ei ddallu gan y tywod yr oedd y Capten wedi ei gicio i'w wyneb oherwydd roedd yn cerdded o gwmpas yn ddigyfeiriad a'i lygaid yn holltau.

'Lle aeth o?' poerodd.

'Mae e 'di mynd i nôl y gwn!' meddwn i.

'Paid â mynd ar ei ôl o!' meddai Teleri gan gamu yn ei ffordd, ei choesau a'i breichiau ar led. 'Be ddiawl ti'n neud?' Roedd ei llygaid yn fawr gan ofn wrth iddi droi i bipio dros ei hysgwydd.

'Yli!' meddai Aled, gan ddal y clwtyn neilon o'i flaen. Syllodd pawb arno. 'Yli be 'nes i ffeindio yn ei babell o!'

Siaradodd Myfyr o'r diwedd. 'Fflag Cymru?'

'Sbia arna fo.' Agorodd y fflag yn fawr.

Fflag Cymru ydoedd ond roedd yna ddau newid. Roedd yr awyr uwch ben y ddraig yn las yn hytrach na gwyn, a'r tir dan ei draed yn felyn yn hytrach na gwyrdd.

'Dw i'm yn dallt,' meddai Teleri.

'Roedd o wedi gneud hwn cyn dod, yn doedd?'

'Ia?'

'Yr holl shit 'na am greu Cymru Newydd. Dyna oedd ei fwriad o'r dechrau un!' Daliodd Aled y fflag bob pen a'i hysgwyd yn ffyrnig nes bod y ddraig goch yn dirgrynu fel calon.

'Am be ti'n mwydro?'

'Fo suddodd y cwch, Teleri!' meddai Aled. Gwthiodd ei law drwy ei wallt blêr. 'Dy dad naeth – yn fwriadol, 'lly.'

Oerodd y gwaed yn fy ngwythiennau wrth glywed y cyhuddiad. 'Pam?' gofynnais. Edrychais ar Myfyr i weld ei ymateb. Roedd wedi crychu ei dalcen yn syn.

Camodd Teleri yn ôl gan anadlu'n drwm a gollwng hanner chwerthiniad ansicr. 'Be? Ti 'di dysgu hynna i gyd gin un fflag?'

'Roedd o'n gwbod mai dyma fyddai'n digwydd – fysa fo ddim wedi gneud y fflag yma fel arall, na 'sa?' meddai Aled, gan ei hysgwyd yn ei hwyneb.

'Fysa fo'm yn gneud hynna,' meddai Myfyr.

'Shit – ma fe'n dod 'nôl gyda'r gwn!' meddwn i. Roedd y Capten yn cerdded yn araf ofalus tuag atom ni ar hyd y traeth yn dal y dryll o'i flaen, wedi ei anelu at Aled. Roedd ei farf wedi'i britho gan dywod.

'Paid symud modfedd!' chwyrnodd yn isel.

Taflodd Aled y fflag dros un o'i ysgwyddau a chroesi ei freichiau. 'Neu be?'

'Mi wna i dy saethu di, 'yn gwna i?'

'Rhowch e lawr!' meddwn i, a'm dwylo dros fy ngheg.

Ond ni edrychai Aled fel petai ofn arno o gwbwl. 'Fysat ti ddim yn meiddio. Ti angen fi, yn dwyt? Fi a Teleri?' Safai a'i goesau ar led. 'Sdim lot o obaith i'r Gymru Newydd heb y ddau 'nan ni, nagoes? Fel Arch Noa, ribi-di-res, ribi-di-res, i mewn i'r arch â nhw?'

'Am be mae o'n sôn, Dad?' gofynnodd Teleri.

Sychodd Morys ei dalcen gyda chledr ei law ac yna amneidio ei ddryll tua'r coed palmwydd.

'Steddwch,' meddai, a'i lais yn crynu. Roedd clais piws yn ymledu ar ei ên. 'Pob un 'nach chi, steddwch, mewn rhes. Gen i rwbath i ddeud.'

'Chi suddodd y cwch?' gofynnodd Myfyr gan gymryd cam yn ôl.

'Ffor ffyc sêcs, steddwch!'

Fe aeth ias drwydda i wrth i'r dryll anelu tuag ata i am eiliad ac fe eisteddais yn syth i lawr ar fy mhen ôl gyda Teleri a Myfyr ar eu cyrcydau bob ochr i fi.

'Ma'r boi 'di'i cholli hi,' sibrydodd Aled.

'Nacdw, dydw i *ddim* wedi ei cholli hi,' poerodd Morys. 'Fi 'di'r unig un sy'n gweld petha'n glir. Yn gneud petha, dim jest rhaffu geiria fatha pawb arall. A dyna pam dan ni yma.'

'Ai chi suddodd y cwch?' gofynnodd Myfyr.

'Ia, fi suddodd y cwch, ond gadewch i fi esbonio pam–'

'Beth?' gwaeddais i – a'r lleill, yr un pryd, fel petaen ni'n barti cydadrodd.

'Dach chi'n nyts!' meddai Teleri.

'Er mwyn codi Cymru yn ei hôl,' meddai Morys. Anelodd ei ddryll at Aled eto. 'Tafla'r fflag yna draw.'

Camodd y dyn ifanc ymlaen ac wedi gwasgu'r fflag yn bêl ddirmygus, taflodd hi ar y llawr wrth draed y Capten.

'Mi drefnais i gael gneud y fflag yma cyn gadael,' meddai Morys, gan blygu yn ochelgar i'w chodi a'i dad-lapio, gan gadw un llygad ar Aled. 'Fflag y Gymru Newydd.'

'Be oedd yn bod efo'r hen Gymru?' gofynnodd Myfyr.

'Mae ar ei gwely angau! Yn marw yn araf bach. Ein hiaith yn marw, ein cymunedau'n llawn tai haf a phobol ifanc yn goro symud am eu bod nhw'n methu fforddio prynu cartra yn eu hardal nhw eu hunain.' Tynnodd wyneb ac ysgwyd ei ben. 'San Steffan yn cipio'r 'chydig hawliau oedd gynnon ni fel cenedl oddi arnan ni – heb ofyn caniatâd! A dim byd allwn ni neud am y peth!'

'Felly be, rhedeg i ffwrdd?' meddai Aled. 'Fel cachwr.'

'Hunanynysu!' meddai Morys. 'Rhag pla! Dyna ydi'r Saeson a'u diwylliant. Pobol ac iaith sy'n lladd pob iaith a diwylliant arall sy yn eu ffordd. Maen nhw wedi gneud hynny, ledled y byd, ac yn ara bach maen nhw'n tagu ein hiaith a'n diwylliant ninnau hefyd.' Ysgydwodd y fflag yn ei ddwylo. 'Nid llwfdra ydi ynysu rhag pla – synnwyr cyffredin ydi o!'

'A sut ma dod i fyw ar ynys yn mynd i helpu?' meddwn i.

'Dyma'r unig ffordd,' atebodd Morys. 'Chi'm yn dallt? Achub ein hiaith, ein treftadaeth, ein cymuned. Symud y cyfan, symud Cymru i fan hyn. Creu Cymru Newydd ymhell i ffwrdd, lle bydd pawb yn siarad Cymraeg, lle fydd pawb yn rhan o'r un gymuned, lle fyddan ni'n gallu rheoli ein ffawd ein hunain.'

Codais fy mhen. 'Hang on – beth am y trysor, 'te?'

Rhythodd Morys arna i fel petawn i'n hollol dwp. 'Does 'na'm trysor, nac oes? 'Nes i anfon chi o'r ffordd ar antur wag i dop y mynydd fel 'mod i'n gallu rhoi'r cwch ar dân!'

Bu tawelwch am eiliad wrth i bawb lyncu'r newyddion. Teimlwn yn gwbwl syfrdan, fel taswn i'n gwylio'r pethau hyn yn digwydd o'r tu allan – i rywun arall, ddim fi.

'Ond dim ond pump 'nan ni sydd,' meddai Teleri wedyn. 'Fawr o genedl.'

'Ar y dechrau, ella,' meddai Morys. 'Ond bydd y gymuned yn tyfu, yn bydd? Fe fyddwch chi'n cael plant, a…'

'Be?!' gwaeddodd Teleri. 'Dw i ddim 'di cytuno i briodi hwn eto heb sôn am gael plant efo fo.'

'Wel does gen ti'm lot o ddewis rŵan, nac oes?' bloeddiodd ei thad. 'Fo ydi'r unig ddyn ar yr ynys dwyt ti ddim yn perthyn iddo fo!'

Cododd Teleri ar ei thraed, ei hwyneb yn goch.

'Does gennych chi ddim hawl!' sgrechiodd. Am funud roeddwn i'n meddwl ei bod hi am ei ddyrnu ef fel Aled, ond yn hytrach fe wthiodd hi heibio iddo a marstio i lawr y traeth. 'Dach chi ddim biau fi, Dad!' gwaeddodd gan igian wylo, ei hysgwyddau'n ysgytio i fyny ac i lawr.

'Dw i'n gwybod beth sydd orau, Teleri!' gwaeddodd ei thad ar ei hôl. 'Ac mae o wedi digwydd rŵan a rhaid i ti roi'r gorau i achwyn a dechrau... a dechrau tyfu i fyny!'

'Ond sdim byd gyda ni!' meddwn i, y geiriau'n dod allan yn un bwrlwm. Edrychais yn gegrwth o wyneb i wyneb. 'Dim tai, dim gwelye, dim bathrwm – beth ddiawl w'i fod i neud pan fyddai ar fy *period*?' Edrychais ar Morys. 'So chi hyd yn oed 'di meddwl am hynny, naddo fe?'

Edrychai braidd yn anghyfforddus am eiliad, cyn wfftio'r peth â'i law: 'Fe ddown ni i ben. Mi wnaeth pobol oroesi am filoedd o flynyddoedd heb y pethau yna. Mae gyda ni ddigon o stôr o bethau i barhau am ychydig wythnosau, a wedyn fydd rhaid i ni ddechrau creu ein pethau'n hunain.'

'O'n i'n gwbod bo chi'n nyts, Dad,' meddai Myfyr. 'Ond ddim mor nyts â hyn.'

'Oes raid i bawb fod mor negyddol?' gofynnodd. 'Dwi'n dallt ei fod o'n sioc, ella. Ond dychmygwch!' meddai. Tywynnai ei lygaid â chyffro fel y tywynnai pelydrau'r haul ar y tonnau y tu ôl iddo. 'Mi allwn ni greu byd perffaith fan hyn – yma, mewn paradwys.' Daliodd ei ddwylo i fyny at yr awyr lasfaen. Roedd ambell gwmwl ar y gorwel, ond dim byd uwch ein pennau.

Safodd Aled ar ei draed. 'Iawn,' meddai, ei lais yn oer ac yn llym fel llafn cyllell. Syllodd ar y Capten am eiliad a gallwn weld malais pur yn ei lygaid, yna cerddodd yn syth heibio iddo ac i lawr y traeth. Roeddwn i wedi meddwl mai mynd i chwilio am Teleri oedd o ond yna –

'Hei! Be ti'n neud?' gofynnodd y Capten. 'Fy mhabell i 'di honna, y diawl.'

Brysiodd Morys ar ôl Aled gyda'i ddryll yn ei ddwylaw. Gallwn weld Aled yn y babell tua chanllath i ffwrdd, yn brysur yn taflu pethau allan – sach gysgu, blancedi, bocsys, sgidiau.

'Rho'r gorau iddi!'

Yna fe aeth Aled o amgylch y babell yn tynnu'r pegiau i fyny a'u taflu allan i ganol y tywod.

'Mi wna i saethu!' rhybuddiodd Morys, gan anelu ei wn.

O'r diwedd, pan oedd popeth allan o'r babell, cododd Aled hi uwch ei ben. Edrychai mor ysgafn â phluen yn ei ddwylo. Cariodd hi dros ei ben a'i thaflu i'r môr. Dechreuodd nofio ar wyneb y dŵr, i ffwrdd o'r lan.

'Y bwbach!' gwaeddodd Morys.

'Os ti'n meddwl bo ti'n mynd i fyw fel brenin mewn pabell tra dan ni i gyd yn cysgu tu allan gei di fynd i ganu,' gwaeddodd Aled gan drywanu ei fys i'w gyfeiriad. 'A dw i'm yn mynd i dy helpu di i adeiladu lloches chwaith. Gei di greu dy ffycin Cymru Newydd ffycin paradwys dy hun.' Trodd ar ei sawdl a martsio i ffwrdd gydag un waedd olaf o 'Cont!' ac yna roedd wedi mynd.

Gallwn weld bod y Capten mewn penbleth wedyn – a ddylai gadw gafael ar ei ddryll neu ei roi i lawr a cheisio achub ei babell o'r môr? Ar ôl ychydig eiliadau gosododd ei ddryll ar lawr, cicio rhywfaint o dywod drosto i'w guddio a bracso allan i'r môr ar ôl y babell.

Troeais at Myfyr. 'Wel, o't ti ddim lot o help, o't ti?' meddwn i.

Erbyn hyn roedd fy sioc wedi pylu rhywfaint a theimlwn fy ngwaed yn dechrau berwi. Neu efallai bod dicter pawb arall wedi neidio ohonyn nhw fel gwreichion a chydio yndda i.

'Be oeddat ti'n ddisgw'l i mi neud?' gofynnodd Myfyr, wedi cael ei synnu gan y newid yn fy hwyliau gymaint ag oeddwn i.

'Bod yn ddyn yn lle eistedd yna fel iâr! So ti'n mynd i weud dim byd 'tho fe hyd yn oed?'

'Pwy?'

'Dy dad – am ein rhoi ni yn y twll yma. Dangosodd Aled shwt i ddelio gyda fe.'

'Dydi Aled ddim yn fab iddo fo.'

'Dyw Aled ddim ofn e.'

Codais a cherdded oddi wrtho. *Blydi iwsles*, meddwn wrthyf fy hun.

Es i draw i'r fan lle y gwelais Teleri ac Aled ddiwethaf. Roedd y Capten yn dal i geisio tynnu ei babell o'r môr a honno eisoes yn datgymalu'n gybolfa o bolion fel esgyrn pysgodyn yn nofio i bob cyfeiriad.

Troeais a rhoi fy llaw dros fy llygaid ac edrych i fyny i gyfeiriad yr haul. Yna meddyliais i mi weld cysgod dynol yn swatio ar frig y clogwyn a wynebai'r traeth.

Dringais i fyny'r llethr, y planhigion fel rhedyn yn goglais fy nghoesau noeth. Eisteddai Aled ar y brig, â'i freichiau'n dynn o amgylch ei bengliniau. Nid oedd fel petai'n gweld sioe Morys a'r babell; dim ond yn syllu allan i'r môr trwy lygaid lliwgoch.

Doedd dim golwg o Teleri.

Eisteddais wrth ei ochr a rhoi fy mhen innau yn fy nwylo. Codai oglau cryf oddi ar Aled. Roedd clwt tywyll o chwys o dan ei gesail.

'Ti'n iawn?' gofynnais a phwyso'n agosach.

Sychodd ei drwyn â'i fysedd.

'Gweld isio fy chwiorydd, 'na i gyd.'

'O.' Rhoddais fy mraich o'i amgylch a phwyso fy mhen ar ei ysgwydd – ysgwydd fel clustog o gnawd. 'Fi'n siŵr fyddwn ni ddim yn sownd yma'n hir, ti'n gwbod,' meddwn i. 'Ni'n byw yn yr unfed ganrif ar hugen.'

'Ddudodd Morys...' Tynhaodd y gwythiennau ar ei wddf

fel petai'n ceisio peidio â chrio. Dechreuodd ei ysgwydd fawr grynu a chodais fy mhen oddi arno. 'Bod yna neb arall yma.'

'Beth ma fe'n gwbod? Fyddwn ni 'ma am gwpwl o ddyddie – wythnos neu ddwy falle. Ond fyddan nhw'n whilo amdanon ni. Bydd hyn dros y newyddion i gyd – Facebook, Twitter, Instagram.'

'Wnest ti ddeud wrth dy deulu lle'r oeddan ni'n mynd?'

'Na. Wel, o'n i ddim yn gwbod... ynys yn rhwle.'

'Dyna'r peth! Does neb yn gwbod! Dw i ddim yn gwbod lle'r ydan ni rŵan. Fe allen ni fod yn unrhyw le!'

Aeth ias oer drwydda i wrth feddwl am hynny, ond penderfynais gladdu'r syniad. Na, fe fyddai rhywun yn dod o hyd i ni. Roedd yn amhosib amgyffred bod yn sownd ar yr ynys hon am byth.

'Ma'n teimlo fel breuddwyd, on'd yw hi?' meddwn i. Mwythais ei gefn mawr drwy ei grys-T. Roedd yn chwys drabŵd. Rhwbiais gledr fy llaw ar fy siorts. 'A ni'n mynd i ddeffro unrhyw funud.' Gwenais arno – fy ngwên orau a gyrhaeddodd fy llygaid – gan geisio codi rhywfaint ar ei galon yn y gobaith y byddai hynny'n codi fy nghalon innau hefyd.

Ond ni ymatebodd, dim ond troi'n ôl i syllu allan i'r môr yn boddi yn ei golled ei hun. Disgwylais am ryw ymateb ond roedd yn ymddwyn fel pe na bawn i yno, felly codais, llithro heibio iddo a chamu yn ôl i lawr y bryn mor ddestlus ag y gallwn.

Doedd unman arall i fynd ar y blydi ynys – doeddwn i ddim am fod yng nghwmni Teleri na Morys – felly yn ôl â fi at Myfyr. Roedd e'n union lle y gadewais i ef, yn dal i ddarllen ei gyfrol drwchus. Wrth i mi edrych arno syrthiodd glain o chwys o'i dalcen, diferu i lawr ar y dudalen a smwtsio rhywfaint ar yr inc. Tynnodd facyn o'i boced a sychu'r smotyn.

'Ti'n gwisgo eli haul?' gofynnais.

'Nacdw,' meddai braidd yn ddiamynedd. Fel'na oedd e pan o'n i'n ei styrbio tra oedd yn darllen.

Tynnais botel o 'mag, gwagio ychydig o eli ar fy llaw a'i dylino dros ei gefn. Sythodd fymryn wrth i'r hylif oer gyffwrdd ei groen.

'Beth ti'n darllen?' gofynnais.

'*Crime and Punishment*. Dostoyevsky.'

'Da?'

'Iawn. Bach yn *depressing*.' Tynnodd glust y dudalen i lawr a chau'r llyfr. 'Ydyn nhw 'di callio erbyn hyn?'

'Dim ond Aled weles i. Stwbwrn, fel dy dad a dy chwa'r.'

Allen i byth fod mewn perthynas â dyn fel Aled, meddyliais i. Fe fyddwn i fel cerflunydd yn trio gweithio ar flocyn o ddur. Roedd Myfyr yn llawer mwy hydrin. Nid am ei fod yn llipryn diwerth ond am nad oedd yn malio taten. Roedd yn byw mewn byd arall fel arfer ac roedd y byd go iawn fel rhywbeth anghyfleus oedd yn tynnu ei sylw'n ysbeidiol. Roedd yn fodlon gwneud bron i unrhyw beth am fywyd tawel.

'Ti'n meddwl fyddwn ni yma'n hir?' gofynnais i.

Cododd Myfyr ei war. Dyw e ddim *yma* nawr, feddyliais i.

'Ai dim ond un llyfr sy 'da ti?'

Edrychodd Myfyr ar y clawr. Ac am y tro cyntaf gwelais y nesaf peth i fraw yn ei lygaid. Ond yna pylodd.

'Mae gen i bapur a beiro hefyd,' meddai. 'I sgwennu. A dwi'n meddwl bod Dad wedi dod â bocs o lyfrau Cymraeg. *Hanes Cymru*, *Cerddi'r Cywilydd* a ballu. Ond dwi wedi eu darllen nhw i gyd yn barod.'

'Fe allen ni fod 'ma am sbel hir.'

'Oes gen ti lyfr?'

Codais ef o'm bag a'i ddal o'i flaen. *Joey Essex: Being Reem.*

'O.' Rhychodd ei drwyn, fel dyn oedd yn llwgu ond oedd wedi cael cynnig tamaid arbennig o anapelgar nad oedd yn siŵr y gallai ei lyncu.

'Mae'n eitha da!' meddwn i gan siffrwd y tudalennau gyda fy mawd. 'Wy jest eisiau swits off pan wy ddim yn gweithio.'

Nodiodd Myfyr, ac yna ailagorodd ei lyfr a dechrau chwilio am y dudalen iawn.

'Bydd rhywun yn ffeindio ni, yn bydd e?' meddwn i, gan dynnu fy nghoesau i fyny oddi tana i.

'*Uh-huh,*' meddai Myfyr.

Gwnes ymdrech i ddarllen hanes Joey Essex ond o'n i'n methu canolbwyntio. Roeddwn i wedi fy llethu gormod i wneud dim byd. Teimlwn fel petai gwres y dydd wedi amsugno fy holl egni. Roedd braw y frwydr rhwng Aled a Morys wedi bod yn ysgydwad. Taflais y llyfr yn ôl i geg y bag, cyn lled-orwedd ar fy nghefn ar y gwair a chwythu'r aer o'm bochau. Estynnais am fy ffôn, am y degfed tro y diwrnod hwnnw, cofio nad oedd batri ar ôl, a'i roi i gadw.

'Wy'n teimlo fel *shit*, fi'n gweud 'thot ti,' meddwn i. 'Falle bo fi'n cael *internet withdrawal symptoms.*' Codais ar un benelin. 'Hei, ti'n meddwl y dylen i dorri fy ngwallt i'n fyr?' Cydiais yn fy nghynffon merlen. ''Da fi siswrn yn y bag colur. Fe fydde fe'n haws i'w drin.'

'Mae'n iawn fel mae o,' meddai Myfyr heb godi ei ben.

'Fi 'di blino edrych fel dol.'

'Ti'n edrych yn grêt.'

Edrychais allan ar y cymylau ar y gorwel. Nid dyma'r dyfodol gyda Myfyr yr oeddwn i wedi ei ragweld. Fyddai e'n dda i ddim i mi os fydden ni'n sownd fan hyn. Doedd doethuriaeth, gwaith fel darlithydd a chyflog o £40,000 y flwyddyn yn dda i ddim ar ynys yng nghanol unman.

Er nad oeddwn i wedi ei deimlo'n iawn o'r blaen roeddwn i'n nabod y teimlad oedd yn cnoi yn fy stumog: galar. Nid galar am fywyd neb arall, ond galar am fy mywyd i. Y bywyd o'n i wedi ei adael ar ôl. Y teimlad hwnnw o gynnydd. Gweithio. Arian. Nosweithiau allan gyda ffrindiau. Mam a Dad. Cartref. Tref. Roedd popeth oedd gen i, a phopeth oeddwn i'n teimlo oedd yn ddyledus i mi, wedi cael ei gymryd oddi arna i mewn chwinciad.

Dyna oedd Aled yn ei deimlo ar y bryn hefyd, mae'n siŵr, meddyliais i. Yr un galar wedi ei daro rhwng ei lygaid fel morthwyl.

A doedd e ddim yn deimlad braf. Roedd yn ddigon i wneud i mi fod eisiau cyfogi.

'Odi fe'n haws claddu dy ben mewn llyfr?' gofynnais i.

'E?'

'Wfft,' meddwn i, a chodi hunangofiant Joey Essex, a thrio fy ngorau i ddianc i fyd arall.

# Aled

WNES I DDIM byd am ychydig ddyddiau, dim ond syllu i'r môr. Roedd gwneud dim yn reit anghyffredin i fi – ro'n i'n hoffi cadw'n brysur. Ond ro'n i'n dal yn meddwl y byddai rhywun yn ein hachub ni. Ac o dro i dro ro'n i'n meddwl mod i'n gweld rhywbeth – hwyl neu gorff llong yn fflachio ar y gorwel. A byddwn i'n sefyll ar flaenau fy nhraed mor llonydd â phostyn ffens. Ond dim ond cysgod cwmwl oedd o neu belydr o haul yn taro'r tonnau, neu fy meddwl yn chwarae triciau.

Ac wedyn byddai fy nghalon yn suddo fel carreg a byddwn i'n mynd yn ôl i syllu ar y golau'n disgleirio ar y gorwel.

Fe gymerodd gwpwl o ddyddiau i fi dderbyn y peth. I dderbyn nad oeddwn i'n mynd i adael yr ynys. Ddim yn y dyfodol agos, beth bynnag. A chael amser i feddwl – meddwl am beth o'n i wedi ei golli, ond hefyd beth oedd gen i o hyd.

'Mi ddeith ato'i hun. Mi fyddan ni'n gneud cynnydd,' meddai Morys.

Doedd o ddim wedi siarad â fi ers bron i mi ei dagu i farwolaeth ychydig ddyddiau ynghynt. Ond roedd yn siarad yn uchel â'r lleill wrth i fi fynd heibio ac yn dweud pethau fel 'mod i'n eu clywed nhw.

Ond ar ôl tua wythnos fe ddechreuodd ddweud pethau gwahanol.

'Dan ni'n mynd i redeg allan o fwyd. A diod.'

Roedd y Capten yn eistedd naill ai y tu mewn neu y tu allan i'w babell drwy'r dydd, ei ddryll efo fo bob amser. Fo a'i ddryll a fi â 'nhwca. *Mutually assured destruction.* Dyna un frawddeg oeddwn i'n ei chofio o wersi hanes yn yr ysgol. Yr athro yn esbonio pam nad oedd gwledydd â bomiau niwclear yn ymosod ar ei gilydd. Rhyfedd fel oedd ambell beth yn aros yn y cof a phopeth arall yn cael ei anghofio.

'Mae ei goesau fo'n ddrwg,' meddai Teleri wrtha i gyda'r nos, pan oedden ni'n swatio yn ein lloches dan y netiau mosgito. 'Mi wnaeth y pryfaid tywod ei bigo fo'n ddrwg y noson yna, ar ôl i ti daflu ei babell i'r môr ac yntau'n goro aros iddi sychu cyn y medrai gysgu ynddi. Mae o wedi bod yn crafu, ac yn crafu. A rŵan mae ei goesau o'n friwiau i gyd. Mae o'n methu cerdded heb deimlo'r brathiadau.'

Efallai y dylwn i fod wedi teimlo'n fodlon efo hynny, derbyn bod Duw yn ei gosbi fel yn stori Job yn yr ysgol Sul pan o'n i'n fach – un peth arall oedd wedi glynu yn y cof am ryw reswm – ond do'n i ddim, a bod yn onest. Ro'n i'n teimlo'n euog.

A chyfuniad o'r teimladau hynny oedd y rheswm pam es i i hela yn y diwedd – derbyn 'mod i'n styc yno, a theimlo'n euog. Achos os na fyddwn i'n codi oddi ar fy nhin a gwneud rhywbeth byddai'r bwyd a'r diod *yn* rhedeg allan a phawb yn dechrau llwgu a sychedu a byddwn i'n teimlo hyd yn oed yn waeth wedyn.

Mi es i i siarad efo Myfyr gyntaf. Roedd yn dal efo'i drwyn yn ei lyfr dan gysgod y coed palmwydd. Os oeddwn i heb dynnu fy llygaid oddi ar y gorwel am ddyddiau, yna roedd o heb dynnu ei lygaid oddi ar ei lyfr.

'Ti dal wrthi?' gofynnais i.

'Dwi'n hoffi ailddarllen llyfrau.'

'Dio'm bach yn *boring* os ti'n gwbod y stori yn barod?'

Cododd fys doeth. 'Y tro cynta i ti ddarllen llyfr dylet ti edrych ar y geiriau. Yr ail dro fe ddylet ti edrych yn y gwagle *rhwng* y geiriau.'

'E?'

'Fy ngoruchwiliwr PhD ddudodd hynny wrtha i.' Caeodd y llyfr. 'T'isio menthyg o?'

Llygadais ef yn ddrwgdybus. Llyfr clawr caled efo rhif catalog llyfrgell ar yr ochr. Dyna un llyfr na fyddai llyfrgell y brifysgol fyth yn ei gael yn ôl, meddyliais i. 'Oes rhaid i fi ddarllen y geiriau, 'ta dim ond y gwagle rhyngddyn nhw?'

'Ha.'

'Amdan be mae o?'

'Yr un peth â phob llyfr,' meddai yn ei lais llwyfan Eisteddfod. Edrychodd arna i dros ei sbectols. 'Newid.'

'Newid? Be'n newid?'

Cododd ei war. 'Pobol yn newid, y byd yn newid, pobol yn newid y byd. Dyna mae pob llyfr amdano.'

'Y boi PhD yna ddudodd hynna wrthat ti hefyd?'

'Na, mi 'nes i weithio hynny allan fy hun.'

Rhwbiais ochr finiog y twca. ''Swn i'n deud bod digon 'di newid yn ein bywydau ni fel mae hi. Heb i ti fynd i chwilio am fwy o newid mewn llyfr.'

'Ond dyna'r pwynt, 'de?' Gwthiodd ei sbectol i fyny ei drwyn. 'Os ti'n gallu gweld dy newid dy hun yn newid pobol eraill, ti'n sylwi mai, wel, fel yna mae pethau, yn dwyt? Mae pobol wedi gorfod newid yn y gorffennol, mewn amseroedd caled, a ti'n mynd i orfod newid, a bydd pobol yn newid yn y dyfodol. Dwyt ti'm ar ben dy hun.'

'Ond ti heb newid o gwbwl. Ti 'di bod yn eistedd fanna yn darllen yr un blydi llyfr ers i ni gyrraedd.'

Agorodd ei geg i ateb, ond yna caeodd hi eto. Efallai

'mod i wedi cael y gorau arno. Neu dim ond wedi brifo ei deimladau.

Ysgydwais fy mhen. *Typical*. Roeddwn i'n sownd ar yr ynys yma gyda'r un boi nad oedd gen i unrhyw beth yn gyffredin ag o. Roedden ni'n siarad yr un iaith ond y geiriau'n golygu pethau hollol wahanol. Well gen i fod wedi cael cwmni fy nghi defaid. Ro'n i'n deall beth oedd yn mynd trwy feddwl Siani yn well nag o'n i'n deall Myfyr.

Ond roedd rhaid i fi wneud rhyw fath o ymdrech efo fo. Felly eisteddais i lawr a gwneud sioe o edrych drwy ei lyfr.

'Be wyt ti'n licio neud, 'te?' gofynnodd o'n sydyn.

'Ffermio,' meddwn i gan droi'r tudalennau. 'Mae gwartheg i'w godro. Defaid i wyna yn y gwanwyn. Gwair i'w ladd diwedd ha'. Ac o'n i'n joio achos o'n i'n gwbod, dim ond i fi edrych ar ôl y tir fe fyddai popeth yn iawn. Ro'n i'n gneud y job a Dad wedi gneud y job cyn fi a taid wedi gneud y job cyn fo, ac fe fyddai fy mab i'n gneud y job hefyd...' Rhoddais y gorau i siarad wrth sylwi, gyda thro yn fy stumog, na fyddai unrhyw fab yn gwneud yr un job â fi, os nad oeddwn i'n llwyddo i adael yr ynys.

Cyffrôdd Myfyr. 'Felly roeddat ti'n gwbod nad oeddat ti ar dy ben dy hun – dy fod ti'n rhan o rwbath mwy?'

'Ia?'

'Wel dyna ydw i'n trio'i ddeud am lyfrau, ynde?' meddai.

Rhwbiais fy mysedd i'm llygaid ac ysgwyd fy mhen. 'Ti'n methu byta llyfr,' meddwn i, gan ei osod i lawr rhyngom ni. 'A dyna dan ni angen rŵan. Dim geiriau, ond bwyd. Dw i am fynd i hela.'

'Grêt.'

'Mae gen ti job hefyd.'

Syrthiodd ei wep.

'Dŵr.'

'Dŵr?' Edrychodd Myfyr tua'r môr, fel petawn i wedi gofyn iddo hel aer.

'Dŵr yfed. Dan ni'n yfed tua dau litr yr un bob dydd, ella'i fod o'n fwy pan dan ni'n symud o gwmpas y lle. Dy job di ydi ffeindio'r dŵr a dod â fo fan hyn, bob dydd.'

'Be am Teleri?'

'Geith hi helpu fi efo'r hela. Geith Efa dy helpu di efo'r dŵr.'

'Be am Dad?'

'Mae ei goesau'n reit giami. Geith o warchod y gwersyll.' Oedd hwn yn sylwi ar unrhyw beth oedd yn digwydd o'i gwmpas?

Fe fyddai'n well gen i gael Efa gyda fi, a dweud y gwir, meddyliais wrth gerdded yn ôl i'r gwersyll. Dim ond i gael edrych arni. Roeddwn i ei heisiau hi. Eisiau rhedeg fy llaw i lawr ochr ei bol tuag at ei chlun. Eisiau gwasgu fy ngheg yn erbyn ei hun hi. Llyfu a sugno ei bronnau. Roedd ei chael hi o'm hamgylch i bob dydd yn y gwersyll yn boenus.

Achos allwn i ddim. Byddai hynny'n gwneud pethau hyd yn oed yn fwy annioddefol. Dim ond pump ohonan ni oedd yna ac roedd rhaid trio cyd-fyw. Doedd y Myfyr yna ddim yn gwybod pa mor lwcus oedd o, efo'i ben yn ei lyfr. Fyddai fy mhen i ddim mewn llyfr tasai gen i Efa. Fe fyddai rhwng ei choesau hi.

Cerddais 'nôl at y gwersyll a chyhoeddi: 'Dwi'n mynd i bysgota.'

Syllodd y tri arall arna i.

'Hen blydi bryd 'fyd,' meddai'r hen ddyn.

Ro'n i eisiau dweud wrtho am ei chau hi, ond o ddechrau ffraeo fe fyddai argae yn torri ac efallai yn ein boddi ni i gyd.

*Mutually assured destruction.* Well ei adael yno gyda'i goesau'n pydru.

'T'isio help?' gofynnodd Teleri.

'Fe fydda i. Ond dwi am chwilio heddiw i weld lle mae'r pysgod gorau i'w cael. Dwi wedi gofyn i Myfyr fynd i hôl dŵr. Efa, ti'n fodlon ei helpu o?'

Nodiodd hi a sboncio i fyny ar bâr o goesau ystwyth, fel pe bai hi wedi bod yn ysu am gael rhywbeth i'w wneud ers dyddiau.

'Bydd angen i ti greu rhyw fath o wialen i ddechrau,' dechreuodd yr hen ddyn. 'Os allet ti ddod o hyd i ffon ddigon cryf neu fambŵ–'

'Dim ond edrych am y llefydd gorau i bysgota fydda i heddiw,' meddwn i, gan droelli'r twca yn fy nwylo.

'Mi o'n i wedi creu sawl gwialen yn blentyn–'

Cerddais i ffwrdd a'i adael yno yn parablu, mynd yn syth i lawr y traeth a deifio i mewn i'r môr. Er mwyn gallu mynd o'na cyn dechrau ffraeo. A hefyd doedd dim man gwell i ddechrau chwilio na mynd yn syth i'r dŵr. Gallwn weld ambell bysgodyn bach o'm cwmpas yn y dŵr bas ond dim byd fyddai'n gwneud pryd o fwyd felly nofiais am allan. Roedd yn braf cael teimlo'r rhyddid o fod allan yn y môr ar ôl dyddiau yn styc ar y traeth. Cael esgus i fynd i unrhyw le a gwneud unrhyw beth.

Roedd y dŵr mor glir ro'n i'n teimlo 'mod i'n hedfan uwchben y tywod gwyn llachar oddi tanaf. O'm blaen gallwn i weld y greigres gwrel yn niwlog yn y pellter a ro'n i'n dyfalu y byddai rhagor o bysgod mwy o faint yno felly dyma fi'n nofio allan yn agosach i gael golwg.

Bum munud yn ddiweddarach, wedi codi i'r wyneb sawl gwaith i gael fy anadl, fe nofiais i lawr a drwy hollt yn ochr y greigres. Yn sydyn ciliodd y creigiau llwyd ac roeddwn i mewn byd hudolus llawn lliw. Roedd yna wrychoedd a choed a sbynjys porffor, glas a choch yn siglo yn awel y môr. Rhai fel crafangau gwrachod, eraill fel madarch oren anferth, rhai fel fflamau pinc, rhai fel dail brown hydrefol, ambell un yn edrych fel ryw fath o grochan mawr wedi rhydu. Ac roedd y pentyrrau cwrel yn anferth – rhai mor fawr â bythynnod, gyda phatrymau troellog fel ymennydd arnyn nhw. A'r lliwiau piws, glas, melyn a gwyrdd llachar yn gwneud i'r cyfan edrych fel coedwig tylwyth teg, a finnau yn nofio drwyddi.

Roedd pob craig yn llawn tyllau a miloedd o bysgod yn byw ynddyn nhw. Cymaint o bysgod bach amryliw, fel petai enfys wedi malu'n filoedd o ddarnau. Ac roedd wyneb y dŵr fel wyneb drych wedi toddi, yn adlewyrchu yr holl liw oddi tano.

*Bydd rhaid i fi rannu hyn efo'r lleill,* meddwn i wrthyf fy hun.

Ro'n i'n agosáu at ben arall y greigres erbyn hyn. Gallwn glywed sŵn y llanw, oedd mor bell i ffwrdd pan oeddwn ar y traeth, yn taro ymyl y greigres, fel sŵn cadwyni trwm yn llusgo ar wely'r môr.

Es i'n ôl at yr wyneb i gael fy anadl eto ac wedyn nofio reit i ben draw y greigres ac roedd yn edrych i mi fel mai yma fyddai yr hela gorau. Roedd sawl pysgodyn mwy o faint wedi crwydro yma o'r môr mawr tu hwnt ac yn mynd ar ôl y rhai llai a oedd yn glynu yn agos at ymyl y graig er mwyn cael dianc yn ôl i'w tyllau a chuddio.

Ac yna wrth nofio dros ben draw y greigres fe welais i rywbeth a wnaeth i'm calon neidio i'm gwddwg. O dan wyneb y dŵr roedd y llong yr oedden ni wedi cyrraedd ynddi. Gorweddai ar ei hochr ar wely'r môr dim ond ugain troedfedd oddi tanaf.

Iesu mawr, meddyliais. Edrychai'r llong yn gymharol

gyflawn. O weld y mwg mawr yn dod ohoni roeddwn i'n dychmygu iddi gael ei chwythu'n rhacs. A'r hyn a oedd yn mynd drwy fy meddwl rŵan oedd, *beth os yw'r ddyfais GPS yn dal yno?* Yr EPIRB neu beth bynnag oedd Morys yn ei alw fo? O'n i'n gwybod ei bod yn cael ei chadw mewn rhyw fath o gasyn plastig *waterproof.* Efallai na fyddai'r ddyfais wedi'i difetha'n llwyr. Efallai fod yna obaith y gallen ni ffonio adref...

Llenwais fy ysgyfaint ag aer ac yna plymio am i lawr a chicio nerth fy nghoesau. Dilynais sglein y ffenestri crwn ar ochr y cwch oedd yn wincio i fyny arna i fel rhes o lygaid cathod. Wrth fynd roedd rhaid i fi nofio i lawr heibio i sawl creadur rhyfedd oedd yn byw yn ddyfnach yn nhywyllwch yr hafn. Mi welais i octopws gwyn a'i groen mor denau â phapur. Agorodd ei gorff fel ymbarél wrth fynd heibio, cyn gwasgu fel cath drwy dwll yn ochr y graig. Wedyn bu'n rhaid i fi osgoi ryw fath o fôr-gyllell a wibiodd heibio i'm pen, yn fflachio lliwiau gwahanol o'i thop i'w gwaelod fatha petai pob math o gerrynt trydan yn mynd drwyddi hi.

Roedd fy nghoesau'n llosgi erbyn 'mod i o fewn cyrraedd i'r cwch. Estynnais allan a chydio yn un o'r portyllau gerfydd blaen fy mysedd. Daliais afael ar ymyl un ohonyn nhw ac estyn gyda'm llaw arall am graig oedd wedi setlo ar ochr corff y llong. Bwrais ar wyneb y gwydr â'r graig yn fy llaw, sawl gwaith, gyda'm holl nerth ac fe glywais y sŵn thwmp yn llenwi fy nghlustiau ond doedd yna ddim hyd yn oed hoel ar y gwydr. Nofiais draw at y drws haearn. Ond roedd hwnnw ar gau ac er i mi roi fy nghoesau bob ochr a thynnu a thynnu doedd dim datod arno. Roedd y môr i gyd yn gwasgu i lawr ar y cwch a phob agoriad ynddo wedi selio mor dynn â phig wystrysen. Roedd yna ryw gyfarwyddiadau ar y drws ond allwn i ddim eu gweld nhw'n iawn â'r dŵr halen yn pigo fy llygaid. Tynnais a thynnais ar ddolen ond llithrodd fy nwylo yn rhydd a bwrais fy mhen yn erbyn yr adlen ac mi saethodd yr aer allan ohona i yn fwrlwm o swigod. Dyma fi'n cicio yn ôl am yr wyneb gan deimlo fy ysgyfaint yn crebachu fel dau ddwrn yn gwasgu fy nhu mewn. Teimlwn fy hun yn gwanhau gan flinder ac roedd fel pe bai pum munud wedi llusgo heibio cyn i mi dorri drwy wyneb y dŵr a'u hail-lenwi ag anadl boenus. Sgrech, ond am i mewn yn lle allan.

Reit, meddwn i wrthyf fy hunan. Bydd angen ffycin jac codi baw i sifftio honna o waelod y môr. Ond does gen i ddim jac codi baw.

Ro'n i'n teimlo'n rhwystredig iawn. Roedd yr EPIRB 'na mor agos, fodfeddi i ffwrdd o fy nghyrraedd falle y tu mewn i'r llong. Ond doedd dim ffordd amlwg i mewn. Byddai'r llong yn rhydu yn y diwedd – ond gallai hynny gymryd blynyddoedd.

Dringais i fyny ar ddarn o'r greigres oedd yn ymwthio allan o'r dŵr i ddal fy ngwynt. Gallwn weld amlinell wyrddlas y cwch yn crynu dan wyneb y dŵr, roedd mor glir. A'r dŵr fel chwyddwydr yn gwneud iddo ymddangos yn fwy agos hyd yn oed nag ydoedd, fel taswn i'n gallu gwthio fy mraich i'r dŵr hyd at fy mhenelin a'i gyffwrdd.

Penderfynais gael siot fach arall arni. Efallai y gallwn i dyllu o amgylch ymyl y cwch, disodli'r tywod… dod o hyd i dwll rhywle ar hyd ei gorff… wyddwn i ddim. Fe fyddai'n waith blinedig plymio i lawr dro ar ôl tro. Teimlai fy mhen yn llawn dŵr yn barod.

Deifiais i mewn eto. Ro'n i'n ymbalfalu i lawr nerth esgyrn fy mhen a ddim yn canolbwyntio ar ddim arall, a dyna pam na welais i'r bwystfil o bysgodyn a ddyrnodd i mewn i fi â'i geg fel llif yn rhacso'r cnawd ar fy ysgwydd. Bwrodd yr aer allan ohona i ac am eiliad dyma fi'n drysu'n lân ac roedd y cwmwl o bysgod o'm cwmpas mor drwchus fel na wyddwn pa ffordd oedd i fyny a pha ffordd i lawr. Rhoeais y gorau i unrhyw obaith o gyrraedd y cwch ac wedi adnabod amrantiad o olau'r haul yn disgleirio uwch fy mhen ciciais fy nghoesau'n ffyrnig tuag ato gan obeithio mai dim ond yn ffordd y pysgodyn anferth y bues i ac mae rhyw fath o 'esgusodwch fi' oedd y rhwyg ar fy ysgwydd.

Dyna'r peth olaf a feddyliais i cyn edrych i lawr a gweld y pysgod bach yn agor bob ochr fel llen a'r bwystfil yn dod tuag ata i gyda'i geg lawn dannedd yn fflachio fel gril car oedd ar fin fy mwrw i drosodd.

Digwyddodd y cyfan yn rhy gyflym i fi deimlo ofn na phoen na chael amser i feddwl am farwolaeth. Roeddwn i wedi hepgor rhan ymwybodol yr ymennydd ac er fod popeth fel petai'n symud yn arafach nag o'r blaen roeddwn i'n ymateb yn gyfan gwbwl reddfol. A'r reddf honno oedd ceisio cicio'r siarc, neu beth bynnag oedd o, mor galed ag y gallwn yn ei wyneb wrth iddo agosáu. Oherwydd pwysau'r dŵr roedd yn amhosib cicio mor galed â hynny ond llwyddais i ddargyfeirio gên ddanheddog y creadur fodfedd ac amlapio fy mreichiau mawr o amgylch ei gorff llithrig a rhoi y cwtsh caletaf posib iddo. Gwingodd y pysgodyn bob ffordd yn y dŵr gan geisio ysgwyd yr aer allan ohona i wrth i fi geisio gwasgu'r bywyd allan ohono fo. O'r diwedd llwyddodd i'm hergydio yn erbyn ochr y greigres a theimlais y graig fel cyllyll yn trywanu fy nghefn ac yn fy syndod fe ollyngais i'r Bwystfil a'i weld yn llithro i ffwrdd fel saeth arian drwy'r dŵr o fy mlaen i.

Gwyddwn y byddai yn ôl mewn amrantiad felly nofiais ar fy union am y graig ar yr wyneb a dringo o'r dŵr heb boeni dim bod y cwrel yn crafu fy mhengliniau a chledrau fy nwylo.

Gorweddais yno am chwarter awr dda yn anadlu'n drwm

ac yn gwaedu o sawl clwyf ar fy nghorff. Ro'n i'n gleisiau i gyd ac yn meddwl mai dyna'r tro olaf am sbel y byddwn i'n dod yn agos at y greigres gwrel – a'r cwch.

# Teleri

'ABWYD,' MEDDAI ALED.

Roedd wedi codi allan o'r dŵr hyd ei ganol er mwyn estyn y cranc i fyny'n ddigon uchel i mi ei gymryd o'i law a'i osod wrth fy ymyl ar y graig.

'Lle gest ti hwn?'

Amneidiodd am yn ôl gyda'i ben i gyfeiriad y traeth.

'Dio–' Ond cyn i fi gael cyfle i dorri sgwrs roedd wedi diflannu dan yr wyneb eto. Doedd o ddim eisiau siarad.

Torrais y cranc yn ei hanner â chyllell ac yna mynd ar fy nghwrcwd a gwthio darn o weiren bigog drwy'r gragen, ac yna gadael i'r weiren â'r gragen arni hongian oddi ar ymyl y garreg ac i mewn i'r môr. Doedd y weiren bigog ddim yn fachyn delfrydol ond roeddwn i wedi dod o hyd iddi ymysg y sbwriel ar y traeth un diwrnod ac roedd rhaid iddi wneud y tro.

Ymgasglodd y pysgod lliwgar o amgylch gweddill yr hanner cranc fel teulu at sgrin deledu.

Job Aled oedd dal y crancod heddiw. Yr unig ffordd o wneud hynny oedd eistedd am hydoedd yn y gwres nes i'r llanw fynd allan. Gwylio a gwylio'r pyllau yr oedd y crancod yn llochesu ynddyn nhw yn anweddu a disgwyl am yr eiliad y bydden nhw'n ffoi yn un haid tuag at achubiaeth y môr. Bryd hynny, a bryd hynny yn unig, am ryw dri deg eiliad, y byddai cyfle i'w trywanu â'r waywffon a'u lladd.

Ceisio eu lladd. Roedd crafangau siarp a phwerus ganddyn nhw ac roedd y briwiau ar fy nwylo yn dyst i hynny.

Teimlais rywbeth yn tynnu ar y weiren bigog a phwysais ymlaen i gael gweld. Oedd, roedd pysgodyn yn gwingo'n boenus ar un o'r bachau. Datodais ef a'i fwrw yn syth yn erbyn y graig nes iddo roi'r gorau i ymnyddu. Yna gwthiais fysedd un llaw i'w dagell bob ochr a stwffio'r gyllell yn y llaw arall i mewn i'w ben ôl a'i dorri ar ei hyd. Tynnais y perfedd a'r wyau a'u taflu yn ôl i'r dŵr, ac yna crafais y gwaed oddi ar hyd ei asgwrn cefn â fy mawd. Yna torrais y pen i ffwrdd a'i daflu yn ôl hefyd.

Mi wnes i hyn i gyd mewn un symudiad cyflym, mewn deg eiliad. Cyhyrau'r bysedd yn cofio ac yn gweithio o arfer. Mor ddifeddwl â phlicio tatws, neu glymu carrai. Gorweddai rhes o bysgod eraill ar y graig wrth fy ochr yn barod.

Ro'n i'n hoffi cadw'n brysur fel yna. Meddwl gyda 'mysedd, fel nad oedd rhaid meddwl gyda 'mhen.

Teimlais lwch dŵr yn tasgu dros fy nghefn ac fe dynnodd Aled ei hun i eistedd ar y graig fflat wrth fy ochr.

'Unrhyw lwc?' gofynnodd.

Cyfeiriais at y rhes o bysgod wrth fy ymyl, yn falch ei fod bellach mewn hwyliau mwy siaradus.

'Mwy o'r Mrs Huwsys 'na,' meddai.

Roedden ni wedi galw'r pysgod bach yn Mrs Huwsys am fod ganddyn nhw'r un olwg syn ar eu hwynebau ag oedd gan Mrs Huws ein hen athrawes daearyddiaeth yn yr ysgol. Roedd Dad wedi ein hannog i roi enwau Cymraeg i bopeth, enwi popeth fel y gwnaeth Adda ac Efa yng ngardd Eden. Wyddwn i ddim ai enwau fel Mrs Huws oedd ganddo mewn golwg, chwaith.

Meddai Aled: 'Tasen ni ond yn gallu mynd yn agosach at y

greigres gwrel. Mi welais i bysgod lot mwy yn y fan yna.'

'Ia, rhai lot rhy fawr,' meddwn i wrth nodi'r creithiau ar ei ysgwydd a'i gefn. Roedd tair wythnos wedi mynd heibio ers iddo gropian allan o'r môr yn gwaedu dros y traeth gwyn ac roedd y creithiau wedi cymryd cymaint â hynny i wella.

'Y Bwystfil,' meddai Aled.

Byddai Aled yn treulio amser maith yn trafod ei gynlluniau ar gyfer difa'r Bwystfil, gyda'r nos fel arfer pan oedden ni yn y lloches. Weithiau ro'n i'n cwestiynu a oedd Aled yn gariad i fi neu'n gariad i'r Bwystfil am mai hwnnw oedd yn mynd â'i fryd yn gynyddol bellach. Ond doedd Aled ddim wedi meiddio nofio'n ôl i ganol y greigres ers hynny.

'Ti'n meddwl mai siarc yw e?' gofynnodd Efa o amgylch y tân un tro.

'Na. Mae o fel eog, efo croen arian – ond yn anferth!' Ymestynnodd Aled ei ddwylo ar led. 'A'i geg yn hir ac yn llawn dannedd!'

A'i lygaid yn tasgu tân.

Siŵr bod enw ar y pysgodyn yma hefyd, meddyliais. Enw gwyddonol. Ond yn ein byd ni, Y Bwystfil oedd yr enw a roddwyd iddo, a chreadur mytholegol oedd.

'Cwch fyddai'r boi,' meddai Aled wrtha i wedyn, ei lygaid yn bell wrth iddo wylio'r ewyn yn tasgu'n erbyn y greigres fel pe bai'r môr yn darw mawr a oedd yn ceisio pwnio ei ffordd drwy'r graig. Roedd eisoes wedi ceisio adeiladu rafft o breniau a photeli plastig un dydd ac wedi ceisio ei rhwyfo allan at ben draw'r greigres er mwyn pysgota yno yn saff o afael y Bwystfil ond roedd yn rhy anodd ei lywio ac roedd y tonnau wedi ei chario'n ôl fel cwch papur i'r lan.

'Dan ni'n dal digon o bysgod, tydan?' meddwn i i geisio codi ei galon.

'Digon o bysgod bach,' meddai Aled. 'Os alla i ladd y Bwystfil...' meddai gan rwbio ei ddwrn ar ei frest.

'Does dim ots am y Bwystfil,' meddwn i.

Syllodd arna i. 'Mae'n rhaid i bethau wella, yn does?'

Codais fy ngwar. Do'n i ddim am ddatgelu sut o'n i'n teimlo go iawn am hynny iddo. Oherwydd fe fyddai hynny'n golygu meddwl am beth o'n i'n ei deimlo, a chydnabod ambell i beth i mi fy hun.

Fel ein bod ni'n llwgu. Yn llwgu go iawn erbyn hyn. Mor llwglyd fel ei fod yn fy nghadw i'n effro gyda'r nos. Mor llwglyd fel bod fy mhen i mewn rhyw fath o gwmwl parhaol, a'r egni oeddwn i bob tro wedi gallu dibynnu arno wedi tryddiferu ohona i. Ond doedd fiw i neb dynnu sylw at y peth oherwydd roedd pawb yn teimlo'r peth yn gur parhaus yn eu boliau a'u hesgyrn.

Roedd yn haws peidio trafod y peth, bwrw ymlaen a smalio bod popeth yn iawn, fel y byddai Mam yn ei wneud.

Agorodd Aled ei geg i ddweud rhywbeth ond ni ddaeth unrhyw sŵn ohoni. Llithrodd ei ddwylo i lawr i mewn i'w gôl. 'Mae'n iawn i ti,' meddai o'r diwedd.

'Be ti'n feddwl?'

'Mae dy deulu di i gyd yma, tydyn?' Caeodd ei lygaid ac ochneidio.

Agorais fy ngheg i ateb. Ond roedd Aled wedi llithro oddi ar ymyl y graig a diflannu dan y tonnau. Llawn cystal, achos dwn i ddim beth fyddwn i wedi dweud beth bynnag.

*O le'r oedd hynna wedi dod?* meddyliais.

Ond wrth ofyn hynny teimlwn gymysgedd o bethau yn byrlymu i fyny fel pistyll y tu mewn i mi a bu'n rhaid i mi ganolbwyntio ar y pysgota unwaith eto i'w hatal rhag ffrwydro i'r wyneb. Daliais ddau bysgodyn arall – penbyliaid eto heb fawr o gig arnyn nhw. Eu bwrw ar y graig. Eu torri ar eu hyd. Tynnu eu perfeddion. Crafu'r gwaed o'u hesgyrn cefn. Torri eu pennau a'u taflu i'r dŵr. Ac ymlaen.

Pan deimlais wres yr haul yn bwrw i lawr fel morthwylion ar fy nhalcen a phan oedd y tonnau wedi cilio digon i agor llain o dywod rhyngdda i a'r traeth gwyddwn ei bod yn amser mynd i gysgodi.

Roedd Aled yno'n disgwyl amdana i ar y traeth, yn ufuddhau i'r un amserydd mewnol. Rhywle uwch ein pennau roedd yr haul a'r lleuad yn troelli drwy'r gofod, yn trawsnewid nos yn ddydd ac yn peri i'r môr chwyddo a gwastatáu, fel bysedd cloc nefol yn rheoli rhythm ein bywydau ni'n dau.

Nid felly y bu hi i ddechrau. Ar y dechrau roedden ni wedi glynu at drefn ein bywydau blaenorol. Wedi codi tua saith, hel bwyd, archwilio'r ynys a gweithio ar adeiladu llochesi o naw tan bump, cyn ymlacio am weddill y prynhawn. Ond wrth i'r bwyd fynd yn brin ac wrth i wres yr haul sugno'r nerth o'n croen datblygodd trefn wahanol. Codi'n gynt yn oerfel y bore, gyda'r goleuni cynharaf, gweithio nes ei bod hi'n boeth, ac yna gorffwys. Roedden ni wedi dysgu nad segura oedd gorffwys ond math o waith ynddo'i hun, gwaith hanfodol er mwyn osgoi llosgi egni gwerthfawr. Unwaith oedd yr haul yn dechrau cilio, roedd modd bwrw ati drachefn.

Fe gerddais i ac Aled ochr yn ochr ar hyd yr ale o goed palmwydd oedd yn gwahanu'r traeth o'r tir prysg tu hwnt ac yn ôl tua'r babell ar ben arall y traeth, yr ychydig o ddalfa oedd gyda ni yn hongian ar bolyn rhyngom. Roedd cerdded ar dywod yn waith caled yn y gwres. Wrth fynd dyma ni'n aros yma a thraw i droi cerrig a sbecian o dan y dail yng nghysgod y goedwig. Roeddwn i ac Aled wedi troi mewn i ryw fath o sugnlanhawyr a fyddai'n sgubo'r môr, y traeth a'r cerrig, yn chwilio am unrhyw beth bwytadwy. Y malwod oedd yn glynu wrth y meini ger y lan. Y llyswennod ymysg y pyllau bas. Y madfallod a lechai dan gysgodion y dail. Gallen ni lanhau, coginio a bwyta'r cwbwl.

''Di hwn yn edrych yn iawn i ti?' gofynnodd Aled. Cododd rywbeth a edrychai yn debyg i wlithen fawr ddu, a ymestynnai fel acordion o'i ysgwydd hyd at ei glun. Roedd ceg fach yn sugno a ryw grawn gwyn yn glafoerio allan ohoni ar ei ben uchaf.

'Ei ben ôl o ta'i ben o 'di hwnna?'

Ychydig fisoedd ynghynt fe fyddai fy mol wedi troi wrth weld y fath greadur ond dim ond murmurio fel cath lwglyd a wnaeth yn awr. Nodiais fy mhen ac fe glymodd Aled y creadur rhyfedd at y polyn ochr yn ochr â'r pysgod.

'Fe ddaliais i saith Mrs Huws,' meddwn i, gan bysgota yn awr am rywfaint o glod.

Cododd Aled ei ben, fel pe bai mewn breuddwyd. 'Wel, mae fy rhai i'n fwy.'

Rhythais arno. 'Dim cystadleuaeth ydi hi, naci?'

'Wel, o't ti'n deud dy fod ti wedi dal mwy.'

Fe gerddon ni yn ôl at y gwersyll mewn distawrwydd, ryw fetr ar wahân gyda'r polyn rhyngom ni, heb edrych ar ein gilydd. Roedden ni'n llwgu. A hefyd yn poeni. Nid newyn yn unig oedd yn gyfrifol am y teimlad fel salwch môr, y teimlad o gyfog gwangalon hollbresennol yn y perfedd.

Y teimlad hwnnw y gallem ni ar ryw bwynt amhenodol yn y dyfodol agos, nad oedd efallai mor bell â hynny i ffwrdd, farw – os oedd pethau'n parhau fel oedden nhw.

Ond fel y ffaith ein bod yn llwgu doedd dim pwynt trafod hynny, am ein bod ni'n gwybod bod pawb arall yn ymwybodol o'r peth hefyd. Ac y byddai trafod y peth yn ei wneud yn fwy real, rywsut. Fel petai cydnabod angau yn ddigon i wneud iddo ymgnawdoli yn y fan a'r lle, gyda'i bladur yn ei law.

Roedd Aled yn iawn – roedd yn rhaid i rywbeth newid. Ond doedd hi ddim yn hollol glir beth oedd y rhywbeth hwnnw. Ac wrth i bob diwrnod fynd yn ei flaen roedd y gallu i newid unrhyw beth yn llithro drwy fysedd oedd yn mynd yn wannach a gwannach.

'Mae pawb yma'n barod,' meddai Aled wedyn.

Rhythais drwy ddisgleirdeb y dydd a gweld bod fy nhad a Myfyr ac Efa eisoes yn eistedd wrth ymyl y goedwig. Yn ddigon agos i'r môr i deimlo ei awel ond yn ddigon pell o'r traeth i allu cysgodi rhag yr haul a'r pryfaid. Roedd fflag y Gymru Newydd yn cyhwfan ar bolyn uwch eu pennau, ychydig yn fwy carpiog nag y bu.

Edrychai Myfyr ac Efa yn ddigon tenau pan gyrhaeddon nhw'r ynys ond roedd y ddau bellach yn ymdebygu i ysgerbydau wedi eu hamlapio â chroen. Hongiai'r croen yn llenni ar fy nhad ac roedd y llewyrch wedi mynd o'i wallt, a'i lygaid yn bŵl.

'Aled,' meddai, a gwenu'n ffug-gadarnhaol. 'Be ti 'di ddal heddiw?'

Roedd dillad pawb bellach yn garpiau amdanyn nhw. Roedd sawl sgrap o ddillad wedi'u rhwygo at ryw ddefnydd, fel dal prennau'r llochesi at ei gilydd neu fel menig cegin er mwyn dal tun poeth dros y tân.

Roedd pawb serch hynny heblaw amdana i ac Aled, a oedd newydd wlychu, wedi eu gorchuddio â chlai. Dyna'r peth agosaf i eli haul oedd ar yr ynys.

'Pysgod eto?' gofynnodd Efa.

'Dim bwyty 'di hwn,' meddai Aled.

Cymerodd fy nhad y pysgod a'u torri a'u gosod mewn hen

dun yr oedden ni wedi dod o hyd iddo ar y traeth. Llenwyd ef yn llawn dŵr budr o botel plastig a'i osod dros y tân. Yna cydiodd yn y wlithen ddu, a oedd yn parhau i lafoerio ei grawn gwyn.

'Be 'di hwn?'

Cododd Aled ei war. 'Ddes i o hyd iddo dan y cerrig.'

Prociodd fy nhad ef â'r gyllell. ''Dio'n iawn i fyta?'

Cododd Aled ei war eto.

'Efallai dylai un o'n ni drio darn bach i weld?'

Syllodd pawb ar y creadur, ond ni wirfoddolodd unrhyw un i fynd yn gyntaf.

'Sa i'n siŵr y bydda i byth mor llwglyd â 'nny,' meddai Efa.

'Falle gadael iddo fo sychu gynta,' awgrymodd Aled. Roedd gwinwydden hir wedi ei thynnu ar draws y gwersyll fel math o lein ddillad. Ar ôl clymu'r wlithen iddi, tynnodd fy nhad y tun oddi ar y tân, gan ddidoli'r pysgod a rhoi dau i Aled ac un yr un i bawb arall.

'Pam fod Aled yn cael dau?' gofynnodd Myfyr. Edrychai ei lygaid yn fawr yn ei ben gan roi ryw olwg wyllt iddo.

'Am mai Aled ddaliodd y pysgod,' meddai fy nhad.

'Dw i'n mynd hanner ffordd i fyny'r mynydd bob dydd i nôl dŵr,' meddai Myfyr. 'Ydw i'n cael mwy o ddŵr na neb arall?'

Eisteddodd Aled i lawr, ei gefn yn grwm. 'Dw i'n llosgi mwy o egni yn dal y stwff nag ydw i'n ei fwyta,' meddai.

'A ninne wrth ôl y dŵr,' meddai Efa. 'Ma fe'n waith trwm.'

Doedd dim llid yn lleisiau'r tri, dim ond blinder, fel petai'r ymdrech i siarad bron â bod yn ormod iddyn nhw.

Ni ddywedodd yr un ddim arall, dim ond bwyta a sawru'r tameidiau yn eu cegau.

Bwyteais. Roedd mor flasus ond mor ychydig. Ond roedd yn well na dim ac roedd digon o ddiwrnodiau o ddim wedi bod. Serch hynny teimlwn yn aml yn fwy llwglyd ar ôl bwyta na chynt. Efallai y byddai yn haws peidio bwyta o gwbwl na phrofocio fy nghorff gydag ambell damaid.

Edrychais o amgylch y cylch o goesau tenau wrth gnoi y gweddill i lawr. Coesau a oedd yn glwyfau i gyd. Rhai Aled a fi lle'r oedden nhw wedi torri ar y cwrel. Rhai Myfyr ac Efa lle'r oedd brigau wedi rhwygo'r cnawd wrth ddringo drwy'r jyngl. Roedd rhai fy nhad yn goch chwyddedig ac yn frychau gwyrdd heintiedig drostynt lle'r oedd wedi cael ei frathu gan y pryfaid tywod.

Gosododd Aled ei fowlen i lawr. Rhwbiodd ei wyneb. 'Dw i'n dal yn starfio.'

'Beth am hwnna?' gofynnodd fy nhad, gan amneidio ei ben at y wlithen. Roedd y creadur wedi rhoi'r gorau i gyfogi hylif gwyn o'i drwyn hir, ac yn siglo yn ôl ac ymlaen yn yr awel.

Cododd fy nhad a'i thynnu i lawr o'r winwydden a thorri i mewn iddi gyda'i gyllell. Clywais oglau afiach yn codi pan dorrwyd ei choluddyn ohoni. Wedi gwaredu hwnnw i'r môr trosglwyddodd y gweddill i'r tun ac fe wylion ni hi yn coginio. Yn coginio'n hirach nag arfer, rhag ofn.

O'r diwedd cydiodd Aled mewn tamaid o'r cnawd a'i estyn at ei geg.

'Well i ti beidio,' meddai fy nhad. 'Dan ni dy angen di i ddal y bwyd.' Edrychodd ar ei fab. 'Myfyr, tria di damaid.'

'Dw i'n nôl y dŵr!'

'Gall unrhyw un nôl y dŵr.'

'Gnewch, 'ta!'

'Dim efo'r coesau yma! Ty'd 'wan. Bydd yn ddewr.'

Chwyrnodd Myfyr. Ond yna, yn anfoddog, cymerodd y bowlen o law Aled a chodi darn o'r creadur a'i osod yn ei geg. Cnodd ef yn araf. Gwnaeth wyneb sur.

'Sut beth ydi o?' gofynnodd fy nhad yn awchus gan bwyso ymlaen ar y boncyff.

'*Sticky.*'

'Gludiog,' cywirodd fy nhad.

Tagodd Myfyr a phoerodd y cyfan o'i geg ar lawr.

'I be nest ti hynny?'

'Ma 'ngheg i'n mynd i gysgu...' Cyffyrddodd Myfyr ochr ei wyneb.

'Prin nest di gyffwrdd o.'

Yna cododd Myfyr a brasgamu allan i'r goedwig, ac fe glywon ni o'n tagu eto.

Edrychodd fy nhad ar weddill cynnwys y tun.

'Well i ni daflu fo,' meddwn i.

'Falle bod Myfyr jest yn bod bach yn ffysi...' Gallwn i glywed stumog fy nhad yn canu grwndi o le yr eisteddwn i.

'Dewch â fo yma!' meddai Aled a chipio'r fowlen. Tipiodd hanner i mewn i'w geg a chnoi nerth esgyrn ei ben, a llyncu. Yna fe oedodd, ac fe newidiodd y lliw ar ei wyneb i rywbeth llawer gwelwach. Cododd ar goesau simsan a brasgamu am y môr, a chyfogi'r cyfan.

'Well i ni daflu fe,' cytunodd Efa.

Daeth Aled yn ei ôl. Cododd y tun oddi ar y tân gyda chlwt o ddefnydd, ei gario i'r môr a gwagio'r cynnwys yno. Yna trodd yn ôl at y gweddill. 'Af fi i chwilio am swpar i ni, 'te, ia?'

Taflodd y tun ar lawr a martsio i ffwrdd yn ôl i lawr y traeth.

Rhedais ar ei ôl. Wel, rhedeg i ddechrau, ond o fewn deg llath roeddwn i wedi blino ac yn cerdded eto. Y traeth oedd rhan boethaf yr ynys. Heddiw roedd hyd yn oed y chwa o awyr o'r môr yn boeth, fel petai wedi chwythu yn syth o'r anialwch.

Erbyn i mi ddal i fyny ag Aled roedd fy llygaid yn pigo lle'r oedd y chwys wedi diferu i mewn iddynt.

'Aled–'

'Dan ni'n mynd i farw fan hyn, tydan? Diolch i'r ffycar yna,' meddai. 'Fyddwn ni'n marw, a fydd neb yn gwbod i ni fod yma!'

'Mae yna ddigon o gnau coco,' meddwn i.

Doedd hynny ddim yn gwbwl wir chwaith. Roedd y coed palmwydd isel ar y traeth yn ddigon moel, a'r cnau uchaf wedi eu dal ymhell uwch eu pennau fel petai'r coed yn ein gwatwar ni.

'Mae'r coconyts yn gneud i fi ffycin gachu,' meddai Aled. Ni wyddwn i ai chwys neu ddagrau oedd yn rhedeg yn llinellau i lawr ei fochau.

Baglais i ddal i fyny ag o. Beth oeddwn i fod i'w ddweud? Wyddwn i ddim a oedd o'n bod yn afresymol ai peidio. Heb gymdeithas o'n cwmpas doedd dim byd i angori'r meddwl. Roedden ni fel pum cwch yn drifftio gyda'n gilydd ar fôr gwag. Os oedden ni i gyd yn colli arnom ni ein hunain yr un pryd, pwy fyddai'n sylwi?

'Mi ddown ni i ben,' meddwn i. Yma gyda'n gilydd, yn ein paradwys uffernol. 'Dw i yma efo ti.' Ceisiais gydio yn ei law ond fe rwygodd hi i ffwrdd.

'Dy fai di ydi o 'mod i yma o gwbwl,' poerodd i fy ngwyneb. 'Dyna'r cyfan oeddet ti yn y pen draw,' poerodd. 'Rhwbath i 'nghael i ar y ffycin ynys yma. Abwyd!'

Brasgamodd i ffwrdd ond ni ddilynais ef. Doedd gen i ddim ateb i hynny. Cerddais yn ôl yn araf i'r graig i bysgota â'r bachyn, i gael meddwl â 'mysedd. Roedd meddwl â 'mhen yn rhy boenus.

# RHAN TRI

# Aled

WRTH GAMU DRWY'R coed clywais sŵn brigyn yn hollti ac fe ddes i stop yn y fan a'r lle. Meddyliais am eiliad efallai fod yna ryw anifail yno. Rhywbeth digon mawr i'w ddal a'i fwyta. Rhywbeth mwy o faint na physgodyn. Cig iawn. Cig sawrus. Rhaid fod yna fwy na madfallod a phryfaid cop ar yr ynys? Gafr, neu fochyn efallai? Roedd meddwl am y peth yn dod â dŵr i fy nannedd.

Sleifiais ymlaen yn ysgafn droed a sbecian drwy'r dail. Oedd, roedd yna rywbeth yn symud, yno yng nghanol y coed, ymysg pelydrau'r haul. Rhywbeth *mawr*.

Llyfais fy ngwefus a chydio'n dynnach yn fy ngwaywffon, â sŵn curo fy nghalon yn llenwi fy nghlustiau. Ro'n i wedi bod yn gweithio ar y waywffon dros yr wythnosau diwethaf. Roedd wedi cymryd amser i fi ddod o hyd i ffon ddigon hir a syth o bren digon caled ac yna ei naddu i lawr nes ei bod yn ddigon llym i ladd. Ro'n i wedi bod yn ymarfer ar y cathod môr yn y dŵr bas wrth y graig bysgota. Roedd mwy o groen nag o gig ar y rheini ond roedden nhw'n fflat fel crempog ac yn hawdd eu taro. Ond dyma gyfle rŵan i ddal rhywbeth mwy sylweddol.

Sŵn arall. Eto o fy mlaen. Carnau'n dyrnu'r baw? Snwffiais yr awyr, ond allwn i ogleuo dim byd ond sawr y blodau a'm chwys fy hun.

Yn sydyn iawn, roeddwn yn ymwybodol o bob smic. Pob dirgryniad yn yr aer, gan gynnwys fy anadl. Yr eiliadau'n symud yn araf bach fel munudau.

Roedd beth bynnag oedd yno lathenni yn unig i ffwrdd, y tu draw i'r dail trwchus oedd yn llen o fy mlaen. Teimlwn fy nhu mewn yn crynu i gyd.

Gyda phob gofal, gwthiais y dail o'r neilltu a sbecian drwyddyn nhw, a chodi'r waywffon yn barod i drywanu.

A gweld... Morys.

Roedd ar ei gwrcwd, ei ben ôl yn yr awyr, yn potsian efo rhywbeth ar lawr.

Bron i mi sticio'r waywffon i lawr twll ei din o, cymaint oedd fy siom. Damia! Byddai dal gafr neu fochyn, neu unrhyw beth mwy na pharot wedi newid popeth. Byddai *gweld* anifail mawr wedi newid popeth.

Wedi i mi lyncu fy nicter stopiais a gwylio beth oedd Morys yn ei wneud. Doedd o ddim wedi sylwi arna i'n sefyll y tu ôl iddo.

Roedd wedi creu twmpath o faw. Ac ar frig y twmpath roedd wedi codi croes. Wel, dau ddarn o bren wedi eu clymu at ei gilydd gydag edau o ganol deilen palmwydd. Ond roedd yn amlwg mai croes oedd hon i fod. Roedd y pren fertigol yn hirach na'r un llorweddol a'r un llorweddol wedi ei glymu tua'r brig.

Ac roedd Morys yn mwmial rhywbeth dan ei wynt, fel petai'n siarad â rhywun – yn siarad â'r twmpath, neu'r groes, dwn i ddim.

'Be ti'n neud?' gofynnais.

Neidiodd fel petai'n gath a finnau wedi sefyll ar ei chynffon. 'Aaa!' trodd i'm hwynebu. Rhoddodd un llaw dros ei galon a phwyso yn erbyn coeden gyfagos i gael ei wynt ato. 'Roeaist ti uffar o fraw i fi, y penci.' Gwelodd y waywffon a dychwelodd rhywfaint o'r ofn i'w wyneb.

'Sori,' meddwn i, heb fod yn sori o gwbwl. Cyfeiriais waelod y waywffon at y twmpath. 'Rhywun o'n i'n nabod?'

'Ymmm,' crafodd cefn ei wddf. ''Nôl yng Nghymru mi o'n i'n mynd at fedd y wraig ac yn siarad â hi yn reit aml.' Simsanodd ei ên rhyw fymryn, dan deimlad. 'Mi o'n i gweld eisiau... bod efo Cerys.'

Edrychais ar y twmpath a'r groes. 'Ond tydi hi ddim yma,' meddwn i. 'Chi 'di dewis gadael hi. Yng Nghymru.'

Cododd ei war. 'Y peth pwysig yw bod Cerys yma efo ni – mewn ysbryd.'

'A sut ydw i fod i siarad efo fy rhieni i? Codi twmpath yr un iddyn nhw hefyd?'

Syllodd arna i a'i geg yn slac. 'Ond maen nhw'n fyw,' meddai, cyn edrych i ffwrdd a rhedeg ei fysedd drwy ei farf.

'Dydi hynny ddim iws i fi os nad ydw i'n mynd i'w gweld nhw eto.'

'Mae'n anodd, dwi'n gwbod,' meddai.

'Anodd?'

'Dw i'm yn gofyn i ti ddallt.'

'Tydw i ddim.'

'Dim ond i ti wbod...' Roedd yn dewis ei eiriau'n ofalus. Gwthiodd ei dafod allan yn feddylgar. 'Mae'r hyn...' Trodd i'm hwynebu. 'Mae'r hyn dan ni'n ei adeiladu yn fwy na ni ein dau. Mae'n rhaid i ni aberthu, oes. Mae'n rhaid i fi aberthu hefyd.'

'Chi ddaeth â ni yma!'

Gallwn weld ei wrychyn yn codi. 'Fe fyddai llawer well gen i fod adra yng Nghymru, coelia di fi.'

'Pam nad ydan ni yng Nghymru, 'ta? Pam ein llusgo ni i ganol nunlla?'

Ro'n i wedi trio osgoi'r ddadl hon. Doeddwn i ddim yn siŵr a allwn i stopio fy hun rhag brifo'r boi. Ond roedd y cyfan yn dod allan rŵan. A doedd Teleri ddim yma i fy stopio i.

'Achos mae yna rywbath pwysicach na ni'n dau,' meddai, gan bwyntio ata i ac yna ato ef ei hun. 'Achub Cymru.'

'Mae Cymru ben arall y byd!' meddwn i, yn methu deall o gwbwl. 'Dydan ni ddim wedi dod â modfedd o Gymru efo ni. Ddim hyd yn oed...' Cyfeiriais at y pentwr pridd. 'Twmpath bach di-nod!'

'Nid y pridd *ydi* Cymru,' meddai Morys drwy ei ddannedd. '*Ni* ydi Cymru.' Cododd ei ddwylo o'i flaen fel petai'n ceisio cael gafael ar rywbeth. 'Ei hiaith, a'i diwylliant, a'i phobol yw Cymru. Fe allen ni fyw yn rhwla.' Cyfeiriodd at yr ynys o'i amgylch. 'Bydd fan hyn yn Gymru, dim ond i ni warchod be sy'n ein gneud ni'n wahanol.'

'Dan ni methu byw–'

'Jest gwranda, wnei di?' taranodd. 'Dw i eisiau i ti ddeall. Neu, o leia rhoi cyfle i fi siarad. Ac esbonio.' Sgubodd y chwys oddi ar ei dalcen. Gallwn weld ei fod bron â chrio, neu ffrwydro, do'n i ddim yn siŵr.

Pwysais ar fy ngwaywffon. Roedd yn chwilboeth yno yng nghanol y llecyn. Falle na fyddai gen i'r egni i'w ladd o wedi'r cwbwl.

Anadlodd Morys yn drwm wedyn. 'Wyt ti'n cofio be oedd pawb yn galw Cerys?' gofynnodd.

Codais fy ngwar. 'Cerys Pen-rhwch,' meddwn i.

'Ia. Cerys Pen-rhwch. Nid Cerys Jones. Nid Evans gynt. Pen-rhwch. Dyna oedd ei henw hi ar hyd ei hoes.' Nodiodd ei ben. 'Pen-rhwch oedd enw fferm ei theulu. Pen yr Hwch. Ochrau Llansannan ffor'na.'

'Ia.' Roedd y waywffon yn ysgwyd dan fy mhwysau.

'Pam fuodd rheini Cerys farw, mi benderfynon ni werthu'r fferm. Wel, mi wnes *i* benderfynu gwerthu'r fferm.' Rhoddodd law ar ei frest. 'Dydw i ddim yn ffermwr.'

'Nag'dach.'

'Ac fe gaethon ni gynnig, cynnig da, yn o handi. Pum cant o filoedd. Gan ryw Sais. Doedd Cerys ddim yn cîn. Ond, hanner miliwn. Mae'n lot o arian, tydi?'

Ysgydwais fy mhen. 'Pam dach chi'n deud hyn wrtha i?'

'Gwranda. *Un dydd*, roeddan ni ar ein ffordd yn ôl o'r Eisteddfod yn Ninbych – ti'n cofio, roeddech chi ar y maes ieuenctid – a dyma Cerys yn sydyn yn gofyn am gael mynd heibio i'r fferm. Er mwyn gweld, hel atgofion.' Rhythodd arna i. 'A ti'n gwbod be oeddan nhw 'di neud?'

'Na?'

'Newid yr enw. Dim Pen yr Hwch oedd y fferm fach ddim mwy.'

'Be, 'ta?'

'Happy Piglet Farm!' poerodd. 'Happy *ffycin* Piglet Farm! A'r tŷ fferm, mi welon ni wedyn, roedd hwnnw ar Airbnb – Holibobs Cottage! Holibobs *ffycin* Cottage!' bloeddiodd.

Roedd ei wyneb yn goch i gyd.

'Pen-rhwch oedd enw'r fferm yna! Yn mynd yn ôl, pwy a ŵyr faint o flynyddoedd? Cannoedd. Miloedd ella. Yr enw wedi codi o'r... o'r tir. Ac...'

Roedd ei lais yn crynu, a'i ddwylo'n ddyrnau.

'Mi ddaethon ni o hyd i'r enw, sti.'

'E?' gofynnais.

'Y llechen efo'r enw arni.' Cyfeiriodd â'i law. 'Yn y gwrych wrth ochr y giât. Wedi torri. Wedi ei gadael yno – fatha sbwriel.' Rhoddodd gic i'r pridd.

Chwythais yr aer o fy mochau. 'Siŵr fod hynny'n... anodd.'

'Y pwynt yw, Cerys Pen-rhwch oedd ei henw hi!' pwyntiodd fys at y bedd. 'Cerys Pen-rhwch *oedd* hi. Nid Cerys Happy Piglet Farm! Nid Cerys ffycin Holibobs Cottage!' Caeodd ei ddwylo'n ddyrnau eto. 'Ro'n nhw wedi cipio ei henw oddi arni. Dwyn ei hunaniaeth.'

Roedd y gwythiennau ar ei dalcen wedi chwyddo am allan. Ond yna, pan oeddwn i'n meddwl ei fod ar fin byrstio, fe ddiflannod yr holl ferw ohono a suddodd i lawr yn lluddiedig, wrth ochr bedd ei wraig.

'Fuodd hi byth yr un fath,' meddai fo. 'Dwy flynedd wedyn aeth hi'n sâl. Mi oeddat ti o gwmpas y lle erbyn hynny. Ti'n cofio'n iawn.' Tynnodd un o'r clymau o'i farf. 'Ond dw i'n meddwl mai'r diwrnod yna oedd y trobwynt, sti. Y diwrnod *yna*, pan aethon ni i weld y fferm, dyna pryd fuodd Cerys Pen-rhwch farw.'

Edrychodd ar fedd ei wraig, ac roeddwn i'n meddwl ei fod wedi gorffen. Yn sydyn teimlais mod i'n eu styrbio nhw.

Ond yna fe edrychodd i fyw fy llygaid.

'A'r peth gwaetha ydi – fy mai i oedd o, ynde?' meddai. 'Fi oedd isio gwerthu'r fferm. Achos mod i isio'r arian, ynde? Isio ymddeol. Yn gweld y tri deg darn arian yn fflachio o 'mlaen, a mi wnes i droi cefn ar bopeth o'n i'n credu ynddo a gwerthu i ryw Sais. Wel, ddim ddim mwy... ddim mwy.'

Croesodd ei freichiau'n styfnig.

Cydiais yn dynnach yn fy ngwaywffon ac anadlu'r drwm, a chau fy llygaid. Ro'n i'n wir yn casáu'r dyn, ond y peth gwaethaf oedd mod i'n gallu gweld fy hun ynddo. Y dicter. Y dinistr. Ond roedd angen i mi gadw trefn ar fy emosiynau. Os oeddwn i am fod yn gryf. Os oeddwn i am fyw. Os oeddwn i am oroesi.

Agorais fy ngheg. 'Mi o'n *i* fod i etifeddu fferm,' meddwn i, a'm llais yn torri.

Troeais ar fy sawdl a cherdded i ffwrdd, cyn iddo weld y dagrau yn fy llygaid innau, a'i adael yno wrth y bedd.

Mi es i'n ôl i'r lloches, gan regi dan fy ngwynt, a llyncu fy nheimladau wrth fynd. Mi o'n i wedi cael trefn arna i fy hun erbyn cyrraedd. Roedd Teleri yno, yn eistedd yn y cysgodion, ei chefn at y goeden a'i breichiau wedi'u lapio o amgylch ei choesau. Wedi bod yn pysgota ar ei phen ei hun heddiw. Roedd hi newydd ddod o'r dŵr ac roedd ei gwallt yn wlyb a rhywfaint o'r clai wedi'i olchi oddi ar ei hwyneb, gan roi golwg welw i'w gwedd.

'Ma dy dad yn nyts,' meddwn gan fwrw'r waywffon i'r tir.

Roedd ei llygaid yn bell. 'Be mae o 'di neud rŵan?'

'Mwydro am dy fam a'i fferm a ryw nonsens fel'na.'

Cododd ei phen yn sydyn o'r tu ôl i'w choesau. 'Pam fod o'n trafod hynna efo ti?'

'Dwi'm yn gwbod. Nath o jest dechrau parablu. Falle dylat ti siarad efo fo.'

'Dio 'rioed 'di siarad am Mam efo fi. Ddim unwaith.'

Gorweddais i lawr yn y lloches gyda fy nwylo dros fy ngwyneb. Dawnsiai smotiau bychain o oleuni drwy wead y nenfwd palmwydd.

Codais ar un benelin. 'Ti 'di sylwi ein bod ni'n treulio drwy'r dydd yn dal pysgod er mwyn i'r tri arall yna gael eu byta nhw?' meddais.

'Mae'n rhaid i bawb fyta,' daeth ei llais o du allan y lloches.

'Dylsan ni symud.'

'Dan ni'n styc yma!'

'I rwla arall ar yr ynys, dwi'n feddwl. Dal digon i'n *hunain*, a dim ond ni'n hunain. Yn lle mynd drwy bob dydd yn starfio.'

'Ond bydden *nhw'n* starfio wedyn!'

'D'yn *nhw* ddim yn haeddu dim byd gynnon ni, Teleri. Mae Myfyr yn iwlses. Mi ddath dy Dad â ni yma heb ofyn caniatâd, a rŵan mae'n 'i lordio hi ac yn disgwyl i ni ddal ei swper o.'

'Mae o'n *dad* i fi, Aled.'

'Ti sy wastad yn deud bo ti'm isio dy dad yn dy reoli di.'

'Na chdithau chwaith. Yr un peth dw i ddim angan ar hyn o bryd ydi *unrhyw un* yn deud wrtha i be i'w neud. Felly stopia rŵan.'

Gorweddais yno yn crensian fy nannedd nes oedd fy ngên yn brifo. Ro'n i wedi cael cam, wedi cael llond bol o'r cwbwl lot ohonyn nhw.

Doeddwn i ddim eu hangen nhw. Ddim neb. Ddim hyd yn oed Teleri.

# Efa

Gwelais greadur llurguniedig yn edrych arna i. Ei wyneb fel penglog a'i lygaid fel tyllau morgrug. Ei wallt sych yn codi fel nadroedd o ben Mediwsa.

Peth erchyll, esgymun.

'Efa?'

Ymestynnais law a chyffwrdd â'r ddrychiolaeth. Wrth i'm bysedd daro wyneb y dŵr chwalodd fy adlewyrchiad.

'Ie?' Codais ac edrych draw at le'r oedd Myfyr yn rhofio'r dŵr i mewn i bwced â'i ddwylo. Rhydiais draw ato, fy nghluniau tenau braidd yn creu crychdonnau yn y dŵr, cyn pwyso i lawr wrth ei ymyl a dechrau helpu i godi'r dŵr i'r bwced, gan adael i'r llaid ddiferu rhwng fy mysedd.

'Mae'n mynd yn brinnach,' meddai Myfyr.

Dyma lle'r oedden ni gwta fis ynghynt wedi chwarae a nofio. Erbyn hyn doedd llif y rhaeadr yn ddim mwy na diferion i lawr wyneb seimllyd y graig a'r pwll fu unwaith yn wyrdd fel emrald yn frown mwdlyd ac yn prysur anweddu'n ddim.

Doedden ni ddim wedi sôn wrth y lleill am hyn. Roedd digon i boeni amdano.

'Fe ddaw'r glaw yn y diwedd,' meddwn i, er mwyn codi calon Myfyr.

Y diwrnod blaenorol roedd cwmwl wedi hwylio dros yr ynys, un mawr fel llong isel oedd wedi cuddio'r haul am funud neu ddwy a thawelu'r adar i gyd. Ond yna hwyliodd yn ei flaen, i angori yn rhywle arall.

'Ar ei ffordd i Gymru,' awgrymodd Myfyr.

Gwelais ei fod bellach yn cerdded o amgylch y pant gwag â golwg gonsernol ar ei wyneb, fel petai'n chwilio am rywbeth.

'Beth ti'n weld?'

Crafodd ei ben. 'Y garreg yna,' meddai.

'Pa garreg?'

'Yr un fawr sgleiniog fel wy deinasor, yr un wnes i ei thaflu i'r pwll y diwrnod cynta hwnnw. Mae hi wedi mynd.'

'Wedi suddo i ganol y mwd, siŵr o fod. Neu falle bod yr afon wedi mynd â hi. Sdim ots, o's e?'

Ysgydwodd ei ben. 'Dwi'n poeni bod fy ymennydd i'n crebachu yn byw fa'ma.'

Wedi llenwi'r bwced at ei hanner fe gododd Myfyr hi a dechrau ei chario i fyny'r llethr. Un bwced fach o ddŵr ac roedd angen iddo gydio yn y ddolen â'i ddwy law a'i chario fel petai'n drwmlwythog â glo. Ar ôl cyrraedd y brig fe osododd hi i lawr ac fe gymerais i'r baich.

Erbyn hyn fe allen ni ddilyn y llwybrau yr oedden ni wedi eu ffurfio drwy'r coed. Roedd rhywfaint o waith cynnal a chadw arnynt – o'u gadael am wythnos fe fyddai'r ffyrdd yn dechrau diflannu eto. Ond golygai nad oedden ni'n mynd ar goll droeon wrth geisio dod o hyd i'r trywydd o'r pwll i'r gwersyll fel yr oedden ni bythefnos ynghynt.

'Ella fod yna bwll arall yn rhwla,' awgrymodd Myfyr.

'Wel, fyddan nhw i gyd yn sych, os nag oes glaw. Ti'n dal yn meddwl rhoi dŵr i'r tatws?'

'Mae'n rhaid, yn does?' atbodd Myfyr. 'Neu does 'na'm pwrpas i ddim byd.'

Fe ddaethon ni at groesfan lle y safai planhigyn mawr fel

octopws, ei ddail glasgoch â stribedi porffor a gwyn yn dylifo i lawr o goesyn sbigog. Y mwyaf prydferth y planhigyn, y mwyaf gofalus yr oeddwn i i beidio â mynd yn agos ato. Edrychai'n wenwynig. Ond roedd yn dirnod cyfarwydd ar ein taith i'n hatgoffa i droi i'r dde tuag at y fferm lle'r oedd Myfyr wedi plannu ei datws.

Llecyn o dir wedi'i glirio, a dwy res o ddail yn tyfu o'r twmpathau pridd oedd y fferm. Yma yr oedd Myfyr wedi bod yn ceisio tyfu ei datws. Nid tatws oeddynt mewn gwirionedd ond rhyw fath o wreiddlysieuyn yr oedden ni wedi dod o hyd iddo ar yr ynys, oedd yn blasu ychydig bach fel tatws melys. Er chwilio a chwilio roedden ni heb ddod o hyd i fwy na llond basged ohonyn nhw ar yr ynys i gyd, ac felly fe benderfynon ni eu torri yn eu hanner, bwyta eu gwaelodion ac ailblannu'r topiau. Bellach, wedi ychydig wythnosau o aros, roedd dail gwyrdd yn ymwthio o'r tir.

Gyda phob gofal tipiodd Myfyr rywfaint ar y bwced a chaniatáu i'r drefl teneuaf posib i lifo i lawr ar bennau'n planhigion. Yna fe aeth ar ei stumog ar lawr, a'u mwytho.

'Shwt ma'r plant heddi?' gofynnais.

'Yn tyfu'n gyflym rŵan,' atebodd. Gallwn weld bod asgwrn ar ei gefn yn symud dan ei groen wrth iddo godi. 'Fydd ddim angen i ni ddibynnu ar Aled i hela pan ddaw'r rhain.'

Gosodais law ar ei ysgwydd. 'Fyddan nhw'n barod i'w codi a'u bwyta cyn bo hir.'

Aeth cysgod dros ei wyneb. 'Dy'n nhw ddim wedi tyfu'n iawn eto.'

'Unweth fyddwn ni mas o ddŵr, fyddan nhw'n sychu mas.'

'Os na gawn ni law, fe fyddwn *ni*'n sychu allan,' atebodd. 'Ty'd, awn ni i weld beth sy yn y poteli.'

Roedden ni wedi cadw'r holl boteli plastig yr oedden ni

wedi dod â nhw i'r ynys, ac roedden nhw'n hynod ddefnyddiol achos bod sawl man, ar ymyl clogwyni yn bennaf, lle'r oedd dafnau bychan o ddŵr yn diferu i lawr y graig neu'n casglu mewn cilfachau. Rhan o'r drefn ddyddiol oedd casglu'r poteli hyn a'u cario yn ôl i'r gwersyll yn y bore, yna eu dosbarthu drachefn pan oedd hi wedi oeri min nos.

Dros yr wythnosau roedden ni wedi dod o hyd i ragor o boteli, tuniau a chwpanau plastig ar hyd y lan, wedi eu sgathru gan y tonnau. Doeddwn i erioed wedi bod mor hapus wrth weld darnau o rybish. Rhywle yn y byd, efallai ddegawdau ynghynt, roedd rhyw dwpsyn annifyr wedi taflu'r botel yma i'r dŵr heb wybod y byddai, mewn degawdau, yn arbed bywyd.

Roedd tua thri deg gyda ni erbyn hyn, wedi eu gosod yma ac acw rhwng y gwersyll, y fferm a'r pwll. Weithiau fe fydden nhw'n hanner llawn o ddŵr brown-felyn, weithiau fe fyddai anifail neu chwa o wynt wedi eu bwrw i'r llawr. Rhai dyddiau fe fydden ni'n fwy sychedig na'i gilydd. Yn ddiweddar, roedd bron i bob diwrnod yn sych. Ond rhwng yr holl boteli a chwpanau roedd digon o ddŵr i'n cadw ni'n pump i fynd.

'Fe ddaw y glaw, sti,' meddai Myfyr wrth fy ngweld a'm pen i lawr. Gwenodd. 'Fydd yr ynys fatha Cymru wedyn – glaw, glaw, glaw!'

Gwenais yn ôl, fel petai gan y glaw y gallu i'n cludo ni adref. Ond yna fe ddechreuais i *feddwl* am adref, a theimlo fy nghalon yn suddo eto.

Er mod i'n llwgu ac yn sychedig, yr hyn oeddwn i'n gweld ei eisiau fwyaf am adref oedd cael teimlo'n lân. Roedd fy nhraed yn arw fe papur tywod, ac wedi eu staenio'n frown, dim ots faint ro'n i'n eu hymolchi yn y môr. Roeddwn i eisiau teimlo carped dan fy nhraed, teimlo cynfasau gwely dros fy nghorff – nid dim ond tywod, dail a chreigiau garw. Roeddwn i eisiau bod yn wirioneddol *lân*.

Pe bai rhywun wedi llenwi pwll nofio yn llawn *bleach* i fi fe fyddwn i wedi neidio i mewn, gwenwyn ai peidio.

Cuddiais fy llygaid rhag yr haul gormesol. 'Beth os nad oes *wet season* i ga'l? Beth os y'n ni wedi, fel, sgipo fe?'

'Paid â bod yn wirion.'

Fe aethon ni'n ôl i'r lloches a gorwedd i lawr yng nghysgodion gwyrdd y palmwydd a disgwyl i wres y dydd gilio. Nid lloches oedd e mewn gwirionedd ond hanner ogof â dwy goeden balmwydd y tu allan, a phentwr o ulw lle y bu tân o dro i dro. Roedd lloches Aled a Teleri fel gwesty pum seren o'i gymharu â'n hun ni. Roedd nenfwd o balmwydd wedi eu plethu â'i gilydd drosti a gwter wedi ei gerfio o risgl coeden ar bob ochr i ddal y glaw, pan ddeuai. Roedd ganddyn nhw rhyw fath o fatres hefyd, wedi ei chreu o balmwydd, tra ein bod ni'n cysgu ar y llawr caled, ein clustogau yn gerrig. Ond roedd Myfyr wedi gwrthod gadael i Aled ei helpu i wella'r lloches.

Gorweddais yno ochr yn ochr â Myfyr. Fy mhen yn yr ogof a'm traed yn yr awyr agored. Roedd gwynt oer yn chwythu o'r môr heddiw. Pan oedd y gwynt yn dod o'r gorllewin roedd y tywydd yn fwy cyfnewidiol ac yn cario oglau pysgod o'r môr. Pan ddeuai'r gwynt o'r dwyrain roedd yn fwy llonydd ac oglau blodau'r goedwig yn llenwi'r awyr.

'Well i ti roi clai ar dy goesau neu mi fyddan nhw'n llosgi,' meddai Myfyr.

Ochneidiais. 'Sut y'n ni Gymry fod i oroesi ar ynys drofannol? Ma fe fel gofyn i bengwin oroesi yn yr anialwch.'

''Na ddigon o hiraethu am Gymru,' meddai Myfyr. 'The grass is always greener on the other side.'

'O leia ma blydi gwair 'na,' meddwn i wrth wingo ar y llawr caregog.

'O shit! Dan ni 'di anghofio casglu un o'r poteli, 'do.'

'Pa un?'

'Yr un dan y bwa wrth ymyl traeth ni?'

'Af i i 'nôl hi,' meddwn i. Codais a simsanu gan deimlo'n benysgafn. Teimlwn fel cadach llawr – neu sglefren fôr, falle.

'Ti'n siŵr?'

'Odw.'

Fy ngobaith oedd cael llymaid fach o'r botel heb i Myfyr weld, rhywbeth roeddwn i'n ei wneud bron bob dydd ac yn teimlo'n bur euog amdano.

Des i o hyd i'r botel yn hawdd. Roedd yn hanner llawn o ddŵr. Dŵr melynfrown, ond doedd dim ots gyda fi. Yfais yn farus. Y cwbwl. Roedd y dŵr yn bur ac yn felys. Doedd dim byd yn y byd yn blasu cystal â dŵr pan oedd angen torri syched. Roedd yn blasu fel bywyd.

*Wna i ddweud wrth Myfyr ei bod wedi syrthio ar ei hochr, ei bod hi'n wag,* meddyliais.

Eisteddais yng nghysgod tenau y goeden a gobeithio y byddai rhywfaint o gryfder yn dychwelyd nawr fy mod i wedi yfed bach o ddŵr. Roedd yr haul fel carreg anferth yr oedden ni'n ei chario ar ein cefnau drwy'r amser. Sylwais nad oeddwn i braidd yn chwysu mwyach. Roeddwn i'n piso hyd yn oed yn llai aml a hwnnw'n felyn a thrwchus fel crawn.

Edrychais i lawr ar fy nghorff. Roedd y gwythiennau yn codi o'm croen fel cadwyni mynyddoedd a fy mronnau wedi crebachu fel pâr o orennau pwdr. Ro'n i'n teimlo'n afiach. Yn fudur, yn salw, ac yn afiach.

O arfer yn fwy na dim tynnais fy ffôn symudol o waelod fy mag dal poteli a syllu arno. Roedd y batri wedi rhedeg allan erbyn y trydydd diwrnod ar yr ynys, a'r sgrin bellach wedi cracio. Ond byddwn i'n aml iawn yn ei dynnu mas i edrych arno. Fel petai fy ymennydd yn ffaelu anghofio hen arfer. Fel petawn i'n disgwyl gweld neges yno.

'Be ffwc ti'n neud?'

Codais fy mhen i weld Aled yn brasgamu tuag ata i ar draws y traeth, ei dwca yn ei law.

'Y–?'

Cefais fraw am eiliad yn meddwl ei fod wedi fy ngweld yn yfed y dŵr ac y byddai'n dweud wrth y lleill fy mod i'n lleidr. Ond tynnodd y ffôn o fy llaw, troi a'i daflu nerth ei fraich i mewn i donnau'r môr.

'Fy ffôn i oedd hwnna!' meddwn wrth godi.

'Dan ni ddim yn mynd i nunlla, Efa! Mae'n rhaid i ti jest ffycin delio efo'r peth, OK?'

'Ond fydda i angen e ar ôl mynd gatre.'

'Dan ni ddim yn mynd adra,' ysgyrnygodd. 'Dan ni'n mynd i farw fan hyn – OK? Dan ni wedi methu.'

Ciciodd beth oedd e'n meddwl oedd cneuen goco yn y tywod, ond carreg oedd hi. Lledodd poen ar draws ei wyneb a herciodd yn yr unfan am funud, cyn eistedd i lawr wrth fy ymyl, ei wyneb yn ei ddwylo.

'Le ma Teleri?'

Snwffiodd. 'Dydi hi ddim yn hela efo fi rhagor.'

'Pam?'

Cododd ei war. Edrychodd arna i 'Dan ni jest yn bobol wahanol i be oeddan ni o'r blaen. Gwahanol Aled. Gwahanol Teleri.'

'Ddrwg 'da fi,'

'Be amdanat ti?'

'Beth ambytu fi?'

Cododd Aled a gafael yn y garreg yr oedd newydd ei chicio. Trodd oddi wrtha i a'i hanelu at un o'r coed palmwydd. Taflodd hi a chwibanodd drwy'r awyr a sleisio un o'r cnau coco yn rhydd, fel gilotîn yn rhyddhau pen o'i ysgwyddau.

Syrthiodd y gneuen i'r llawr. Holltodd Aled hi â'i dwca a'i chynnig i fi.

'Ond ma Morys 'di gweud 'thon ni beidio byta'r cnau coco – tan fod dim byd arall ar ôl.'

'Dim ond creu rheolau er mwyn eu creu mae Morys. Dio'm isio cael ei herio... Pam mai fo 'di'r bos, beth bynnag?'

Cymerais y gneuen goco ac yfed y llaeth yn awchus. Pwysodd Aled ar y goeden. Gallwn deimlo'i lygaid arnaf yr holl amser. Roeddwn i hyd yn oed yn fwy ymwybodol fy mod i'n edrych fel hen wrach grebachlyd. Ro'n i'n teimlo'n falch erioed mod i'n bert. Roedd pawb yn dweud wrtha i 'mod i'n bert. Ac ro'n i wedi mynd i feddwl taw bod yn bert oedd y peth pwysicaf yn y byd gan taw dyna'r unig beth oeddwn i'n ei wneud yn dda. Ond roedd hyd yn oed hynny wedi mynd nawr.

Edrychais ar Aled. Roedd ei gyhyrau wedi crebachu, ond doedd dim owns o fraster arno bellach ac roedd hynny'n rhoi golwg iach iddo. Petai gen i egni i deimlo hynny, fe fyddwn wedi chwantu ar ei ôl, am wn i.

Ond roedd rhywbeth llawer mwy pwerus yn fy nenu ato.

'Fel ti a Teleri.' Codais fy ngwar. 'Roedd Myfyr yn grêt yng Nghymru. Roedd e'n...' Ysgydwais fy mhen. Roedd yr holl bethau oedd mor bwysig fisoedd yn ôl bron wedi eu hanghofio yn gyfan gwbwl. Dim ond bwyd a diod oedd yn bwysig yma.

Beth oedd yr hen Efa *eisiau*? Statws... arian... *pethau*... Ond heb y gallu i ddarparu'r un o'r pethau hynny... wel... i beth oedd Myfyr yn dda?

'Dw i'n meddwl mynd i ffwrdd ar fy mhen fy hun,' meddai Aled.

Teimlais y blew bach ar fy nghefn a'm breichiau yn codi. 'Pam?'

'Achos dwi'n gweithio drwy'r dydd i fwydo pawb arall ac yn llwgu fy hun.'

'Dw i a Myfyr yn dod â'r dŵr.'

'Siŵr alla i ffeindio dŵr fy hun.'

'Ma fe'n brin.'

'Fe ddylen ni fyta'r Capten,' meddai. 'Mae yna ddigon o gig arno fo – digon i bara mis.'

Doeddwn i ddim yn siŵr a oedd yn cellwair ai peidio.

'Fyddi di isie bwyd o'r fferm pan fydd e'n barod i gynaeafu,' meddwn.

Chwarddodd Aled. 'Alla i gymryd hwnnw os dwi isio.' Troellodd y twca yn ei ddwylo ac edrych arna i. 'Pwy sy'n mynd i stopio fi? Myfyr?'

'Ma gwn 'da Morys.'

Chwarddodd eto. 'Licen i weld y bastad tew yn trio.' Roedd o ddifri. 'Fe allen ni neud o gyda'n gilydd, ti'n gwbod. Ti a fi. Anghofio am y lleill.'

Ysgydwais fy mhen, er mwyn ceisio clirio'r tarth myglyd. 'Dw i ddim yn gwbod beth i feddwl. Ma 'mhen i fel... bwced.' Teimlwn yn feddw, heb reolaeth, fel petawn i'n gwylio fy hun drwy wydr crwm sbiendrych, o bell.

'Dwyt ti ddim yn flin efo nhw? Am ein llusgo ni'n dau yma?'

'Fe o'n i, ar y dechre. Ond sdim egni 'da fi nawr.'

'Be w't ti isio, 'ta?'

Codais fy ysgwyddau tenau. 'Byw?'

'Tydi aros yn fyw ddim yn rhyw lawar o fodolaeth.'

'Ond ma fe yn fodolaeth. Dyw'r dewis arall ddim.'

'Bydd rhaid i ti benderfynu – heno. Fi, neu Myfyr? Ty'd fan hyn ar ôl iddi nosi ac fe awn ni i ben arall yr ynys.'

Cododd Aled a cherdded i ffwrdd â'i gefn tuag ata i, ei gorff yn tonni fel dŵr yn yr aer poeth a godai o'r tywod, cyn diflannu'n gyfan gwbwl i'r tawch, fel petai'n freuddwyd neu'n ysbryd, yn rhywbeth yr oeddwn i wedi ei ddychmygu. Efallai ei fod e.

Gorweddais yno'n pendwmpian yn y gwres. Dechreuais ystyried ai peth fel hyn oedd marw. Fel llithro i fath cynnes. Roedd y corff yn gwybod nad oedd pwynt teimlo'n sychedig, teimlo'n llwglyd, teimlo poen rhagor, ac yn gadael fynd i bob synnwyr yn araf bach. Fel llithro i freuddwyd, yn rhy raddol i sylwi arno.

Efallai y gallwn i orwedd fan hyn yng ngwres yr haul a marw. Fe fyddai'n haws.

Ond na, roedd rhaid codi. Gwneud un ymdrech arall i oroesi. Hyd yn oed pan oedd y meddwl a'r enaid wedi rhoi'r gorau iddi, roedd y corff yn brwydro yn ei flaen, yn beiriant yn gweithio ar ei danwydd a'i reddf ei hun.

Ond y peth rhyfeddaf oedd er fy mod i'n teimlo'n agosach at farwolaeth nag erioed o'r blaen, ro'n i'n teimlo'n fwy byw hefyd. Fel petawn i wedi bod yn hanner gaeafgysgu gweddill fy mywyd. Cerddais yn ôl at yr ogof a gosod fy mag ar lawr.

'Gest ti'r botal?'

'O – o'dd hi wedi cwmpo.'

'Dim ots.' Roedd Myfyr mor garedig. 'Bydd rhaid i ni fynd i'w rhoi nhw'n ôl yn munud.'

'Sai'n teimlo'n dda iawn.'

'Paid poeni – mi a' i.'

Rhaid fy mod i wedi cysgu'n hir wedyn achos mi'r oedd hi'n tywyllu pan ddeffrais i. Yr oerfel oedd wedi tarfu ar fy nghwsg. Efallai mai'r cyfosodiad gyda'r dyddiau poeth neu deneuo'r corff oedd ar fai ond roedd oerfel y nosweithiau wedi dechrau brathu o ddifri.

Ond roedd rhywbeth arall hefyd – rhyw ias annifyr yn rhedeg ar draws fy nghoesau. Fy ngreddf gyntaf oedd cicio gan feddwl bod corynnod yn dringo drosta i. Ond yna fe ddihunais a sylwi beth oedd yn digwydd.

Glaw!

Codais ar fy nhraed yn simsan gan bwyso ar ymyl yr ogof. 'Glaw!'

Ymddangosodd Myfyr drwy'r goedwig wlyb, a'i lygaid yn wyllt. 'Glaw!' meddai.

Ceisiais gwpanu fy nwylo i'w ddal, ond yna pan gwympodd rhwng fy nghledrau mi es i ar fy ngliniau a cheisio ei lyfu oddi ar y tywod, fel petai siampên costus ofnadwy wedi ei sarnu ar lawr.

'Y poteli!' meddai Myfyr a'i lygaid yn fflachio'n wyllt, a diflannu yn ôl i'r goedwig.

Roedd cymaint o ddŵr wedi dod ar unwaith, fel tonnau ar y gwynt, teimlwn ei fod bron yn wastraffus.

Daeth Myfyr yn ei ôl wedi tua awr a llond ei ddwylo o boteli hyd at eu brig â dŵr.

'Bydd y planhigion yn dod yn eu blaen yn iawn rŵan,' parablodd. 'Falle na fydd angen i Aled bysgota o gwbwl wedyn. Fe fydd y fferm yn ddigon i'n cadw ni i fynd. Bwyd iawn. Carbs. Egni go iawn.'

A dechreuais feddwl i mi fod yn ffôl i amau Myfyr. Fe oedd fy nyfodol wedi'r cwbwl.

Ond cryfhau wnaeth y gwynt a'r glaw y noson honno. Roedd yn bwrw glaw mor ddychrynllyd o drwm roeddwn i'n sicr y byddai nenfwd yr ogof yn dod i lawr ar ein pennau neu'r mwd dan draed yn codi i'n llyncu. Ac yna daeth y mellt a hollti'r awyr fel petai honno'n llen ddu wedi ei thynnu ar agor am hanner eiliad gan adael y goleuni i mewn. A thrystio'r daran fel llais Duw yn bloeddio arnom ni i gau'r llen drachefn, nad oedden ni i fod i weld beth oedd y tu draw iddi.

Cofiwn pan oeddwn i'n ferch fach gartref, i mi gyfri'r eiliadau er mwyn mesur sawl milltir i ffwrdd oedd y fellten wedi taro. A meddwl bod storm yn beth mor ofnus ac mor gyffrous yr un pryd. Fan hyn doedd dim modd cyfri i un ac roedd mellten arall yn pwytho'r awyr ar y gorwel.

Ac wrth i'r noson fynd yn ei blaen cododd bwrlwm y tonnau yn uwch ac yn uwch nes y diflannodd y traeth yn gyfan gwbwl a bu'n rhaid i ni godi popeth yn y gwersyll a ffoi i dir uwch a chuddio dan y coed fel anifeiliaid yn crynu ac yn udo. Yn sydyn roedd fel petai'r holl liw wedi ei sugno allan o'r byd, gan adael dim ond düwch neu wynder poeth oedd yn llosgi fy llygaid fel fflach camera.

Chysgodd neb winc y noson honno ac erbyn y bore roedd yr ynys i gyd yn nentydd o ddŵr yn naddu o bobman a throi glan y môr yn frown. Roedd y coed palmwydd yn parhau i ysgwyd fel petaen nhw'n mynd o'u co' ac yn gweddïo ac ymgrymu ac ymbilio ar y storm i ddod i ben.

'Peidiwch â phoeni, fe ddown ni drwyddi,' meddai'r Capten wrth ein gweld ni'n crynu drosom i gyd. 'Cofiwch, mae'r awyr las yno uwchben y cymylau o hyd.'

O'r diwedd, o gwmpas canol y dydd, llaciodd y storm a daeth llygedyn o heulwen drwy'r bwlch yn y cymylau, ac o fewn awr arall roedd yr awyr mor glir a'r gwynt mor llonydd fyddech chi ddim yn meddwl bod storm wedi bod o gwbwl heblaw am y pentyrrau o froc môr ar y traeth a'r hafnau oedd wedi eu torri yn y tir meddal gan y nentydd chwim.

Ac fe edrychais i a Myfyr ar ein gilydd a gwenu fel gatiau.

'Mi a' i i'r fferm,' meddai.

'Ac mi af fi i gasglu dŵr o'r pwll.'

Ro'n i'n gallu clywed y rhaeadr cyn ei gweld, wrth fy modd yn ei gweld yn pistyllio i lawr i bwll gorlawn. Dŵr pur o'r mynydd. Neidiais i mewn a gadael iddo lyncu fy nghorff a charthu'r holl faw oedd arna i i lawr yr afon.

Dringais allan ar ôl golchi fy ngwallt a llenwi'r bwced a'r poteli a mynd i chwilio am Myfyr ar y fferm i roi'r newyddion da iddo.

Ond pan gyrhaeddais gwelais nad oedd golwg o'i datws o gwbwl. Dim ond pwdel soeglyd o bridd a'r cyfan wedi ei olchi i ffwrdd gan nerth y llifogydd.

'Jest gad lonydd i mi,' meddai llais o ganol y cwbwl.

Gorweddai Myfyr yno, yn fwd i gyd ar ôl ymbalfalu yn y baw, yn chwilio yn ofer am ei datws.

'Fe fysach chi i gyd yn well hebdda i.'

# Aled

Roedd y coed oedd wedi eu dadwreiddio gan y storm yn gorwedd yn rhes ar y lan ac wyneb y môr yn frith o frigau a dail palmwydd. Llifai'r dŵr o'r nentydd yn frown gan fwd a'r môr ei hun yn wyn fel sialc gan dywod, a'r man lle cwrddai'r afonydd a'r môr yn gymysg i gyd.

Ro'n i wedi mynd i ben y mynydd er mwyn ceisio gwneud synnwyr o bethau. Hoffwn i wneud hynny ar y fferm yn ôl yng Nghymru weithiau – mynd i'r man uchaf a gweld y cyfan i gyd ar yr un pryd a gosod map yn fy meddwl o sut oedd fan hyn yn perthyn i fan draw. Roedd pobol yn sôn am amgylchedd a sut oedd pawb yn ddibynnol ar ei gilydd ac ar y byd, ond dim ond wrth weld y byd i gyd yr un pryd oeddech chi'n gallu gwerthfawrogi hynny. Ac o begwn y mynydd mi allwn i weld y byd i gyd – wel, ein byd ni i gyd, yr ynys.

'Hei! Aled. Beth ti'n neud, 'chan?'

Troeais a gweld Efa yn ymlwybro tuag ata i, bron â bod ar ei chwman gyda'r ymdrech o ddringo'r llethr.

'Dal yn whilo am y trysor?' gofynnodd hi, cyn stopio a gwenu.

'Credu mod i wedi ffeindio fo,' meddwn i gan gyfeirio at yr olygfa, a theimlo fy nhu mewn yn carlamu. 'Ti 'di dod i chwilio amdana i?'

'Casglu dŵr,' meddai. Roedd ganddi lond ei bag o'r poteli

llawn y byddai'n eu casglu bob dydd. Ond roeddwn i'n gwybod nad oedd yr un ohonyn nhw yn cael eu cadw mor uchel â hyn ar y mynydd.

Daeth hi draw ac eistedd wrth fy ymyl ac edrych allan dros y bae eang. Y môr gwyrddlas, y traeth yn rhuban tenau o aur, a'r goedwig yn wyrdd dyfnach, tywyllach ers amsugno'r storm. Hongiai ambell i gwmwl diog ar ymylon y bryniau fel dafnau o wlân wedi eu dal ar weiren bigog.

'Sut mae pawb bore 'ma?' gofynnais. Roedd hi ei hun yn edrych yn iachach o lawer, rŵan fod y glaw wedi dod. Tywynnai ei llygaid glas fel llewyrch yr haul ar y dŵr gwastad.

'Ma fe fel tase pawb 'di ca'l bywyd newydd.' Gwenodd.

'Ydi.' Ac nid dim ond y ni. Roedd fel pe bai'r ynys i gyd wedi ei haileni ar ffurf wahanol. Roedd y sychder mawr diderfyn wedi ei ddisodli a'r ynys gyfan fel sawna gludiog. Gwres myglyd, chwyslyd, fel miloedd o dafodau poeth yn llyfu pob modfedd ohona i. Aer mor llaith roeddwn i'n gallu teimlo ei wlybaniaeth yn glynu wrth du mewn fy ysgyfaint. Doedd fawr ddim awel chwaith gan awgrymu bod hyd yn oed y gwynt yn cyrraedd allan o bwff.

'Mae newid gystal â dim.'

'Ar wahân i Myfyr. Ma fe'n dal i alaru am ei datws,' meddai Efa. Edrychodd allan dros yr ynys wrth siarad. Roedd blewyn o'i gwallt euraid yn cyffwrdd â'i boch. Roeddwn i eisiau estyn llaw i'w symud yn ôl i'w le ond ddim yn meiddio gwneud.

Yn hytrach nodiais fy mhen yn gydymdeimladol. 'Bydd bwyd yn brin. Lot o'r coed wedi eu dadwisgo o'u ffrwythau.' Roedd fy llais i fy hun yn swnio'n rhyfedd. Doeddwn i ddim yn ei adnabod. 'Ac mae glan y môr mor frwnt dwi ddim yn credu y bydd modd i ni fachu dim am wythnosau. Be w't ti'n feddwl?'

'Sdim ots 'da neb beth fi'n feddwl. Maen nhw'n meddwl bo fi'n *dumb blonde*.'

'Ma rhai pobol yn gneud i bawb deimlo'n *dumb* dwi'n credu.'

Edrychais arni hi a hithau arna i. Roedd ein hwynebau fodfeddi o'i gilydd. Symudais fodfedd yn agosach. O na, mae hyn yn mynd i ddigwydd, meddyliais. Gwyddwn y byddai'n creu strach. Ond roedd rhyw Aled newydd yn brigo i'r wyneb, un oedd yn meddwl gyda'i berfedd.

Ond fe gnoiodd hi ei gwefus yn betrus.

'Falle y dylen ni–' Crymodd ei phen oddi ar gopa llwyd y mynydd a thuag at y goedwig.

'Does yna neb yma.'

Cydiodd yn fy llaw.

'Iawn.'

A dyma ni'n mynd ar garlam gwyllt drwy'r dail gwlyb a'r coed cnotiog a oedd yn plethu i'w gilydd. I lawr y bryn ac ar draws y tor gwastad llawn meini wedi eu taflu yma a thraw yn ddi-hid. Daeth cawod ysgafn, ac roedd y goedwig o'n cwmpas fel cerddorfa, *plwmp* diferyn fan hyn, *bomff* y glaw yn taro deilen palmwydd fan draw, a sïo'r goedwig fel miloedd o leisiau yn sibrwd o'n cwmpas ni, yn annog neu'n rhybuddio, pwy a ŵyr, am nad oedden ni'n gwrando.

Fe gyrhaeddon ni bwll o ddŵr gyda chraig yn ymwthio allan wrth ei chanol a charped o fwsogl drosti. Ac yna fe osodais Efa i lawr ar y mwsogl a rhwygo yr ychydig ddillad oedd ganddi oddi arni a rhwygo fy nillad innau i ffwrdd hefyd a dyma ni'n caru yno a'n cyrff yn wlyb gan dawch, â'i llygaid hi ar gau a'i phen yn ôl a'i chorff yn sgleinio wrth ysgwyd. Ni'n dau yn symud â'n gilydd i'r un rhythm â'r glaw yn taro'r dail a sŵn y llanw yn bwrw yn erbyn ymyl y greigres gwrel.

Ac roedd yn deimlad gorau yn y byd. Nid y pleser yn unig yn gymaint â'r rhyddhad bod pleser i'w gael.

Alla i ddim rhoi y peth mewn geiriau yn iawn. Ro'n i'n teimlo am eiliad fy mod wrth ganol y cwbwl. Wrth ganol y cwbwl ond yn nunlle yr un pryd. Rhwng y chwith a'r dde, rhwng da a'r drwg, rhwng byw a marw, rhwng y gorffennol a'r dyfodol, rhwng y goleuni a'r tywyllwch, rhwng yr hwn a'r llall. Daeth rhyw deimlad o heddwch mawr i'm llenwi, rhyw deimlad fatha 'mod i ddim yno ac mai fi oedd y byd i gyd yr un pryd.

Ac wrth orwedd i lawr wrth ochr Efa wedyn teimlwn fy mod i wedi dechrau eto. Bod yr hen Aled wedi diosg ei groen ac Aled newydd wedi cyrraedd y byd. Aled oedd yn rhan o'r ynys yn hytrach na chwffio yn ei herbyn.

Ar ôl gorwedd yno'n hir yn cael ein gwynt atom a charu ychydig yn rhagor, roedd fel petai Efa yn sydyn iawn wedi sylweddoli lle'r oedd hi a bod dim byd arni a fe sbonciodd i fyny a thynnu amdani'n frysiog.

'Oes pwynt gwisgo'r carpiau 'na o gwbwl?' gofynnais.

'Fe fyddan nhw'n gwbod fel arall,' meddai hi.

Fe gerddon ni adref gyda fy llaw o'i chwmpas ac ar ei chlun a'i llaw hi amdana i ond cyn cyrraedd y traeth roedd rhaid penderfynu.

'Fe neith e dorri ei galon,' meddai hi wrth adael fynd yndda i.

'Mi allen ni fynd o 'ma – gyda'n gilydd.'

'A'u gadael nhw? Fe fydden nhw'n marw.'

'Ti ddim am fynd yn ôl at...?'

'Na, ond rhaid i ni ddewis yr amser iawn.'

'Dim ond un amsar sy ar yr ynys. Amsar yr ynys. Does dim byd yn newid.'

Wrth i ni gerdded tua'r gwersyll dyma Efa yn sydyn yn camu oddi ar y llwybr ac roeddwn i'n meddwl bod rhywbeth yn bod ond mi welais ei bod hi'n estyn i gyrraedd rhywbeth oedd i fyny mewn gwrych. Darn o ddefnydd melyn, glas a choch.

'Fflag y Capten! Rhaid ei bod hi 'di hwthu bant yn y storm.'

'Gad hi,' meddwn i. 'Dan ni ddim yn Gymry ddim mwy.'

Ond pan gyrhaeddon ni'r gwersyll roedd pawb arall yn eistedd fel delwau yn eu lleoedd arferol. Y Capten gyda'i ddryll dros ei goesau dolurus. Myfyr â'i ben yn ei lyfr a'r tudalennau bellach mor staeniog â chwys fel na wyddwn sut oedd yn gallu eu darllen nhw. Efallai fod y cyfan yn ei gof.

Dim ond Teleri wnaeth sylw ohonom ni. Roedd ei breichiau'n dynn ar draws ei brest a'i phen wedi gwyro i'r naill ochr. Edrychodd o'r naill ohonom ni i'r llall a'i thalcen yn grych.

'Wedi dal rhwbath yn barod?' meddai.

'Ges i olwg ar bethau. Dwi ddim yn meddwl bydd yna gymaint o bysgod o amgylch y lan ond ella bydd dal rhwbath ar y tir yn haws rŵan fod y coed wedi colli cymaint o'u dail.'

Edrychodd Teleri ar y coed. 'Maen nhw'n... noethach.'

'Llai o le i guddio,' meddwn.

'Ty'd â'r botel ddŵr yma, Efa,' meddai'r Capten. 'Mae'r babell mor llawn chwys fyddai waeth i fi gysgu y tu allan ddim.'

'Bydd y dryll yna wedi rhydu os nad ydach chi'n sychu

fo,' meddwn i, a glaswenu wrth i'r hen ddyn edrych arno'n gonsyrnol.

Troeais fy mhen tua'r môr er mwyn peidio gorfod edrych ar Teleri a gwelais rywbeth a wnaeth i mi oedi. Roedd haid o adar wedi casglu uwchben y dŵr wrth ymyl y greigres gwrel. Yn hofran rhyw bymtheg troedfedd uwchben y môr. Roedd rhywbeth wedi eu denu nhw yno. Roedden nhw'n plymio bob yn ail ac yna'n codi drachefn, yn amlwg â rhywbeth yn eu pigau.

*Pysgod?* meddyliais i ddechrau. Efallai fod y storm wedi eu lladd nhw. Eu bwrw yn erbyn y graig. Oedd peth fel yna'n digwydd? Ond roedd yn od fod yr adar wedi casglu yn yr un man fel yna.

'Chi'n gweld rheina?' gofynnais.

'Maen nhw wedi bod yno drwy'r bora,' meddai'r Capten.

'Maen nhw'n byta rhwbath.'

Cododd Myfyr ei ben o'i lyfr. 'Dwi'n credu bod y storm wedi symud bach ar y cwch. Daeth *cool box* ar y lan gynna. Yn wag, yn anffodus.'

Edrychais arno, ac yna ar yr adar, ac yna'n ôl ar Myfyr. Gallwn fod wedi ei ysgwyd.

Es i ar fy union yn ôl i fy lloches i a Teleri i nôl y waywffon a'r twca ac wrth i'r llanw ddod yn ôl i mewn tynnais fy nillad oddi amdanaf a rhydio allan i'r môr. Roedd y gwynt wedi gostegu erbyn hynny ac roedd y môr mor wastad ag wyneb llyn.

'Lle w't ti'n mynd?' galwodd Teleri.

'I ga'l gweld.'

'Aled!'

Ond diflannodd ei llais yng nghanol y swigod wrth i mi ymestyn i mewn a nofio allan i gyfeiriad lle'r oedd yr adar yn crawcian ac yn gwibio. Gwthiais fy mhen o dan y dŵr a gallwn weld eu bod nhw'n union uwchben y greigres a oedd yn wal lwyd aneglur yn y pellter.

Unwaith ro'n i'n meddwl mod i yn y lle iawn cymerais anadl ddofn a phlymio i lawr a chwilio am arwydd o'r cwch. Nofiais rhwng y pentyrrau cwrel, gan deimlo bod amser wedi slofi i lawr wrth i'r cwrel siglo yn araf osgeiddig yn yr awel danforol.

Es i heibio i gemyg â thegyll fel asennau gwyn, a chudynnau o bysgod a sgleiniai fel arian byw ac a newidiadai gyfeiriad â'i gilydd fel y drudwy ar brom Aberystwyth. Heibio mynyddoedd byw o gwrel a'u harwynebau yn orchuddedig â miloedd o ddwylo bychan a ymestynnai am allan er mwyn ceisio dal y llwch plancton a droellai heibio.

Dyna'r cyfan oeddwn innau hefyd yn y bôn, meddyliais wrth nofio – brycheuyn arall o blancton yn y byd. Yn ddim mwy na llai yng ngolwg y greadigaeth. Ac fel y plancton a'r cwrel fy unig swyddogaeth ar yr ynys oedd goroesi neu bod yn ysglyfaeth i rywbeth arall gael goroesi. Dyna oeddwn i wedi ei weld o ben y mynydd. Doedd dim modd gorchfygu'r ynys, fel oedd Morys eisiau gwneud. Dim ond bod yn rhan ohoni.

Fi neu'r Bwystfil, dyna fyddai'n penderfynu pethau.

Dringais i'r wyneb eto a chael fy anadl ac anelu drachefn at ben draw'r greigres lle y gwelais y llong o'r blaen. Ac yno yr oedd, lle y gadewais i hi, yn sgleinio fel atgof ar wely'r môr.

Ac fel yr oedd Myfyr wedi ei ddarogan, oedd, roedd y cwch wedi symud. Wedi cael ei godi a'i dwmblo gan ymchwydd y storm a bellach yn gorffwys ar ei ochr arall gyda thwll reit amlwg yn ei ochr. Nid oedd y dŵr mor glir ag arfer ond gallwn weld bod stribyn o drugareddau'n hongian o'r twll fel coluddyn – cadwyni rhydlyd, darnau o beirianwaith a phethau eraill.

Roedd pysgod eisoes wedi ymgartrefu ym mol y cwch, yn gwibio i mewn ac allan fel ymwelwyr yn cyrraedd a gadael gwesty. Doedd dim golwg o'r Bwystfil.

Cymerais anadl arall ac yna ciciais i lawr drwy ganol y pysgod bach amryliw ac archwilio hyd a lled y twll. Â'm calon yn fy ngwddf gwelais nad oedd fawr mwy na fy nghorff. Byddai'n rhaid i mi wthio drwodd a gobeithio gallu dod allan eto.

Cydiais yn nwy ochr yr agoriad a gwasgu drwodd fel octopws i dwll. Roedd yn dywyllach ac yn oerach yma lle nad oedd goleuni'r haul yn cyrraedd ond gallwn weld rhywfaint – pentwr o fagiau, trugareddau ac offer. Roedd plisgyn metel y llong yn gwichian a murmur o fy amgylch, y sŵn wedi ei amlygu gan y dŵr, gan wneud iddo deimlo fel pe bai pwysau'r môr ar fin rhwygo a hollti'r cwch neu ei wasgu i lawr ar fy mhen. Cydiais mewn bag a'i dynnu o'r neilltu a bu bron i mi agor fy ngheg, sgrechian a cholli fy anadl i gyd pan wibiodd rhyw fath o lysywen allan heibio i mi a drwy'r twll i'r môr.

Wedi rhyw ugain eiliad o chwilota yn yr hanner goleuni gyda'm llaw rydd dihangais am allan ac at yr wyneb eto a chymryd anadl ddofn, cyn plymio drachefn. Fe fyddai'r peiriant EPIRB yno yn rhywle a gobeithiwn yn fawr nad oedd wedi ei losgi neu wedi gwlychu drwyddo.

Yn y cyfamser dechreuais deimlo'n wirion am ddychmygu y byddai'r Bwystfil yn dod i gwrdd â fi fel draig yn codi i wynebu marchog oedd am ei herio. Efallai mai dim ond hap a damwain oedd cwrdd ag o y diwrnod hwnnw. Efallai ei fod gannoedd o filltiroedd i ffwrdd erbyn hyn, neu wedi ei larpio gan bysgodyn hyd yn oed yn fwy.

Do'n i ddim wedi bod yn meddwl yn gall ers wythnosau, ond ro'n i'n benderfynol yn awr.

Nofiais drwy'r agoriad yn y cwch unwaith eto a dechrau tynnu trugareddau ohono a'u taflu allan ar wely'r môr. Ac yna fe'i gwelais, yn sgleinio yn felyn o'm blaen – yr EPIRB! Edrychai yn gyfan gwbwl gyflawn. Cydiais ynddo. *Emergency Position Indicating Radio Beacon 3001659*, meddai ar ei ochr. Doedd fawr mwy o faint na phêl-droed, ond gallai yrru signal i'r byd a'n hachub o fewn… beth? Oriau? Dyddiau? Doeddwn i ddim yn siŵr ond gwyddwn mai dyma ein tocyn aur oddi ar yr ynys.

Edrychais am allan drwy'r twll gyda'r ddyfais dan fy nghesail. Doedd dim i'w weld ond yr haul yn sgleinio i lawr drwy wyneb tonnog y dŵr uwch fy mhen. Gwthiais am allan a cheisio cicio tua'r wyneb gydag un llaw yn dal yr EPIRB a'r waywffon yn y llall.

Ac yna fe welais rywbeth a wnaeth i mi ollwng y ddyfais. Drwy gornel fy llygad, dyna fo – ei esgyll fel adenydd yn sleisio drwy dywyllwch y dŵr.

Y Bwystfil. Roedd wedi dod i gwrdd â mi, i hawlio ei drysor, fel pe bai wedi ei hudo yno gan ryw rym seicig.

Roedd i wedi bod yn pendroni yn hir sut i ladd y creadur. Roedd gen i syniad yn fy mhen mai'r man delfrydol oedd mynd benben gyda'r Bwystfil gan fod ei lygaid ar ochr ei ben ac na fyddai'n gallu fy ngweld. Ond chefais i fawr o dro i ystyried hynny wrth iddo droelli tuag ataf drwy'r dŵr ar daith siâp cryman. Eiliad ges i wrth iddo agosáu, er mwyn nofio o'i flaen ac anelu fy ngwaywffon i mewn i'w dalcen.

Ond roedd y Bwystfil yn rhy gyfrwys ac yn hytrach na dod yn unionsyth i gwrdd â fi trodd yma a thraw nes fod y dŵr yn berwi o swigod ac mor drwchus â llaeth a doeddwn i ddim yn gallu gweld fawr ddim. Trywanais y waywffon bob sut o'm blaen ond heb gyffwrdd â dim byd – roedd y pysgodyn wedi diflannu fel ysbryd.

Pipiais am i lawr am yr EPIRB ond ni allwn ei weld. Ystyriais blymio i lawr i'w nôl ond yn fy nghynnwrf roeddwn i'n brysur yn rhedeg allan o aer felly nofiais am yr wyneb unwaith eto. Codais fy mhen uwchlaw'r dŵr. Ond prin oeddwn i wedi teimlo'r aer yn taro fy ngwyneb pan deimlais rywbeth yn plycio ar fy nghoes chwith a chyn i mi gael llenwi fy ysgyfaint roeddwn i wedi fy nhynnu i lawr ar gyflymder brawychus a bu bron i mi ollwng y waywffon hefyd.

Gwyddwn nad oedd ofn o gwbwl ar y pysgodyn hwn. Roedd ef a phob un o'i hynafiaid, mae'n siŵr, wedi byw eu bywydau cyfan yn gwybod mai y nhw oedd creaduriaid mwyaf y dyfroedd o amgylch yr ynys. Dim ond darn ychydig yn fwy nag arfer o gig oeddwn i iddo ef.

Daliais y waywffon gyda fy nwy law a thrywanu i lawr mor agos â phosib at fy nhroed chwith heb ei bwrw. Teimlais hi'n ergydio â rhywbeth meddal a chodais y waywffon i fyny a'i thrywanu i lawr eto. Teimlais y gafael ar fy nghoes yn llacio. Gwelais y pysgodyn yn gwingo o fy mlaen â fflach ei lygaid du a gyrrais y waywffon dro ar ôl tro tuag ato. Roedd y gwaed yn arllwys o gorff yr anghenfil, fel ager yn tonni o simneiau, ond roedd yn dal i yrru ymlaen, ei enau yn clecian ar agor a chau. Caeodd y dannedd mawr ar y waywffon a drylliodd honno yn ddwy, felly cydiais o amgylch trwyn llithrig y pysgodyn er mwyn cadw fy hun o'i afael. Wrth wneud hynny gwasgais fy mysedd i'w lygaid du a cheisio eu plicio oddi yno ac yna codi'r hyn oedd yn weddill o flaen y waywffon a'i thrywanu i mewn i'w ben.

Roedd fy ysgyfaint yn llosgi erbyn hynny, felly gollyngais afael ynddo ac ymbalfalu yn wyllt am wyneb y dŵr. Ac wrth anadlu'n ddwfn ar yr wyneb daeth y Bwystfil i fyny fel jac yn y bocs a'i gorff yn treiglo ac yn trigo mewn gwaed. O'r diwedd, gan chwydu llysnafedd coch, rholiodd ar ei gefn, fel pe bai am gysgu wrth fy ochr, ac fe fu farw.

Cydiais o'i amgylch â'm braich rydd a'i lusgo drwy'r dŵr at graig gyfagos a'i halio i fyny ar y brig. Yna gorweddais ochr yn ochr ag o am funud, heb wneud dim ond gwerthfawrogi bod gen i aer yn fy ysgyfaint. Doeddwn i erioed wedi teimlo mor fyw. Roedd bywyd yn anodd, roedd bywyd yn brifo, ond roedd bywyd, ar yr eiliad honno, yn wych. Roeddwn i wedi byw a'r pysgodyn wedi marw. Gallai wedi bod fel arall yn hawdd.

Roedd yr holl gasineb fu gen i at y creadur a'm breuddwydion am ymosod arno a llurgunio ei groen er mwyn dial arno wedi diflannu fel anwedd ar ddiwrnod poeth. Yn hytrach gosodais fy nwylo ar ei gorff cennog, cau fy llygaid, a diolch iddo. Diolch iddo am aberthu ei hun.

Wedi rhyw hanner awr o gael fy ngwynt ataf a disgwyl i'm troed roi'r gorau i waedu fe blymiais yn ôl i lawr a chasglu'r EPIRB oddi ar wely'r môr. Diolch byth doedd o ddim wedi mynd yn bell ac roedd yn weddol rwydd gweld ei lewyrch melyn, plastig ar y tywod gwyn.

Ond pan godais yn ôl i'r wyneb bu bron i mi gael braw mwyaf fy mywyd. Nid y pysgodyn yn unig oedd ar y graig yn disgwyl amdana i.

Safai yn awr ddau ddyn mewn clytiau brethyn, a'r haul yn tywynnu ar eu crwyn lledrudd.

Brodorion oeddynt, a doedden nhw ddim yn gyfan gwbwl hapus i'm gweld.

# Myfyr

'Mᵂ-Dᵂ! Mᵂ-Dᵂ!'

Dydi amser ddim yr un fath â modfeddi neu fetrau, meddyliais wrth orwedd yn y prysgwydd yn edrych i fyny ar y cymylau yn pendwmpian heibio. Mae modd i eiliadau lusgo'n hirach nag oriau, a munudau'n hirach na misoedd, am mai rhywbeth sy'n bodoli yn y meddwl yn unig yw amser – ac fel popeth arall sy'n bodoli yn y meddwl yn unig gall ymestyn neu grebachu yn ôl ei arwyddocâd. Mae amgylchiadau newydd fel pe baent yn ceulo gronynnau tywod llif amser yn wydr ond mae mynd i rigol arfer yn dryllio'r awrddrych a gwasgaru gronynnau'r cof.

Ac roedd amser ar yr ynys yn rhyfedd. Yn araf ac yn gyflym ar yr un pryd. Y dyddiau'n hir ond yr wythnosau'n gwibio heibio heb sylwi arnyn nhw. Oherwydd fod y dyddiau'n galed ac yn anghyfforddus ond doedd dim llawer i ddweud y gwahaniaeth rhwng y naill a'r llall.

'Mᵂ-dᵂ! Mᵂ-dᵂ!'

Yr aderyn yna eto. Deffrodd fi o'm myfyrio dan y coed. Rhaid fy mod i wedi arfer ag o rŵan, am nad oeddwn i'n sylwi arno mor aml. Roedd ei gri drallodus, barhaus wedi suddo i'r rhan honno o'r meddwl nad oedd angen tynnu sylw ati. Falle mai dyna sut oedd amser yn gweithio – roedd yr ymennydd yn dechrau anwybyddu pethau cyfarwydd, a chyn bo hir roedd yn anwybyddu cymaint roedd fel pe bai yna fylchau mawr yn y cof lle nad oedd dim wedi digwydd.

Oedais am funud i wrando ar dician yr ynys o'm hamgylch – sïo'r pryfaid a switian yr adar, sŵn fel tasai rhywun yn tynnu ei fys o amgylch ymyl cwpan. Sŵn y tonnau'n bwrw'r greigres fel gordd, y cwmpawd seiniol hwnnw a olygai fy mod yn gallu dod o hyd i fy ffordd yn ôl i'r gwersyll pa bynnag mor ddwfn i'r goedwig oeddwn i wedi crwydro. Synau cyson. Dyddiau cyson, di-baid, yn ein llusgo fel broc môr ar foroedd stormus a thawel heb boeni dim am ein hewyllys ein hunain.

Yna fe newidiodd pethau.

'Woaa!'

Torrodd y llais drwy'r jyngl fel saeth, gan dawelu'r cwbwl.

Prin i mi gael cyfle i dynnu fy hun ar fy eistedd pan rwygodd ryw ddyn gwyllt drwy'r coed o fy mlaen i, â hanner gwaywffon wedi ei hollti yn ei law. Sgleiniai ei groen â gwaed ac roedd ei lygaid yn wyllt. Neidiais ar fy nhraed yn barod i ffoi, gan ofni am eiliad ei fod wedi llofruddio'r lleill ac wedi dod amdana i yn olaf.

'Paiid–!' Codais fy mreichiau tenau o'm blaen i warchod fy nghalon.

'Beth?' Safodd y dyn mor syth â'i waywffon, cyn edrych i lawr fel petai'n sylwi ar ei gyflwr ei hun am y tro cyntaf. 'A! Sori,' meddai Aled. 'Wedi mynd i ffrae efo pysgodyn!'

Gostyngais fy mreichiau, fy ngheg yn 'o'. 'Rhaid ei fod yn uffar o bysgodyn.'

'Myfyr, mi welis i nhw. Ro'n nhw yno – pobol, ar yr ynys.' Nodiodd ei ben yn frwdfrydig a gwenu. 'Ac maen nhw isio i ni fynd atyn nhw. Fedri di gredu'r peth?' Ceisodd gydio yn fy llaw i'm hannog i'w ddilyn.

Tynnais fy mraich i'm hochr. 'Pobol?'

'Brysia, dwi ddim am eu colli nhw.'

'Pobol fel ni?'

'O'r ynys!'

'Ydan nhw'n saff?'

'Maen nhw fel ni, yn hela.'

'Pam ddim nôl Dad?'

Ysgydwodd ei ben. 'Dydi ei goesau fo'n dda i ddim.'

'A dw i'n dda i rwbath?'

'W't siŵr!' Ond ymddangosai ei wên braidd yn ffals i mi. Dyfalwn ei fod yn ofn a ddim eisiau mynd ei hun. Neu eisiau rhannu'r profiad â rhywun. Doeddwn i erioed wedi bod yn un da am ddarllen wynebau pobol.

'Mae gyda nhw ffordd oddi ar yr ynys,' meddai wedyn. Ac fe darodd hwnnw fi fel sioc drydanol, a'm codi droedfedd oddi ar y llawr, a chyn bod fy meddwl wedi ymateb roedd Aled wedi troi a mynd ar wib ac roeddwn i'n stryffaglio i ddal i fyny ag o wrth i frigau'r coed chwipio fy ngwyneb a'm coesau. Doeddwn i ddim wedi symud yn rhyw gyflym iawn ers wythnosau ac roeddwn i'n gallu teimlo'r cymalau yn fy nghoesau a fy nghluniau yn gwegian wrth i mi fynd.

Allan â ni i'r traeth a dod i stop stond achos roedd y brodorion yno'n sefyll yn disgwyl amdanom ni. Dau ohonyn nhw. Syllais yn gegrwth heb fod wedi gweld yr un person byw tu hwnt i'n criw ni ers gyhyd. Doedden nhw ddim mor dal â ni ond edrychent bron yn annaturiol o lân, ifanc a chyhyrog, fel rhywbeth allan o freuddwyd. Teimlwn gywilydd yn sydyn iawn am fy nghyflwr fy hun, fel pe bawn i wedi gadael fy hun i lawr rywsut.

Roedden nhw'n gwisgo clytiau brethyn ac yn cario gwaywffon yr un yn eu dwylo. Ac roedd gan un ohonynt rywbeth braidd yn annisgwyl dros ei ysgwydd – bocs melyn a du a edrychai yn lled gyfarwydd.

'Yr EPIRB!' ebychais, a neidiodd y ddau ddyn ifanc wrth weld y creadur truenus yma'n cyffroi yn y fath ffordd. Roedden nhw'n amlwg cymaint o fy ofn i ag oeddwn i ohonyn nhw.

'Fi ddath â fo allan o'r cwch,' sibrydodd Aled. 'Dwi'n siŵr y cawn ni fo'n ôl os awn ni efo nhw.'

Siaradodd un o'r brodorion a gyda chryn ystumio awgrymu ei fod am i ni gerdded gydag o.

'Do you have food?' gofynnais i ac ystumio at fy mol. Dwn i ddim pam i fi droi at y Saesneg – rhywbeth hollol ddwl i'w wneud dan yr amgylchiadau ond roedd y syniad bod honno yn iaith ryngwladol wedi ei drwytho ynof.

Er syndod yn lle ymateb fe ddechreuon nhw brocio'r tywod ar y traeth gyda'u gwaywffyn. Gweithiodd y ddau eu ffordd yn araf ar hyd pen y traeth, gan stopio bob hyn a hyn i gloddio'r pren yn ddyfnach i'r tywod. Am eiliad roeddwn i'n meddwl eu bod nhw wedi fy nghamddeall i, neu fod trysor ar yr ynys wedi'r cyfan. Ond yna fe stopiodd un a throi ei waywffon wyneb i waered er mwyn iddo allu procio'r tywod gyda'r pen pwyntiog. Ar ôl ychydig yn rhagor o bigo'r tywod, aeth ar ei gwrcwd a rhoi ei fys yn y twll. Yna dechreuodd gloddio yn gyflym a chynhyrchu sawl pêl wen oedd yn lled dryloyw yng ngoleuni'r haul.

'Wyau!' meddai Aled, ac roedd ei lais yn gymysg o syndod a chwithdod am ei fod ef, fel fi, yn sydyn wedi sylweddoli bod prydoedd helaeth o fwyd i'w cael ar yr ynys o dan ein trwynau ni ond i ni fod yn rhy anwybodus i allu cymryd mantais o hynny. Roedden ni wedi cerdded dros yr union fan yma sawl gwaith bob dydd.

'Rhai crwbanod, mae'n siŵr,' meddwn i.

Pysgotwyd wyth o'r wyau hyn o'r tywod, pob un mor wyn a chrwn â phêl ping pong ond ddwywaith y maint. Roedd rhagor o lawer yno eto ond fe gladdwyd nhw dan y tywod drachefn. Cyn bo hir roedden ni'n helpu'r brodorion i'w cario nhw ar draws y tywod. Roedd fy nghoesau i mor simsan nes i un rowlio o'm breichiau a thorri ar lawr ac ymddiheurais ond doedden nhw ddim fel pe baen nhw'n malio am hynny.

Fe adawon ni'r traeth a cherdded milltiroedd drwy'r goedwig, ymhellach nag oeddwn i wedi bod o'r blaen, i fyny cainc ogleddol yr ynys nes yn sydyn i ni ddod at fae bas arall lle'r oedd cyfres o gychod pysgota hir wedi eu cerfio o bren wedi eu gosod yn rhes. Fe allen ni weld rhagor o'r brodorion yma, yn casglu dŵr a golchi dillad a'u bythynnod pren a'u tanau coginio ar y llethr a arweiniai i fyny at begwn y mynydd.

'Maen nhw wedi bod yma'r holl amser?' meddwn i.

'Doedden ni ddim yn gallu gweld ochr yma'r ynys o dop y mynydd,' meddai Aled.

Safai tua thri deg o'r bobol i gyd ar y lan a rhagor yn y pentref ac wrth weld cymaint o bobol yn edrych arnom ni yr un pryd, ar ôl misoedd o weld neb, teimlwn braidd yn benysgafn ac fe saethodd goglais trydanol ar hyd fy mreichiau. Rhaid fy mod i wedi cael yr un effaith arnyn nhw oherwydd roedd sawl un yn syllu'n gegrwth arnom ni ac ambell i blentyn yn crio ac yn cuddio y tu ôl i goesau eu mamau.

Daeth dynion ifanc eraill o rywle ac roedd yna lawer o godi llais wedyn a phobol yn anghytuno am rywbeth. Edrychodd Aled a finnau ar ein gilydd a gallwn weld o'r olwg ar ei wyneb ef hefyd nad oedd yn gwbwl hyderus nad oedd hi ar ben arnom ni. Roeddwn i'n barod i daflu'r wyau i'r awyr a ffoi nerth esgyrn fy nghoesau tenau. Ond datryswyd y ffrae a chymerwyd yr wyau crwban oddi arnom ac fe arweiniwyd ni at ganol y pentref ac yno y tu allan i'r bwthyn mwyaf o'r cwbwl mi oedd pysgodyn anferth wedi ei osod allan fel duw ar bentwr uchel o lysiau a ffrwythau wrth ymyl crochan o glai a oedd eisoes yn ffrwtian yn braf.

'Fy mhysgodyn i!' meddai Aled yn wên o glust i glust.

Roedd y fintai o'r traeth wedi ein dilyn ni i fyny yno a daeth rhagor o bobol allan o'r bythynnod pren gan gynnwys un ddynes oedd lawer hŷn na'r lleill a herciodd tuag atom ar goesau cloff a'n hwynebu a'i llygaid llaethog led y pen ar agor. Roedd yn amlwg na allai ein gweld ni ond ar yr un pryd teimlwn fel pe bai hi'n syllu yn ddwfn i'm henaid. Dyfalwn ei bod hi'n rhyw fath o arweinydd y llwyth neu'n ddynes ddoeth – neu'n wrach – oherwydd mi ddywedodd ychydig eiriau o dan ei gwynt ac fe frysiodd y dynion ifanc fu ynghynt yn dadlau ymysg ei gilydd i ufuddhau iddi.

Cododd law uwch ei phen i dawelu'r dyrfa o'i chwmpas. Yna daeth â hi i lawr at ei brest, gwenu, a dweud: 'Amá.'

'Amá,' meddwn i.

'Amá,' adleisiodd Aled.

Yna estynnodd ei llaw tuag atom ni.

'Myfyr,' meddwn i.

'Muh-feer?'

'Aled.'

'Ah-lad.'

Siaradodd yn uwch gyda'r dyrfa, oedd mor dawel y gallen ni fod wedi clywed pin yn syrthio, brawddegau a gynhwysai sawl 'Muh-feer' ac 'Ah-lad' a llawer iawn o ystumio i'n cyfeiriad ni. Ychwanegwyd rhagor o goed at y tân a thrwy gydol y cwbwl roeddwn i'n llygadu'r crochan clai a oedd yn ffrwtian gerllaw yn bur ddrwgdybus, gan obeithio nad y ni oedd y cynhwysyn olaf.

Herciodd Amá draw at y pysgodyn mawr, wedi ei dilyn gan osgordd o ferched ifanc gyda'u crwyn wedi eu paentio. Gosododd ei llaw arno a dweud gweddi fach, ac yna troi tuag atom ni ac ymholi yn gyfeillgar amdano. Roedd yn amlwg i bawb mai Aled oedd wedi ei ladd am ei fod yn dal yn waed o'i gorun i'w sawdl. Nodiodd ef ei ben wrth frathu ei wefus, fel plentyn bach oedd yn cael clod gan athro.

Roedd Amá yn dal i fynd drwy ei defod, gan bregethu dros ben y pysgodyn marw. Sylwais yn sydyn fod pob un o'r merched ifanc a'i dilynai yn feichiog. Awgrymai maint bol ambell un eu bod nhw ar fin popian. Ac roedd bol pob un wedi ei baentio gyda darluniau syml o anifeiliaid y tir, yr awyr a'r môr o amgylch cylch oedd wedi ei hollti'n ddwy, yn las tywyll ar ei waelod ac yn felyn golau ar ei frig.

Er syndod imi wedyn daeth y merched hyn a sefyll o'n blaenau ni. Roeddwn i'n meddwl am eiliad ein bod ni am weld dawns y blodau fel yn yr Eisteddfod ond yna fe gynigion nhw rywbeth i ni mewn bowlen yr un. Rhyw fath o botes ydoedd, gyda hylif coch, tameidiau o blanhigion a darnau meddal a edrychai fel cig neu fadarch, a daliwyd y bowlenni at ein gwefusau. Cymerais lowc a bu bron i mi dagu. Roedd blas metalaidd arno, fel copr, yn gymysg â dŵr halen.

'Gwaed y pysgodyn,' sibrydodd Aled draw, a'i wefusau yn diferu'n rhuddgoch.

Bu bron i mi gyfogi.

'Paid â bod yn *sick*,' meddai wedyn, a bu'n rhaid i mi stumogi llowciad arall o'r gymysgedd aflan.

Wedi i ni lyncu cynnwys y bowlenni camodd y menywod yn ôl a daeth y dynion tua'r blaen. Roeddwn i'n adnabod dau ohonynt fel y rhai a'n harweiniodd ni yno. Roedd y cyfan ohonyn nhw'n ifanc, tua ein hoed ni neu yn ifancach. Roedd gan rai ohonyn nhw ffaglau yn eu dwylo, a gosodwyd y ffaglau yn y tân oedd yn cynhesu'r crochan a'u cynnau. *I beth oedd angen ffaglau tanllyd ar ddiwrnod mor braf?* meddyliais, ond yna ceisiais beidio â meddwl yn rhy galed.

'Hocoia!' galwodd y blaenaf ohonyn nhw, ac fe drodd pethau tu min wedyn oherwydd fe anelodd ei waywffon tuag atom ni a'i gwneud hi'n amlwg drwy brocio'r awyr ei fod am i ni gerdded o'i flaen i fyny'r bryn.

'Shit, be sy'n digwydd,' meddwn i yn ddigon uchel i Aled glywed.

'*Go with the flow* dwi'n meddwl, Myfyr,' meddai fo.

'Maen nhw'n mynd i'n byta ni,' medda fi drwy fy nannedd, ac yna'n uwch, 'Udish i do!'

Ataliodd y dyn oedd yn ein bygwth ni. 'Idishido?' gofynnodd yn syn. Edrychodd ar Amá. 'Idishido!' meddai wrthi.

Lledodd ryw olwg o fodlonrwydd dros ei hwyneb hi ac fe nodiodd. 'Idishido,' meddai hi.

'Idishido! Idishido!' dechreuodd y dynion lafarganu. Gyda phroc arall o'r waywffon cyfeiriwyd fi ac Aled i fyny'r llethr o gyfeiriad y pentref a'r wledd oedd yn cael ei pharatoi tuag at y tir uwch tu hwnt.

Roeddwn i'n gwbwl argyhoeddiedig rŵan fod rhywbeth ofnadwy yn mynd i ddigwydd i ni. A phan welais i geg ogof o'n blaenau ni chododd fy ysbryd o gwbwl. Roeddwn i wedi gweld tywyllwch o'r blaen ond roedd y tywyllwch yma'n llenwi ceg yr ogof fel sylwedd solet. Roedd yna rywbeth dychrynllyd, anifeilaidd am y tywyllwch, fel pe bai'n cynnwys y potes cyntefig yr oedd y bywyd cyntaf ar y ddaear wedi ymlusgo allan ohono.

'Mae'n rhaid i ni ddianc,' sibrydais wrth Aled.

'Paid poeni,' meddai fo. 'Ein croesawu ni maen nhw.'

'Ein croesawu ni?'

'Ia. Fe helwyr. Ma fatha pan w't ti'n ymuno efo'r clwb rygbi, dydi? Ma'n rhaid i ti fynd drwy ryw fath o *initiation*.'

'Dwi erioed 'di bod yn aelod o'r clwb rygbi!'

Fe aeth y dynion â'r ffaglau bob ochr i ni a'n harwain ni i mewn drwy geg yr ogof. Roeddwn i wedi gobeithio efallai y byddai yna annedd glyd i mewn yno, ond nid felly y bu. Gallwn deimlo'r oerfel yn cau amdanaf cyn i mi hyd yn oed gamu dros y trothwy ac roedd y cyfosodiad â gwres y dydd tu allan yn gwneud i mi grynu drosta i.

'Idishido! Idishido!' côr-ganodd y brodorion bob ochr ac roedd eu lleisiau'n fyddarol wrth atseinio oddi ar y waliau agos a'r nenfwd isel.

Yn sydyn teimlais ddiferion dŵr ar fy mhen ac i lawr fy nghefn, rhai mor oer roedden nhw'n llosgi fy nghroen. 'Aaa!' meddwn i.

Chwarddodd y dynion o fy amgylch. Daliasant y ffaglau yn uchel uwch eu pennau fel eu bod nhw'n dda i ddim wrth oleuo'r llwybr o'n blaenau ond gallwn weld nenfwd yr ogof. Ac ar y nenfwd roedd delweddau wedi eu paentio, delweddau adar ac anifeiliaid a chreaduriaid y môr, a phobol yn eu mysg nhw, ac roedd crynu a symud goleuni'r ffaglau ar yr arwyneb anwastad yn gwneud iddynt ymddangos fel pe baent yn fyw, ac yn symud. Ac o flaen fy llygaid, fe *ddaethon nhw'n fyw*, yn carlamu a phigo a thrywanu a hela.

Ro'n i bron â bod o fy ngho ag ofn ac yn dechrau meddwl a oedd mwy na gwaed pysgodyn yn y bowlen honno.

Edrychais ar Aled ac roedd ei lygaid ar gau a'i ddannedd

yn y golwg ac roedd yn ysgwyd drosto i gyd fel pe bai'n cael trawiad ar y galon. Edrychai fel un o'r helwyr eraill.

'Idishido! Idishido!'

Roedd yr ogof yn troelli o fy amgylch, neu efallai mai'r brodorion oedd yn dawnsio, yn troelli mewn cylchoedd gyda'u ffaglau, fel pe bawn i'n sefyll yng nghanol chwyrligwgan tanllyd. Ac yna roedd sbigynnau eu gwaywffyn yn dawnsio yn fy ngwyneb a'r siapiau anifeiliaid ar waliau'r ogof yn fyw ac yn barod i fy mwyta i a doeddwn i ddim yn gallu goddef y peth rhagor, cymaint oedd fy ofn, a dyma fi'n rhedeg am fy mywyd yn ôl i lawr i'r cyfeiriad des i, yn syth i mewn i wal a bwrw fy mhen a chodi ac ymbalfalu nes i mi drwy ryw wyrth weld goleuni egwan mynedfa'r ogof yn y pellter. Gallwn glywed lleisiau'r brodorion yn ddryswch y tu ôl i mi a theimlwn fel cachgi yn gadael Aled ar ei ben ei hun ond roeddwn i'n rhy wan i'n hachub ni'n dau.

O'r diwedd cyrhaeddais yr wyneb a theimlo rhywfaint yn well wrth adael oerfel a thywyllwch llethol yr ogof. Doedd yr un o'r brodorion wrth y fynedfa ond gallwn weld y bythynnod yn y pellter a'r mwg yn codi o'r tân yno felly baglais yn fy mlaen drwy'r goedwig a dilyn sŵn y tonnau i gyfeiriad y traeth.

Dydw i ddim yn meddwl fy mod i'n iawn yn fy mhen wedyn achos mi ges i'r argraff wrth redeg drwy'r goedwig fod y goedwig yn rhedeg gyda fi, gwreiddiau'r coed wedi cael eu rhwygo o'r ddaear wrth i'r boncyffion godi a gostwng fel coesau. Ac roedd y cymylau uwch fy mhen yn symud gan filltir yr awr a'r awyr yn fflachio'n biws a glas rhyngddyn nhw, fel pe bai yna storm fawr yn digwydd ond allwn i ddim teimlo unrhyw wynt na glaw ar fy nghroen na chlywed unrhyw daranau.

Wedi dwn i ddim faint o amser cyrhaeddais y gwersyll lle'r

oedd y tri arall yn eistedd ac agor fy ngheg i siarad ond y cyfan a ddaeth allan oedd y baldordd mwyaf disynnwyr.

'Be sy'n bod arnat ti?' gofynnodd fy nhad a'i aeliau yn tynnu at ei gilydd. 'Lle w't ti 'di bod?'

'Ma dy geg di'n wa'd i gyd!' meddai Efa.

'Dos i nôl dŵr iddo fo,' meddai fy nhad ac fe redodd Teleri i nôl un o'r poteli plastig.

Ro'n i ar y llawr erbyn hyn ac yn crynu drosta i. Teimlais y dŵr yn cael ei dywallt i mewn i fy ngheg.

'Mae o wedi byta rhwbath drwg neu gael ei frathu,' meddai fy nhad gan edrych i lawr arna i. 'Udish di be? Udish di be, Myfyr bach? Be ddudish di?'

A dyna pryd y sylwais i fy mod i wedi bod yn sgrechian 'Idishido!' nerth esgyrn fy mhen yr holl ffordd yn ôl i'r gwersyll.

Gyda fy meddwl ar chwâl doedd gen i ddim syniad faint o amser aeth heibio nes fy mod i wedi callio ond ar ryw bwynt mi ddechreuodd yr hyn oeddwn i'n trio'i ddweud a'r hyn oedd yn dod allan o fy ngheg ieuo â'i gilydd ac fe ddechreuais i esbonio beth oedd wedi digwydd.

Erbyn i mi roi'r gorau i siarad roedd yr haul wedi dechrau machlud.

''Nest ti adel e ar ben 'i hunan?' gofynnodd Efa.

'Doedd gen i'm dewis.'

'Fe allen nhw fod yn ei aberthu o ar y goelcerth yna'r funud yma!' meddai fy nhad. 'Yn 'i fyta fo!' Edrychodd yn ddisgwylgar arna i, ac yna ysgwyd ei ben ac edrych ar lawr.

'Beth os y'n nhw'n dod fan hyn?' gofynnodd Efa a gorchuddio'i hun gyda'i breichiau.

'Fe allen nhw ein herwgipio ni,' meddai Teleri.

'Ella y bydd Aled yn iawn,' meddai fi, yn dechrau dod ata i fy hun. Ro'n i wedi colli rheolaeth arnaf fy hun braidd, yn yr ogof. Wedi gweld pethau nad oedd yno. Ond roedd Aled i'w weld yn mwynhau'r profiad. Roedd fel petai'n deall arwyddocâd y peth, yn darllen o lyfr nad oeddwn i'n deall ei iaith. 'Falle mai fi wnaeth orymateb?'

'Paid â bod yn ddwl!' chwyrnodd y Capten. 'Barbariaid ydan nhw, Myfyr. Yn credu pob math o hen sothach hefyd. Yn dawnsio o gwmpas y lle yn noeth yn baldorddi ryw nonsens!'

'Mi ydan ni'r un mor noeth!' meddwn i.

'Mi fysan ni'n gwisgo dillad call tasai gyda ni rai!' Defnyddiodd y dryll fel ffon gerdded i godi'i hun ar ei draed. 'Mae'n rhaid i ni eu gyrru nhw oddi ar yr ynys 'ma. Ein hynys ni.'

'Mi oeddan nhw yma gynta mae'n siŵr,' meddwn i.

'Ein cenedl ni yw hi,' meddai fy nhad. 'Bob modfedd ohoni.' Cyfeiriodd at y polyn lle bu'n fflag yn cyhwfan gynt. 'Dydyn nhw ddim yn *bobol* go iawn, nacdyn? Anwariaid yn crafu byw ar aeron a chnau coco ydyn nhw.'

Rhwbiodd ei dalcen. Roedd yn chwys domen dim ond wrth yr ymdrech o godi ar ei draed.

'Mae'r Gymraeg wedi ei hel o bobman ond fydd hi ddim yn cael ei hel o'r fan yma,' meddai.

'Felly ti'n mynd i'w hel *nhw* o 'ma?' gofynnais i. 'Fyddan ni ddim gwell wedyn.'

'Mi ydan ni'n well yn barod. Mae'r Gymraeg yn iaith yr wyddor! Pa un ddylai farw – honno, 'ta ryw barablu annatblygedig?' Chwifiodd ei fraich rydd i gyfeiriad y môr. 'Mae'n siŵr fod yna gannoedd o ynysoedd fatha hon lle allen nhw fynd, lle maen nhw'n siarad yr un nonsens.'

Cymerodd gam ymlaen ar goesau sigledig a phwyso yn erbyn y goeden agosaf.

'Ma Myfyr yn iawn, Dad,' meddai Teleri. 'Chi sy'n mynd ymlaen ac ymlaen am y Saeson yn ein hel ni o Gymru, a rŵan rydach chi am neud yr un peth i'r rhain.'

Ysgydwodd ei ben. 'Cael trefn arnyn nhw, 'ta. Dysgu iaith go iawn iddyn nhw.' Goleuodd ei lygaid. Llyfodd ei weflau. 'Wyddost ti be, ella fod cyfla fan hyn. I ledaenu'r Gymraeg.' Nodiodd ei ben yn eiddgar. 'Cyfla, ddim yn unig i achub ein hunain ond i achub y bobol druan yma hefyd. Ma'n nhw wedi bod yn sownd ar yr ynys yma ar wahân i bawb arall, a rŵan dan ni yma i'w haddysgu nhw. Dysgu iddyn nhw sut mae gweithio, a meddwl, ac am gyfraith a threfn – a dysg!'

'Roedd yna ryw hannar cant ohonyn nhw, Dad,' meddwn i.

'Wel, ti 'di arfar darlithio i fwy na hynny yn y brifysgol yna, yn do?'

'Be am Aled?' gofynnodd Teleri.

'Ia, peth cynta ydi achub Aled.' Cododd y Capten y dryll o'i flaen. 'Mae gyda ni hwn – dim ond gwaywffyn a ryw bethau bach tila fel'na sy gyda nhw.'

Cymerodd gam ymlaen a phallu, ac ailgydio yn y goeden. Brysiodd Teleri ymlaen i'w gynnal.

'Dach chi ddim yn ddigon da, Dad,' meddai hi. 'Ylwch ar eich coesau chi.'

'Bydd rhaid i Myfyr fynd,' meddai ef.

Cymerais gam yn ôl a chroesi fy mreichiau. Roeddwn i ofn am fy mywyd mynd yn ôl yno ar fy mhen fy hun, ofn mor ddwfn ac oer â'r ogof yr oedden i wedi dianc ohoni. Ysgydwais fy mhen.

'Mi af fi os w't ti'n ormod o gachgi!' meddai Teleri a'i llais yn ddwfn.

'Myfyr, am unwaith yn dy fywyd,' meddai fy nhad, 'dangosa dy fod ti'n ddyn!'

Cydiodd Efa yn fy mraich. 'Os wyt ti'n achub e, fe fyddi di'n arwr,' meddai.

Â'm calon yn curo fel gordd, a'r cyfog yn codi yn fy ngwddf, camais ymlaen, ymestynnais fy llaw a chymryd y dryll. Edrychais arno. Roedd yn crynu fel gwialen ddŵr yn fy nwylo.

'Dw i'm yn mynd i saethu neb,' meddwn i.

'Dylai un siot fod yn ddigon i ddychryn y diawliaid i ffwrdd,' meddai fy nhad. 'Fe fyddan nhw'n ffoi i'r bryniau fel cŵn wedyn.'

Syllais i arnyn nhw'n gegrwth.

Taflodd Efa ei breichiau o'm hamgylch. Sibrydodd i'm clust. 'Dere â fe 'nôl yn saff, 'nei di?'

Llyncais a throi a cherdded ymlaen ar hyd y traeth, yn llusgo fy nhraed fel blociau concrid. Fe fyddwn i wedi rhoi unrhyw beth i fod unrhyw le arall yr eiliad honno. Ond beth allwn i ei wneud? Dweud celwydd, mynd yn ôl a honni bod Aled wedi cael ei fwyta? Ond beth os oedd o'n fyw?

Ac er fy mod i'n gwybod bod fy nhad yn ffŵl, roedd yna ran ohona i oedd yn torri bol, yn ysu gyda'm holl galon, iddo beidio â meddwl mod i'n hollol ddiwerth. Doeddwn i ddim yn gallu esbonio'r peth i mi fy hun, hyd yn oed. Ond rywsut roedd yr angen i osgoi gweld y siom yn ei lygaid mod i wedi methu eto yn ddigon i'm gyrru ymlaen ar draws y traeth er mwyn rhoi fy hun mewn perygl marwol.

Ac Efa hefyd. Ro'n i wedi gweld sut oedd hi ac Aled yn edrych ar ei gilydd, pan oedden nhw'n meddwl bod fy mhen mewn llyfr. Do'n i ddim yn hollol ddall. Roedd gen i bwynt i'w brofi iddi hithau hefyd...

*Pam fod hyn i gyd wedi digwydd i mi?* Pam na allwn i fod wedi byw gweddill fy mywyd yn eistedd yn llyfrgell y brifysgol, yn gallu profi perygl drwy fywydau cymeriadau ar dudalennau llyfr, ac yna gallu cau'r llyfr ac anghofio amdano a dychwelyd i'm bywyd cyfforddus a saff? Doeddwn i ddim yn gwybod pa mor lwcus oeddwn i, o'r blaen.

Ro'n i'n cerdded mor anfodlon o araf nes fod yr haul wedi diflannu dros ymyl y gorwel erbyn i mi gyrraedd y pentref. Un funud roedd yn ddydd a rhyw chwarter awr wedyn roedd y goedwig yn amlinell ddu, a dim i'm harwain ymlaen ond goleuni'r sêr wedi ei adlewyrchu ar y traeth tamp. Gobeithiwn efallai fy mod wedi colli fy ffordd – wedi cerdded yn syth heibio heb eu gweld efallai. Ond yna daeth ffaglau tanllyd pentref y brodorion i'r golwg o amgylch y tro.

Sefais yno a chlustfeinio. Roedd yn swnio fel petai parti a hanner yn mynd rhagddo. Canu a dawnsio a dathlu. Gallwn i hyd yn oed ogleuo cig wedi ei goginio yn cario ar awyr y nos. Doeddwn i ddim wedi cael unrhyw beth ond pysgodyn a ffrwythau i'w bwyta ers misoedd ac roedd y sawr yn tynnu dŵr i'm dannedd.

Cymerais anadl ddofn, codi'r dryll a chymryd sawl cam anfoddog tuag at y pentref, heb unrhyw syniad beth oeddwn i'n mynd i'w wneud ar ôl cyrraedd yno.

*Mae hyn yn wallgo*, meddyliais. *Dylwn i aros tan y bore. Ond beth os ydi Aled mewn peryg? Efallai ei fod yn well sleifio i mewn rŵan, yn y tywyllwch, a rhoi sioc i bawb?*

Wrth gnoi cil ar hyn gwelais rywun yn dod allan o'r pentref. Rhewais yn yr unfan. Gallwn weld amlinell plu yn codi o'i wallt. Cerddai yn ddigon bodlon ei fyd i lawr i gyfeiriad y traeth. Swatiais i lawr ac anelu'r gwn tuag ato. Yna stopiodd a syllu i fy nghyfeiriad, fel pe bai wedi gweld rhywbeth. Rhedodd dŵr oer drwy fy ngwythiennau.

Ac yna, er syndod, diflannodd y dyn yn gyfan gwbwl. Aeth

fy nghalon i'm gwddwg. Edrychais i bob cyfeiriad ond ni allwn ei weld, a'm bys ar y gliced a baril y gwn fel sebon yn fy llaw chwyslyd arall.

'Bŵ!'

Ymrithiodd cysgod i fyny o 'mlaen.

Teimlais garn y gwn yn ergydio yn erbyn fy ysgwydd yn boenus cyn i mi sylweddoli bod fy mys wedi gwasgu'r gliced. *Pow!* Rowliodd sŵn y dryll dros yr ynys fel taran. Syrthiodd yr amlinell ddu oedd wedi neidio allan o 'mlaen i yn syth ar ei gefn fel sach o datws a daeth sŵn griddfan erchyll ohono. Llenwodd oglau powdr gwn llosgiedig fy ffroenau.

'Na!' meddwn i.

Gollyngais y dryll ar lawr, neidio tuag at y corff a chyrcydu wrth ei ymyl. Teimlwn fy hun yn fferru fel un marw. Llenwodd arswyd bob modfedd ohona i fel llysnafedd du diobaith.

Aled ydoedd, ei wyneb yn chwyddedig gan ergyd pelenni'r dryll.

'Na, na, na, na, na!'

Ni chlywodd. Daeth anadliadau olaf tynn o'i geg, yn pylu'n araf bach yn gymysg â sŵn curo'r tonnau ar y greigres gwrel, a sŵn yr hen aderyn yna'n gwawdio:

'Mŵ-dŵ! Mŵ-dŵ!'

*Mwrdwr, mwrdwr...*

# RHAN PEDWAR

# Teleri

WRTH I MI wylio, rhoddodd un o'r adar du y gorau i guro ei adenydd a gostyngodd i lawr ar y gwynt a chlwydo ar y goeden balmwydd uwch fy mhen. Ymestynnodd wddf hir, noeth o'i bentwr plu ac arno ben a phâr o lygaid fel dau fotwm sgleiniog yn syllu arna i.

Roeddwn i wedi eu gweld nhw yn y pellter o'r blaen, weithiau'n bwydo ar ddarnau o bysgod neu granc yr oedden ni wedi eu gollwng drwy gamgymeriad ar y ffordd yn ôl at y gwersyll. Ond doedden nhw erioed wedi dod mor agos.

Codais garreg lefn o'r llawr a gyda'r ychydig nerth oedd gen i, teflais hi at yr aderyn.

'Dos o'ma!' meddwn i.

Ni symudodd yr aderyn fodfedd wrth i'r garreg hwylio heibio iddo a syrthio gyda sŵn *sblwts* i ddŵr bas y môr glas.

'Gad iddo fo,' meddai fy nhad. Gorweddai ar lawr ar lecyn o laswellt sych rhwng y traeth a'r gwersyll. Ei goesau yn wylo crawn a'i freichiau wedi ymestyn bob ochr iddo fel petai'n gorwedd ar groes. Gwibiodd ambell i bryfyn o amgylch ei ben. 'Mae ar ben arnan ni beth bynnag. Ty'd, y deryn dwl, a thynna fy llygaid allan fel nad oes rhaid i mi weld yr ynys ddiawledig yma ddim rhagor.'

Symudodd yr aderyn du o droed i droed ar y gangen a siffrwd ei adenydd. Edrychai fel cyfuniad o dwrci a fwltwr, meddyliais i. Hwyliodd ambell aderyn tebyg i lawr ar y gwynt i ymuno ag o ymysg y coed.

'Mi o'n i'n arfar bod ofn marw, wyddost ti,' meddai 'nhad wedyn. 'Ond dw i'n meddwl bod popeth...' Chwifiodd ei law mewn un symudiad o'r coed palmwydd i'r môr i'r prysgwydd i'r bryniau gwyrdd y tu ôl i ni.

'So chi'n gallu jest penderfynu marw,' meddai Efa, gan godi ei phen o'i chôl.

'Does dim pwrpas byw, nagoes?' meddai fo. 'Mae Aled 'di mynd. Myfyr 'di mynd. Sna'm byd ar ôl.'

Wrth iddo siarad clwydodd dau aderyn arall gyda phlu du yn siffrwd fel sidan ar y goeden uwch ein pennau.

'Ond sdim ofn arna i rŵan,' meddai fy nhad yn bendant. 'Dyna'r peth ola y gall dyn ei reoli.' Caeodd ei lygaid fel petai'n ewyllysio ei enaid o'i gorff. 'Dw i'n meddwl bod yr ymennydd yn gwbod, yn y diwadd, pryd mae'r gêm ar ben ac mae'r awydd i fyw... mae o'n mynd, yn diflannu.'

'Fydda i a Teleri isie marw 'fyd os chi'n cario mlaen fel hyn!' Trodd Efa ata i. 'Teleri, gweda wrth dy dad ei fod e ddim yn mynd i farw!'

'Ydi o'n brifo?' gofynnais i fy nhad.

'Ddim mwy,' meddai a'i lais yn freuddwydiol. 'Mae fel gorwadd yn yn yr ardd adra, a gwylio gyr o adar yn mynd tua'r mynydd, ti'n cofio hynny? Tua Moel Eilio? Yn mynd tua'r pegwn... a dwi'n eu nabod nhw, Teleri. Mae dy fam di yno, a dwi isio mynd efo hi, i dop y mynydd.'

Daliais fy ngwynt a disgwyl iddo siarad eto. Ond roedd brest y Capten wedi dechrau codi a gostwng yn arafach a'i anadl yn rhuglo fel pe bai'n llawn cerrig. Ni ddywedodd ddim am bum munud arall.

'So ti'n meddwl bod e'n mynd i farw go wir?' sibrydodd Efa.

Yn sydyn teimlwn yn chwys oer drosta i er gwaethaf y gwres. Cnoeais fy ngwefus. Do'n i ddim mor siŵr. Roedd fy nhad mor benderfynol pan oedd o eisiau rhywbeth efallai y byddai marwolaeth yn colli 'mynadd ac yn dod amdano. Fe fu farw Mam yn reit siaradus nesa peth at y diwedd. Doedd hi ddim yn siarad yn gall, achos roedd y canser wedi lledu, ond roedd ei geiriau yn ddigon clir, fel nad oedd yn gwneud synnwyr ei bod hi yno un funud ac wedi mynd y funud nesa.

'Edrych ar ôl dy dad.' Dyna oedd hi wedi gofyn i mi wneud, yn yr oriau olaf yna pan oedd hi'n rhyfedd o eglur. A phriodi Aled! Dyna beth arall. Wel, ro'n i wedi gwrthod gwneud y ddau beth, yn doeddwn? O fwriad efallai, yn rhy stwbwrn, yn ddig at fy mam am ddefnyddio ei geiriau olaf i ollwng y fath faich trwm arna i.

Ond efallai mai hi oedd yn iawn. Efallai y dylwn i fod wedi gwrando, wedi ildio fy hun i'w baich hi o gadw'r teulu ynghyd. Achos roedd popeth wedi mynd ar chwâl rŵan. Ers dod i'r ynys. Ers y noson honno, bythefnos yn ôl, pan oedd Myfyr wedi ymddangos yng ngoleuni'r tân, yn waed i gyd, fel dyn gwyllt, yn honni ei fod wedi saethu Aled.

'Sori! Sori! Sori! Sori!' dawnsiodd ar flaenau ei draed, y dryll yn ei law.

'Sori am be?' mynnodd fy nhad. 'Be ddiawl sy 'di digwydd?'

'Camgymeriad oedd o! Camgymeriad–'

'Be?'

'Dwi 'di saethu Aled! Ond camgymeriad oedd o!'

'Ydi o'n... OK?' sgrechiais i, wedi neidio ar fy nhraed, yn barod i redeg, yn barod i'w achub. Ond gallwn weld bod bochau Myfyr yn lân gan ddagrau a gwyddwn bryd hynny fod Aled wedi marw. A theimlais, nid am y tro cyntaf, bod rhyw lanw na allwn ei reoli yn fy llusgo allan i'r môr, yn bell wrth y man yr oeddwn i eisiau bod.

Edrychais ar Efa, yn methu credu'r peth, ac roedd ei dwylo hi dros ei cheg, fel petai hi'n ceisio tagu sgrech.

Simsanodd fy nghoesau oddi tanaf wedyn a dawnsiodd wyneb Aled o flaen fy llygaid fel petai'n ysbryd oedd wedi ymddangos yn y fan a'r lle, yn ddigon agos i mi estyn a'i gyffwrdd. Ni allwn weld unrhyw beth tu hwnt iddo, y byd i gyd o'm cwmpas wedi pylu ac wyneb Aled oedd popeth, yn cofleidio a llenwi fy meddwl. Bob atgof ac emosiwn yn tanio ac yn saethu ar wib ar unwaith.

Aled...

Drwy fy nagrau roeddwn i'n clywed fy nhad yn mynd o'i go wedyn ac yn beio Myfyr am bopeth dan haul, am fethiant yr holl daith, am fethiant y Gymru Newydd. Ac yna roedd Myfyr a'r dryll wedi diflannu yn ôl i'r goedwig, wedi ffoi fel sgwarnog i dwll, yn sgrechian 'Sori! Sori!' a doedden ni ddim wedi ei weld ers hynny.

A dyma lle'r oedden ni o hyd, bythefnos wedyn, yn disgwyl i farw.

Ie, falle mai Mam oedd yn iawn gynt. Ac efallai mai Dad oedd yn iawn rŵan. Efallai mai dyma oedd y diwedd, a doedden ni ddim ond yn ymestyn pethau'n ddiangen wrth eistedd yma'n pendroni'n ddi-baid.

'Ti'n meddwl dylen ni dreial symud e?' gofynnodd Efa wedyn.

'I le?' meddwn i drwy fy nannedd.

'O fan hyn.'

'Pam?'

Cymerodd Efa anadl arall. 'Falle bydde'r bobol yna'n gallu helpu?'

'Pwy?'

'Y brodorion.'

'Mynd atyn nhw?' gofynnais i'n gegrwth. 'A chael ein byta?'

'So ni'n gwbod bo nhw'n byta pobol. Rhwbeth wedodd dy dad o'dd hynny.' Cododd fraich denau a phwyntio at yr adar. 'A falle gawn ni'n byta ta beth os aroswn ni fan hyn.'

Roedd hynny'n wir. Roedd golwg rhy debyg i gyrff celain arnom ni i'r adar allu dweud y gwahaniaeth bellach.

'Falle y bydden nhw'n gwbod sut i wella clwyfau,' meddai Efa. Edrychodd ar goesau heintiedig fy nhad. Allwn i ddim edrych. Roedden nhw'n troi fy stumog. 'Bod gyda nhw wybodeth am blanhigion... meddyginieth.'

Meddyliais am hynny am funud ac ysgwyd fy mhen. 'Wnawn ni byth ddod i ben â'i symud o, Efa.' Edrychais arni, ar ei chorff ysgerbydol. Gallwn weld sawl crafiad dwfn ar ei breichiau lle'r oedd hi wedi bod yn tynnu cerrig miniog ar eu hyd ac yn torri'r croen pan oedd hi'n meddwl mod i ddim yn edrych. Doedd hi ddim yn ddigon cryf.

'Sneb byth yn meddwl bo fi'n gallu neud pethe,' atebodd, yn annisgwyl o siarp. Pwysodd ei phen i mewn i'w bol ac roeddwn i'n meddwl ei bod hi wedi rhoi'r gorau i ddadlau. Ond yna er syndod imi, gwthiodd ei hun i fyny ar ei choesau simsan. Roedd fel gwylio bwrdd smwddio yn ymagor. Ac yna dyma hi'n brasgamu draw at fy nhad, fel ebol newydd-anedig.

Pwysodd i lawr a chydio yn ei fferau.

'Efa!' Neidiais ar fy nhraed a brysio ati.

Deffrodd fy nhad o'i syfrdandod. 'Be ddiawl dach chi'n neud?'

'Symud!' meddai Efa.

'I le? I be?'

'Er mwyn... mynd o 'ma!' meddai hi. Gyda gewynnau ei breichiau yn tynhau fel cortynnau llwyddodd Efa i godi coesau Dad oddi ar y llawr a llwyddais innau i'w godi hefyd gerfydd ei arddyrnau ac fe gerddon ni ambell gam. Teimlai'n syndod o ysgafn i ddechrau. Ond erbyn i ni gyrraedd ryw ddeg llath roeddwn i'n dechrau teimlo'n benysgafn a fy mreichiau yn sgrechian am gael gadael eu socedi. Roedd wyneb Efa mor goch â'r haul ond nid oedd yn fodlon gadael fynd.

'Gadewch lonydd i fi!' ebychodd fy nhad ond roedd yn rhy wan i strancio. 'Ma 'nghoesau i'n llosgi! Aw aw aw aw!'

Roedd rhaid croesi pentwr o gerrig ar y traeth a gwnaeth hynny bethau'n fwy anodd fyth wrth i ni droi ein cyrff y naill ffordd a'r llall ac ymestyn ein coesau ar led a chymryd camau bychain, anystwyth rhyngddynt.

'Gadwch fi fod!' meddai fy nhad.

'Dwi. Angen. Rhoi. E. Lawr!' meddai Efa o'r diwedd, a phob gair yn dianc o'i cheg rhwng anadliadau byr a siarp.

Gostyngais gefn Dad ar lawr a gollyngodd Efa ei goesau. Syrthiodd hi ar y tywod fel pe bai rhywun wedi tynnu ei phlwg o'r wal, a gorwedd yno'n ddiymadferth wrth ochr Dad. Pwysais innau yn erbyn un o'r creigiau mawr rhuddgoch i gael fy ngwynt ataf – un o'r creigiau mawr yr oeddwn yn cofio ei dringo ar ein diwrnod cyntaf ar yr ynys.

Dylwn i fod wedi teimlo anobaith llwyr. Doedden ni prin wedi mynd ugain llath. Ond er gwaethaf popeth roedd yr antur fechan wedi fy sbarduno. Teimlwn ias fach yn goglais fy asgwrn cefn. Dechreuais chwerthin.

Chwarddodd Efa hefyd, ei chorff tenau'n ysgwyd ar lawr fel pe bai pa bynnag gyflenwad trydan oedd wedi dod i derfyn ynghynt wedi cael ei ail-lenwi.

'Beth ddiawl sy'n mynd ymlaen gyda chi'ch dwy?'

cyfarthodd fy nhad. 'Dach chi 'di mynd yr un mor dw-lal â Myfyr.'

'Ni'n mynd i weld y brodorion,' meddai Efa, a chodi ar ei thraed yn araf.

'Be?' gofynnodd fy nhad yn gegrwth. 'A gadael popeth ar ôl? Honco!' Croesodd ei freichiau fel plentyn ystyfnig yn gwrthod symud.

Gwthiais fy hun ar fy nhraed oddi ar ochr y garreg. 'Ydan, dan ni'n mynd.'

Goleuodd wyneb Efa.

'Well nag eistedd fa'ma'n disgwyl i'r adar fyta ni,' meddwn i.

'Ond snam byd ar ôl,' meddai fy nhad. 'Mae Myfyr 'di mynd. Aled hefyd. A dw i wedi eich lladd chi hefyd, tydw? Dwi wedi mynd â'r cyfan efo fi.'

'Da ni'n mynd a dyna'i diwadd hi,' meddwn i. 'Hyd yn oed os fydd raid eich llusgo chi yno gerfydd eich pen ôl.'

'No wê ydw i'n cael fy llusgo i mewn i bentre y brodorion gynnoch chi'ch dwy.' Tuchanodd. 'Teleri – dos i nôl fy ffon gerddad i.'

Mi es i'n ôl yr ugain llath i'r gwersyll a chodi bag ac ambell i botyn a photel ar gyfer y daith, gan gynnwys ffon fy nhad. Gadewais y babell oren a oedd yn hen ddisgyn yn ddarnau ac yn dyllau i gyd.

Daeth Efa draw wrth i mi ddychwelyd, allan o glyw fy thad. 'Falle ddylen ni... falle ddylen ni fynd â rhai o ddillad Aled a Myfyr i ni ga'l eu gwisgo,' meddai. 'Os ewn ni fel hyn...' Lapiodd ei dwylo o amgylch ei hun yn amddiffynnol.

Nodiais fy mhen. Fe fyddai cael ein bwyta yn ddigon drwg, ond roedd yna bethau gwaeth na marwolaeth. Es i draw i'r llochesi i gasglu'r hyn oedd y bechgyn wedi eu gadael ar eu hôl. Teimlai'n rhyfedd i wisgo un o grysau-T Aled fel gŵn nos amdana i. Roedd yn dal i ogleuo ohono. Ond roedd yn gwneud i mi deimlo efallai ei fod o yno efo ni. Yn rhannu rhywfaint o'i gryfder â fi.

Erbyn i mi gyrraedd yn ôl roedd fy nhad wedi llwyddo i godi'i hun ar ei draed gyda help Efa.

'O!' galwodd a chlywais ei bengliniau'n popio. Safodd i fyny a'i goesau plygiedig yn crynu, cyn llacio ei afael fymryn ar Efa a rhoi ei bywsau ar y ffon. Anadlodd yn drwm. 'Mi bydda i'n iawn yn munud.'

Fe roddais i un o grysau Myfyr i Efa ei wisgo, ac yna fe gerddon ni ymlaen, yn araf bach i ddechrau, ac yna ychydig bach yn fwy sionc wrth i ni ystwytho. Tri chorff gelain yn cerdded yn rhes, yr adar du yn ein gwylio'n siomedig.

'Mae'n wyrth,' meddai fy nhad, yn hercian ymlaen ac yn gosod gwaelod ei ffon yma a thraw ymysg y cerrig. 'Ella bod hyn yn arwydd o ryw fath, yn arwydd nad ydi popeth ar ben wedi'r cwbwl... Roedd yn rhaid iddyn nhw i gyd wynebu adegau anodd, yn doedd? Moses? Yr Iesu? Owain Glyndŵr? Mae methiant yn rhan o'r ymdrech... yn rhoi min ar y fuddugoliaeth ar y diwedd.'

Edrychais i ac Efa ar ein gilydd, a dweud dim.

# Efa

ROEDDEN NI'N GALLU ogleuo'r gors cyn ei chyrraedd. Oglau llym, llaith, fel wyau yn pydru yng ngheseiliau cyrff celain. Oglau tamp a phydreddol oedd yn gwneud i'r bustl gronni yng nghefn fy ngwddf, gan greu blas fel pe bai fy ngheg yn llawn dail hydrefol oedd wedi casglu'n rhy hir mewn gwter tŷ.

'Mae'n drewi fatha tail gwarthag yma,' meddai'r Capten gan atal ei hercian er mwyn snwffian yr awyr.

'Yn lot gwaeth,' meddai Teleri. 'Dwi'n reit hoff o oglau tail.'

Pan ddaeth y gors i'r golwg drwy'r coed, nid oedd ei golwg fawr gwell na'r oglau. Roedd yn ddrysfa o afonydd a morlynnoedd, y dŵr yn frown mwdlyd a sglein fel olew arno. Tyfai algâu yn gudynnau gwyrdd tywyll yma a thraw ar yr wyneb.

Crafais fy mhen gan symud ambell i frigyn oedd wedi nythu ynddo. 'Odyn ni 'di dod y ffordd anghywir?' gofynnais. Doedd hi ddim yn ymddangos yn debygol i Myfyr ac Aled ddod y ffordd yma er mwyn mynd i bentref y brodorion.

'Mae'n afiach,' tagodd Teleri, ac am unwaith roedd y gair yn addas. Roedd y lle'n drewi o afiechyd. Tyfai gwair uchel fel brwyn gwymonaidd allan o'r dŵr bas, a dawnsiai pryfaid ar yr wyneb.

Doedd yna ddim ffordd amlwg o gwmpas y gors. Tua

chyfeiriad canol yr ynys ni allwn weld dim ond clogwyni anferth, llym, a'u hwynebau yn gysgod du. Felly fe gerddon ni ar hyd ymyl y dŵr pydredig i gyfeiriad y traeth. Roedd hi'n tynnu at ganol y prynhawn a'r goedwig yn gymysgedd o synau aflafar. Cerddwn ar goll yn fy meddyliau fy hun, yn meddwl am Myfyr, ac yn meddwl am Aled, ac yn ystyried ai fy mai i oedd e fod un wedi marw a'r llall wedi ffoi.

Roedd gen i deimlad afiach yn mêr fy esgyrn bod Myfyr wedi dod i wybod amdana i ac Aled, y diwrnod gwallgof hwnnw. Ei fod wedi ein dilyn ni, ac mai esgus bod â'i ben yn ei lyfr byth a beunydd oedd e. Ei fod yn gwybod y cyfan ac wedi dial ar Aled. Roedd hynny'n ymddangos yn llawr tebycach i mi na derbyn mai damwain oedd y cwbl. Ac os oedd e wedi lladd Aled, efallai ei fod yn bwriadu dial arna i hefyd.

Roedd gen i deimlad bod Teleri hefyd yn amau, am iddi fod mor oeraidd tuag ata i yn ystod y pythefnos diwethaf.

'Shh!' meddai hi'n sydyn, gan godi ei llaw.

Ataliais fy ngham. Roeddwn i wedi crwydro rhyw ugain troedfedd o'u blaenau nhw.

'Beth?'

Cripiodd Teleri ar ei chwrcwd at ymyl y goedwig a syllu i mewn fel petai'n gwylio neu'n gwrando'n astud.

'O'n i'n meddwl i mi weld...' Crafodd ei boch.

Gwrandawais yn astud ar sŵn parhaus y sïo a'r trydar o'n hamgylch ond ni allwn glywed dim byd y tu hwnt i hynny.

'Brodorion?'

'Na. Dim ots.' Sbonciodd yn ôl ar ei thraed a'm dilyn. 'Ty'd,' meddai wrth iddi hi a'i thad gamu heibio i mi. 'Dim ond ni sy yma.'

Daeth rhywfaint o awyr iach o gyfeiriad y môr i dorri ar ddrewdod y gors. Ond wrth edrych i lawr ar yr arfordir gallwn weld bod y gwlypdir yn cyfogi allan i'r bae gan droi'n gannoedd o ynysoedd mangrof bychain a ymestynnai allan fel bys i'r môr. Rhaid nad oedd y greigres gwrel ddim yn gwarchod y traeth fan hyn oherwydd roedd y tonnau'n fwy o lawer. Yn ddigon mawr i'm torri yn fy hanner tasen i'n mynd i'w canol nhw.

'Bydd rhaid i ni fynd drwy'r gors,' meddwn i. 'O leia ma llai o lanw yno.'

Rhythodd Teleri arna i'n gegagored. 'Ti wir am fynd i mewn i hwnna?'

'Dŵr yw e. Dŵr drewllyd – ond dŵr.'

'Ma isio gwagio'r bali lot i'r môr,' meddai ei thad. 'Dyma'r union fath o beth 'swn ni 'di gallu cael trefn arno. Rhoi siâp ar bethau.'

Cerddais at lan y gors a dod o hyd i fan lle edrychai'r dryswch o foncyffion a gwreiddiau ychydig yn fwy hygyrch.

Efallai y byddai Teleri yn cael pleser o'm gweld hyd at fy nghorun mewn llysnafedd. Ond dyna ni – doedd dim ots 'da fi erbyn hyn, dyna'r gwir amdani. Roeddwn i'n arfer poeni gymaint am sut oeddwn i'n edrych, am fy mod i'n meddwl mai dyna'r unig beth amdana i oedd yn plesio pobol eraill. Ond pa bwrpas oedd poeni am bethau fel yna mwyach? Roedd rhaid byw. Roedd rhaid goroesi.

Llenwais fy ysgyfaint at fy mochau ag aer a chau bysedd un llaw fel peg am fy nhrwyn, camu i lawr a thorri drwy'r croen afiach o algâu ar wyneb y dŵr. Gostyngais i mewn hyd at fy mhengliniau. Doedd y gors ddim yn ddwfn ond roedd ei gwaelod yn hynod o lithrig dan draed, fel petai pob carreg yn orchuddedig â mwsog. Gogleisiodd rhywbeth fy nghoes ac fe aeth ias drwydda i, ac wrth i mi droi nofiodd madfall heibio, fodfeddi o'm corff, fel penbwl, ei chynffon yn troelli yma a thraw. Llwyddais i beidio â sgrechian, ond rhydiais yn fy mlaen yn fwy brysiog, a bu bron i mi golli'r holl anadl oedd gen i. Y cyflymaf oeddwn i'n mynd, y cyflymaf y byddwn i allan o'r fan hyn.

Wedi mynd rhyw ddeg llath roedd fy ysgyfaint fel plwm. Roedd rhaid i mi ollwng fy anadl a chymryd llond ysgyfaint o'r aer sur. Anadlais allan am yn hir ac yna i mewn, a llenwodd fy ysgyfaint ag oglau llwtra. Bu bron i mi gyfogi yn y fan a'r lle.

'Paid mynd yn rhy bell,' meddai Teleri, a dringo i mewn ar fy ôl i â sblash a yrrodd donnau bychan i fy nghyfeiriad. Gwyddwn i na allai fy ngweld i'n cael y blaen arni.

'Hei!' meddai'r Capten. 'Peidiwch â 'ngadael i!' gan ddringo'n ochelgar i lawr glan y gors.

Rhydiais yn fy mlaen, gan gydio ym mrigau'r llwyni mangrof a gaeai yn dwneli clawstroffobaidd dros y gweunydd. Roeddynt mor ddwys dim ond rhywfaint o oleuni'r haul a dorrai trwyddynt a chyffwrdd y dŵr cymylog. Er na allwn weld llawer gallwn glywed digon – canu grwndi pryfaid a thelor adar a chrawcian ymlusgiaid. O dan y dŵr gallwn deimlo gwreiddiau'r coed yn ddryswch hefyd ac roedd yna rywbeth llysnafeddog, anghynnes am y gwymon a'r gwreiddiau a'r pysgod wrth iddynt lyfu fy nhraed.

Fe aeth y dŵr yn ddyfnach a dyfnach a chyn bo hir nid oedd bodiau fy nhraed braidd yn cyffwrdd y gwaelod o gwbwl ac mi'r oeddwn i fyny at fy ngên yn y llaca. Cydiais yn y boncyffion uwch fy mhen a cheisio tynnu fy hun ymlaen ond doeddwn i ddim digon cryf a llithrodd fy llaw ar un ohonyn nhw a syrthiais i lawr i dywyllwch y dŵr, cyn crafangu yn ôl at yr wyneb gan gicio fy nghoesau'n wyllt.

'Yyyych,' meddwn i gan ddod i fyny eto a dod o hyd i

droedle a cheisio crafu'r baw oddi ar fy nhafod a'i rwbio allan o'm llygaid a gwneud pethau'n waeth wrth wneud hynny.

'Ti'n iawn?' daeth llais Teleri rhwng brigau'r coed. Swniai yn bell i ffwrdd.

Tynnais y stribynnau o laca oddi ar fy ngwyneb, a phoeri'r dŵr afiach o'm ceg. 'Odw.' Teimlais fy hun yn gwenu'n hurt er gwaethaf popeth. Rhaid bod fy ngwallt yn ddu fel parddu. 'Fi'n iawn!'

Edrychais draw i gyfeiriad llais Teleri a deall ei fod yn rhaid ei bod hi a'r Capten wedi cymryd eu llwybr eu hunain drwy'r ddrysfa. Prin y gallwn weld eu hamlinellau rhwng y dryswch o goed cnotiog bob ochr a doeddwn i ddim yn siŵr ai wyneb y dŵr yn taflu cysgodion ar frigau'r coed oedd hynny.

Ond fe allwn i glywed y Capten yn parablu: 'Dyma oedd Cymru ar un adeg – yn gorsydd du i gyd. Cyn i bobol wella'r tir.'

'Wela i chi pen arall,' meddwn i, gan wybod y byddai ras o ryw fath yn siŵr o ysgogi Teleri yn ei blaen. O fod wedi mynd din dros ben i'r dŵr unwaith roedd man a man i mi geisio padlo drwy'r gweddill.

Yn sydyn bwriodd rhywbeth bychan a siarp fi ar gefn fy mhen. 'Aw!' Ro'n i'n meddwl am funud fy mod i wedi cael fy mhigo gan uffar o fosgito. 'Beth ddiawl?' Teimlais gefn fy mhen ond ni allwn ddod o hyd i bryfyn na chwaith unrhyw lwmp yno.

Yna crafodd rhywbeth yn erbyn fy mraich. Gwelais ef yn bwrw'r dŵr a llwyddais i gydio ynddo a'i ddal i fyny yn yr ychydig oleuni o 'mlaen i. Cragen? Cragen o'r traeth, heb ei hagor. Beth ddiawl oedd cragen yn ei wneud yn syrthio o'r awyr fel yna?

Dyna pryd y gwelais ganghennau'r coed o'm cwmpas yn

plygu am i lawr rhyw ychydig. Roedd rhywun neu rywbeth yn dringo ar eu hyd.

'Helô?'

Clywais sgrech fel un ddynol a throeais ac er syndod gwelais wyneb bychan pinc, maint un babi, yn syllu arna i a phâr o ddannedd siarp fel rhai fampir yn ei geg agored. Sgrechiais yn ôl ac roedd hynny'n ddigon i ddychryn y creadur a drodd ar ei sawdl a dringo fel, wel, mwnci – am mai dyna oedd o – i fyny'r coed gan wichian. Y peth olaf a welais oedd cynffon hir ddu yn diflannu o'r golwg.

'Ti'n iawn, Efa?' galwodd Teleri, a'i llais yn llawn pryder.

'Mwnci!'

Roeddwn i'n meddwl fy mod i wedi llwyddo i ddychryn y bwbach bach oddi yno. Ond yna suddodd fy nghalon oherwydd fe glywais y creadur – a oedd wedi cyrraedd brig y gwrych mangrof uwch fy mhen erbyn hyn – yn galw allan dros y gweunydd. 'Hica-wa-wa-wa-wa-wa-wa-wa!' Doedd dim angen cyfieithydd i ddeall y neges honno.

'Dwi'n meddwl bod y blydi teulu cyfan ar eu ffordd,' meddwn i.

Rhoddais fy mhen i lawr a cheisio hanner nofio hanner ymbalfalu orau allwn i drwy'r dŵr, ond doedd fy nhraed ddim yn cael llawer o afael ar lawr ac roedd yna wreiddiau trwchus yn bwrw i mewn i fy mol a'm coesau o hyd. Roedd yna rywbeth miniog arnyn nhw a dyfalwn mai cregyn oedd rheini a dyna oedd y mwnci wrthi'n eu pysgota cyn i mi ei styrbio.

Yna dechreuodd y brigau uwch fy mhen hercian i fyny ac i lawr, fel cylch o hen wragedd yn cytuno â'i gilydd, a mwyaf sydyn llenwyd yr awyr â cherrig bach a chregyn a darodd wyneb y dŵr fel bwledi. Clywais sgrechian gwyllt ac yn yr hanner goleuni gallwn weld wynebau crwn y mwncïod fel lleuadau bach yn hofran yn y tywyllwch o'm cwmpas. Bu'n rhaid i mi blymio o dan y dŵr a nofio ymlaen orau allwn i gyda fy llygaid ar agor, gan ddal fy ngwynt.

Er gwaetha'r haen aflan ar yr wyneb, roedd hi'n weddol glir o dan y dŵr a gallwn weld bod gwreiddiau'r coed yn ysgol feithrin o bysgod bychain, a bod y pysgod yn pigo ar y mwsog a'r sbwng a dyfai arnyn nhw. Roedd y gwreiddiau'n drwchus ac roedd molysgiaid yn cydio ynddynt – dyna oedd wedi bod yn crafu fy nghoesau.

Des i'n ôl at yr wyneb ac roedd sgrechian y mwncïod yn dal i'w glywed, yn ogystal â sgrechian Teleri a gweiddi'r Capten, ond ni allwn eu gweld. Doedd gen i ddim syniad lle'r oeddwn i chwaith – ro'n i wedi colli fy synnwyr cyfeiriad yn gyfan gwbwl dan warchae. Y cyfan allwn i ei wneud oedd dringo yn fy mlaen, gan ddefnyddio'r brigau uwch fy mhen fel bariau – ie, bariau mwnci – a gwasgu rhwng y coed lle allwn i.

'Fe allwn i fod mewn fan hyn am byth,' meddyliais yn sydyn, gan gofio nad oeddwn i'n gwybod lle'r oedd y pen draw. Fe allai'r goedwig mangrof fod mor fawr â milltir ar ei thraws hyd y gwyddwn i. Teimlwn yn gyfan gwbwl flinedig cyn dechrau ond erbyn hyn doedd gen i bron ddim egni i gadw fy mhen uwchben y dŵr.

'Teleri?' galwais, ond ni chlywais ateb. 'Morys?' Efallai fod y mwncïod wedi eu llabyddio nhw, meddyliais.

Wedi ychydig funudau o ymbalfalu yn fy mlaen caeodd y brychni amlganghennog yn garchar o'm cwmpas ac ni welwn yr un ffordd allan ond mynd yn ôl. Roedd y dŵr ychydig yn gliriach yn fan hyn ac roedd yn codi a gostwng rhyw fymryn gyda'r llanw – dyfalwn fy mod i wedi crwydro i gyfeiriad y môr.

Doedd gen i ddim mo'r egni i fynd yn ôl ac roeddwn i wedi blino cymaint ystyriais o ddifri a fyddai'n well i mi gau fy llygaid a lled-orwedd ar y dŵr nes suddo i lawr i ebargofiant ac ymuno â'r gwymon yr oedd y pysgod bach yn gwledda arno.

Ond yna clywais sŵn *plop* fel petai rhywbeth wedi aflonyddu ar wyneb y dŵr, a saethodd crychdonnau heibio. Gwelais gefn pysgodyn arian yn torri drwy'r wyneb. Roedd yn fwy na'r pysgod bychain eraill a dyfalwn ei fod wedi dod yno i hela'r creaduriaid llai. Ac os oedd hwn wedi dod i mewn o'r môr mawr efallai ei fod yn gwybod y ffordd allan hefyd, meddyliais, ac ar ôl cymryd anadl plymiais i lawr ar ei ôl a'i ddilyn.

Diflannodd y pysgodyn drwy dwnnel tanddaearol o fonion mangrof a oedd yn ddigon mawr i mi wasgu fy nghorff tenau drwyddynt. Tynnais fy hun yn fy mlaen drwy'r ddrysfa igam ogam gan ddilyn cynffon arian y pysgodyn yn tywynnu yn yr ychydig oleuni o'm blaen. Ond i'm harswyd sylweddolais nad oedd diwedd i'r twnnel cyfyng o fewn golwg ac y byddai bron yn amhosib i mi fynd am yn ôl pe bai rhaid, a doedd dim ffordd i'r wyneb. Gallwn glywed curiad fy nghalon yn ffustio yn fy nghlustiau wedi eu hamlygu gan fyddardod y dŵr.

Roedd fy ysgyfaint yn llosgi eisiau anadl erbyn hynny ac mi es i banic llwyr a chrafangu ymlaen yn wyllt. Edrychais o'm hamgylch am allanfa ond y cyfan y gallwn ei weld oedd smotiau o flaen fy llygaid. Roedd ar ben arna i. Diflannodd y swigod olaf o aer o'm ceg. Cydiais yn fy ngwddf er mwyn ceisio atal fy hun rhag anadlu. Paid anadlu, paid anadlu... fe fydd ar ben arnat ti...

Efallai mai dychmygu'r peth oeddwn i ond rwy'n siŵr i mi deimlo rhywbeth yn cydio yn fy arddwrn, ac yna teimlais y dŵr yn ysgubo drwy fy ngwallt, fe pe bawn i'n symud yn gyflym.

Ac yna fe anadlais... a theimlo'r dŵr trwm yn llenwi fy ysgyfaint nes eu bod bron â byrstio.

Yna gwelais oleuni llachar ac ro'n i'n cymryd fy mod i wedi marw. Roedd fel deffro o gwsg dwfn, o freuddwyd real, heb fod yn siŵr a oeddwn i'n dal i gysgu. Roeddwn i'n gallu clywed sŵn rhywun yn chwydu ac wedi hanner munud sylweddolais mai fi oedd yn chwydu. Yn chwydu dŵr dros bob man. Teimlai fel concrid y tu mewn i mi, a nes ei fod e i gyd allan ni fyddwn yn gallu anadlu'n iawn. Roedd fy ngheg a fy nhrwyn a fy stumog a fy ysgyfaint yn llawn dŵr a llysnafedd afiach. Dyma fi'n chwydu a chwydu, fy nghorff yn ysgwyd nes mod i'n chwydu dim.

'Ti'n iawn?'

Gwelais wyneb brwnt, barfog yn edrych i lawr arna i. Edrychai fel wyneb y Capten.

Amneidiais fy mhen a gorwedd yn ôl.

'Efa!'

Agorais fy llygaid eto. Teimlai fel pe bai amser wedi mynd heibio eto. Codais ar fy eistedd. Roeddwn i'n eistedd ar garreg, ar lan y gors – y pen arall, diolch byth. Gallwn glywed y môr a gweld y ddrysfa o blanhigion mangrof yn ymestyn i'r pellter.

'Efa!'

Troeais fy mhen a gweld Teleri a'r Capten yn rhydio drwy'r dŵr tuag ataf, yn orchuddedig â mwd. Teleri oedd yn gweiddi.

Codais law wan tuag atynt.

Dringodd y ddau i fyny allan o'r llaca. Roedd y dagrau'n rhedeg yn stribedi i lawr gruddiau Teleri a dyna'r unig ran o'i hwyneb oedd yn lân.

Syrthiodd i lawr wrth fy ochr.

'O'n i'n siŵr bod y mwncïod wedi dy ladd di,' meddai hi. Rhoddodd glamp o goflaid i fi, a gwasgodd y llysnafedd allan rhwng ein cyrff yn swigod.

Edrychais ar y Capten. Edrychai fel dyn eira du a dim ond ei lygaid yn y golwg, ei farf yn glymau blêr. 'Dwi'n teimlo fatha dafad sy 'di bod drwy'r dip!' meddai.

'Aethoch chi'n ôl?' gofynnais.

'Be?'

'Weles i chi,' meddwn i gan gyfeirio at Morys. 'Dynnoch chi fi mas o'r dŵr.'

'Dw i heb dy weld di ers i ti fynd off hebddon ni ben arall y gors,' meddai. Eisteddodd i lawr wrth fy ochr. Edrychai wedi ymlâdd. 'Wyddoch chi be? Dach chi'ch dwy'n gryfach nag o'n i'n feddwl. A finnau hefyd.' Gorweddodd yn ei ôl. 'Efallai nad ydi hi ar ben arnan ni wedi'r cwbwl.'

Yna gwelais fod Teleri yn syllu arna i'n od. Roedd cyhyrau ei hwyneb wedi mynd yn llipa. 'Lle gest ti honna?' gofynnodd, gan godi bys crynedig.

Troeais fy mhen. Wrth fy ochr yn y gwair hir gorweddai gwaywffon. Gwaywffon wedi ei thorri yn ei hanner. Gwaywffon gyfarwydd.

Gwaywffon Aled.

# Myfyr

ROEDD Y LLOER yn hongian yn fawr ac yn llachar dros yr ynys erbyn i mi ddychwelyd i'm lloches wrth galon y diffeithgoed. Pant yn y ddaear oedd y guddfan, wedi ei hamgylchynu gan goed palmwydd wedi eu clymu at ei gilydd gan len o winwydd trwchus. Cripiais fel mwydyn rhyngddynt a rowlio i lawr i ganol y gwreiddiau troellog a'r dail. Wrth orwedd yno ar fy nghefn gallwn weld y sêr ond ni allai unrhyw un fy ngweld i, hyd yn oed pe baen nhw'n sefyll pum troedfedd i ffwrdd.

'Lle ma'r dryll 'na?' mwmiais dan fy ngwynt wrth grafu o gwmpas yn y gwasarn wrth fy ymyl. Oedd, roedd yn dal yno, wedi ei guddio o dan y dail a'r brigau.

Yno dan draed hefyd roeddwn i wedi claddu Aled, mewn bedd bas, ar ôl ei lusgo rhyw hanner milltir o bentref y brodorion. Allwn i ddim wynebu ei adael o yno ar y traeth, i gael ei lyncu gan y môr neu ei ddarganfod yn y bore gan frodorion syn. Roedd yn haeddu claddedigaeth iawn o leiaf, er bod fy nwylo'n ddoluriau i gyd o grafu yn y baw.

Ro'n i wedi rhoi ambell i beth arall i mewn i'r bedd efo fo. Tamaid o fwyd, ambell garreg siâp diddorol yr olwg. Fy llyfr, yr unig un oedd gen i. Er mod i'n gwybod nad oedd yn ddarllenwr, mi o'n i eisiau cynnig rhywbeth gwerthfawr oddi wrtha i er mwyn dweud sori wrtho.

Cyn dod i'r ynys fe fyddwn i wedi dweud nad oeddwn i'n

credu mewn bywyd ar ôl marwolaeth o gwbwl. Bryd hynny gallwn ddewis a dethol beth oeddwn i'n ei gredu, gallwn chwalu credoau pobol eraill, eu tynnu'n ddarnau, er fy nifyrrwch fy hun. Ond fan hyn roedd credu yn fater o raid. Credu er mwyn angori fy hun, er mwyn cadw gafael ar obaith, er mwyn peidio â mynd yn honco.

Siglais yn ôl ac ymlaen yn y tywyllwch, gyda'm breichiau o fy nghwmpas, yn trio cynhesu fy hun a chysuro fy hun a mynd i gysgu. Roedd palmwydd y coed a amgylchynai fy lloches yn hongian i lawr a lleithder y diwrnod yn rhedeg yn afonydd bychain oddi arnynt wrth i'r noson oeri. Edrychais i fyny a digwydd gweld cneuen goco gron berffaith. Ac yng ngoleuni'r lloer edrychai'r tyllau fel llygaid a cheg yn syllu i lawr arna i a'r rheini wedi eu dyfnhau gan oleuni'r lleuad.

'Helô, Mr Cneuen Goco,' mwmiais.

Dwn i'm ai mynd o 'ngho eisiau sgwrs oeddwn i, ond roedd y gneuen yn edrych yn debyg iawn i wyneb.

'Ti'n edrych braidd yn syn i 'ngweld i!' meddai fi wedyn. A dyma fi'n chwerthin yn uchel ar fy jôc fy hun, cyn rhoi fy mhen yn fy nwylo a beichio wylo i fy marf drwchus.

Ac yna, er syndod imi, mi ddechreuodd y gneuen siarad hefyd. 'Ti 'di bod allan yn gneud dryga eto?' gofynnodd, mewn llais tebyg iawn i'm hun i.

'Fi yn gneud dryga? Na, na, na, na,' meddwn i. 'Hogyn da dw i, hogyn da.' Gwasgais fy mochau â chledrau fy nwylo.

'Roeddat ti'n gneud mwy o ddryga heddiw, yn trio bod yn arwr,' meddai'r gneuen goco.

'Roedd rhaid i mi ei hachub hi, yn doedd?' meddwn i. Tynnais fy mysedd drwy fy marf i ryddhau rhai o'r clymau. 'Gneud yn iawn am...'

Edrychais ar y gneuen goco i weld a oedd yn cymeradwyo,

ond syllodd yn ôl i lawr arnaf, pantiau ei llygaid du yn gwbwl ddidostur.

'Gneud yn iawn?' gofynnodd y gneuen. 'Fel dy fod yn teimlo'n llai euog am ladd Aled.'

'Wnes i'm aros wrth gwrs. I gael clod...'

'Clod? Ma'n nhw'n dy gasáu di am be nest di.'

Ysgydwais fy mhen.

Oedodd y gneuen goco. 'Ti'n dal isio sleifio yn ôl atyn nhw, yn dwyt? Isio iddi hi dy garu di unwaith eto. Isio iddi faddau.'

'Mi ddes i'n ôl!' protestiais. Roedd y gneuen yn bod yn annheg. 'Mi ddes i'n ôl.'

'Am dy fod ti ofn. Ofn dy dad a dy chwaer. Ofn eu casineb. Nid euogrwydd wyt ti'n deimlo, ond ofn.'

Meddyliais yn ôl i'r noson honno ar y traeth. Noson glir fel hon. Wyneb Aled wedi malurio, ei wddf yn ddarnau, wedi eu llurgunio gan fwledi'r gwn. Teimlwn yn sâl wrth feddwl am y peth.

Dechreuais igian wylo eto.

Ro'n i wedi bod yn hogyn da drwy fy oes. Yn rhywun o werth. Ond nawr doeddwn i'n ddim. Baw isa'r domen. Yn bryfyn ymysg y dail. Yn esgymun.

'Dwyt ti ddim yn haeddu bod yn hapus, yn saff, na chael dy garu,' meddai'r gneuen goco.

'Nag ydw,' meddwn i. 'Ti yw fy unig ffrind sy ar ôl.'

'Does gen ti ddim ffrindiau ar ôl. Mi wnest ti fy lladd i.'

Troeais i edrych i fyny eto, ac i'm braw, nid cneuen goco welais 'i, ond wyneb Aled yn syllu i lawr arna i, yn hongian o'r goeden uwch fy mhen. Ond roedd ei lygaid yn bantiau du disymud fel rhai'r gneuen goco, a'r crychau fu ar wyneb y gneuen bellach yn glwyfau bwledi'r dryll. Sgleiniodd ei wyneb yng ngoleuni afreal y lleuad.

'A-a-aled?' Gwthiais fy hun am yn ôl yn erbyn ymyl y pant.

'Myfyr.'

'Ddrwg gen i,' meddwn i a'm llygaid ar led. 'F-fi ddylai fod wedi marw. Fe fyddai wedi bod yn well i bawb taswn i wedi marw yn dy le.'

'Byddai.'

'Alla i byth newid pethau, er mor galed dw i'n trio.'

'Na alli.'

'Alla i ddim brifo pobol eraill.'

Teimlwn yn oer drosta i gyd. Syllais i lawr ar fy nwylo. Roedden nhw fel dwylo hen ddyn.

'Alla i ddim.'

'Be?'

'Aros fan hyn am byth.'

Meddyliais yn ôl i'r eiliad honno pan oeddwn i wedi achub Efa o'r dŵr. Wedi llusgo ei chorff tenau i fyny ar ymyl y lan. Ei hwyneb mor welw a bregus. Tybiais am funud ei bod hi wedi marw. Ond yna gwelais ei llygaid glas yn agor... a llenwodd fy nghalon â gobaith...

Roedd hi'n edrych fel angel.

Troeais fy ngwyneb i ffwrdd oddi wrth y pen wyneb Aled.

'Alla i ddim aros.'

'Dwyt ti ddim yn haeddu gwell.'

'Alla i ddim gneud yn iawn am dy ladd di drwy guddio.'

'Fe allet ti neud petha'n waeth drwy fynd.'

Troeais yn ôl i'w wynebu. 'Mi 'nes i bethau'n well heddiw.'

'Naddo!'

'Nid Aled wyt ti beth bynnag – dim ond hen gneuen goco!' Codais y dryll o'r llawr a'i anelu at yr wyneb, a rhoi fy mys ar y gliced.

'Wyt ti am fy saethu i eto? Fy saethu i eto?'

Ac yno oedd y gneuen goco yn syllu arna i'n gegagored.

Cneuen goco ydoedd, wedi'r cwbwl. Nid Aled.

Gosodais y dryll i lawr rhwng fy nghoesau, cau fy llygaid, ac ochneidio.

'Mŵ-dw! Mŵ-dw!'

Neidiais wrth i gri soniarus yr aderyn gario drwy'r jwngwl a thorri ar draws fy hanner breuddwyd.

'Mŵ-dw! Mŵ-dw!' criodd.

*Mwrdwr, mwrdwr...*

Pam nad oedd yn gadael llonydd i fi? Pwysais i lawr dros fy nryll. 'Dydw i ddim. Dim ond damwain oedd hi, dydw i ddim wedi mwrdro neb.'

'Mŵ-dw! Mŵ-dw!'

Codais ar fy nghwrcwd. 'Mi ddysga i wers i ti, y diawl.' Giglais fel gwrach a thynhau fy ngafael yn y dryll mewn un llaw a'm tynnu fy hun allan o'r pant gyda'r llall.

'Mŵ-dw! Mŵ-dw!'

Dilynais gri yr aderyn, yn araf bach, fy nghoesau hir, tenau yn symud fel rhai pryf copyn drwy'r istyfiant. Drwy dywyllwch wedi ei ddryllio gan oleuni'r lloer.

'Mŵ-dw! Mŵ-dw!'

Roedd yn agosach tro 'ma... bron â bod uwch fy mhen.

'Mŵ-dw! Mŵ-dw!'

Ac yna fe'i gwelais. Ie, dyna fo o'r diwedd. Yn clwydo ar frigau un o'r coed. Ni allwn weld ei liw yn nu a gwyn y nos ond gwelwn ei amlinell yn pysgota yn ei blu ei hun gyda'i big ac yna'n troi i ganu drachefn.

'Mŵ-dw! Mŵ-dw!'

Codais fy nryll i anelu ato, fy mys yn llithro ar draws y glicied. Mi ddysga i wers i ti, y diawl... Ro'n i wedi cael syniad i mewn i fy mhen rhywsut, o ladd yr aderyn cyhuddgar yna, y byddai fy erledigaeth ar ben, a'r bydysawd yn fy natgan yn ddieuog.

Ond yna pallais. Mor agos ato â hyn, roedd yna rywbeth mor unig a thruenus am gri'r aderyn. Roedd yn amlwg yn canu er mwyn cyfathrebu â rhywun, neu rywbeth. Ond pwy, neu beth? Neb. Roedd yn canu drwy'r dydd a'r nos bron, a hynny'n ofer. Doeddwn i erioed wedi clywed unrhyw aderyn arall yn ei ateb.

Efallai ei fod wedi ei gario i'r ynys gan storm o ynys arall, meddyliais. Efallai ei fod yr un mor unig â fi.

Penderfynais yn y fan a'r lle i beidio â saethu'r aderyn. Ei fod yn fy atgoffa i nad oeddwn ar fy mhen fy hun.

'Mŵ-dw! Mŵ-dw!'

Rhoddais y dryll i lawr a chodi fy nwylo i bob ochr fy ngheg.

'Mŵ-dw! Mŵ-dw!' canais.

Ni allwn weld a ymatebodd yr aderyn ond cefais yr argraff iddo dawelu am hwy na'r arfer wrth geisio penderfynu o le deuai'r llais arall. Doeddwn i ddim am ei lenwi â gobaith diangc felly codais y dryll drachefn a chilio yn ôl i gyfeiriad y lloches.

*Dwyt ti ddim yn llofrudd*, meddwn i wrthyf fy hun. *Dwyt ti ddim hyd yn oed yn gallu saethu blydi aderyn!*

Sylweddolais wedi pum munud o gerdded nad oeddwn i am allu dod o hyd i'r lloches eto yn y tywyllwch. Roedd amlinellau'r coed yn erbyn awyr serennog y nos i gyd yn edrych yr un fath. Felly mi wnes i beth oeddwn i bob tro'n ei wneud pan oeddwn i ar goll ar yr ynys sef dilyn sŵn curo'r tonnau at y traeth. Gwyddwn fod fy nhad, Efa a Teleri ymhell o'r hen wersyll – fe allwn i gysgu yno nes i'r haul godi.

O fewn chwarter awr roeddwn i wedi ymuno â'r llwybr

cyfarwydd a gymerwn bob dydd o'r blaen wrth gario dŵr i lawr o'r pwll i'r gwersyll. Heibio i'r planhigyn a edrychai fel octopws. Heibio i'r fferm. Ond wrth agosáu at y traeth mi welais i rywbeth yno nad oeddwn i wedi ei ddisgwyl. Wedi ei chlymu yng nghanol y drain a'r mieri ar ymyl y llwybr, wedi ei fframio gan belydr o oleuni, roedd y fflag yr oedd fy nhad wedi dod â hi i'r ynys. Roedd wedi chwythu i ffwrdd a mynd yn sownd yno.

A gydag ychydig o neidio ac ymbalfalu i'w datod o'r gwrych, dyma hi yn awr eto yn fy nwylo. Roedd sawl twll yn yr hen ddraig a'i hymylon wedi rhaflo yn llwyr. Ond byddai fy nhad yn falch o'i gweld. Efallai y byddai mor falch o'i gweld y byddai yn falch o'm gweld innau hefyd, dim ond fy mod yn gysylltiedig â hi.

Cerddais ymlaen at y traeth lle y bu'r gwersyll. Roedd y babell oren yn dal yno ar ei phen ei hun, fel gwennol ofod wedi ei gadael ar wyneb y lleuad. Ond teimlai'r lle yn annaearol iawn heb neb yno. Yn wir, teimlwn bresenoldeb Aled yn gryfach yno nag wrth ei fedd, hyd yn oed. Penderfynais na allwn aros yn hwy. Troeais i adael ac yna pigodd rhywbeth fy nhroed. Meddyliais am eiliad mai un o'r pryfaid tywod fu wrthi ond yna fe welais fy mod i wedi sefyll ar frwsh gwallt Efa, oedd wedi ei hanner claddu yn y tywod.

'Da,' meddwn wrthyf fy hun, a chodi'r brwsh.

Fe fyddai Efa yn gweld eisiau ei brwsh gwallt. Roedd fel pe bai yna bŵer goruwchnaturiol yn cynnig trysorau i mi, yn fy annog i fynd i gwrdd â nhw unwaith eto. Fel petai ffawd ar fy ochr.

# Teleri

'**E**IRA!'
Ro'n i'n meddwl mod i'n mynd yn wallgo am funud.
Y ddaear yn annaearol. Roedden ni newydd ddringo i fyny
llethr o dwyni tywod a godai fel plorod, fel petai mosgitos
anferth wedi pigo'r tir, ein cegau'n sych grimp yn y gwres.
Ac yna ro'n ni wedi cyrraedd y brig a gweld cwrlid gwyn yn
gorchuddio popeth, rhwng y môr a'r gorwel.

Roedd fel petai cawod drom aeafol wedi syrthio ar y tir. Y
cyfan yn sgleinio mor llachar dan yr haul uchel fel ei fod yn
brifo fy llygaid.

Edrychais ar fy nhad ac Efa i weld a oedden nhw'n gweld
yr un peth â fi. Safaon nhw a'u cegau'n llac yn ceisio gwneud
synnwyr o'r peth.

'Dio'm yn bosib!' meddai fy nhad o'r diwedd.

Gwenodd Efa yn ddwl arna i, a dyma fi'n chwerthin, a
hanner baglu ar goesau simsan i lawr y twyni tywod a mynd ar
fy nghwrcwd a chodi llond llaw o'r cymysgedd creisionllyd a'i
wasgu yng nghledr fy llaw. Codais rywfaint i fy ngheg a bron
â chyfogi wrth iddi bigo fy nhafod. 'Ych, halen!' meddwn, a'i
boeri allan o'm blaen.

'Mae e'n brydferth,' meddai Efa. 'Fel tase neb wedi ei
gyffwrdd.'

Teimlais ef yn crensio mewn modd boddhaol o dan fy
nhraed. Edrychais i lawr a wiglo fy modiau, a chael dianc am

eiliad o'r traeth trofannol anghyfannedd i'r Alpau neu Begwn y Gogledd. Ond golygai nerth yr haul tanbaid nad oedd modd hyd yn oed i mi a'm meddwl crwydrol gynnal y rhith am yn hir.

Serch hynny, roedd y newid golygfa wedi codi ein calonnau rhywfaint wrth i ni slwtsio yn ein blaenau, gan adael pyllau llwyd ar ein hôl.

Ac yna fe welson ni nad oedd y traeth yn gwbwl anghyfannedd chwaith. Crwydrai heidiau o fflamingos ar hyd wyneb yr halen, yn pysgota am berdys, eu plu oren yn cyfosod â gwyn llachar yr heli gan ychwanegu at natur swreal yr olygfa.

Fe gerddom ni am awr dda cyn dechrau meddwl bod yr ehangder gwyn yn ddiddiwedd, a dechrau poeni wedyn nad oedd dŵr croyw na chysgod i'w gael yn unman. Roedd ein poteli dŵr bron yn wag ond fe fydden ni'n dal i gymryd llymaid ohonynt bob hyn â hyn, yn chwilio am ddiferyn olaf.

'Mae yna glogwyni... draw fan yna,' meddai fy nhad o'r diwedd, gan godi braich flinedig. 'Efallai y bydd yna gysgod... o leia.'

Heb ddweud gair arall fe droion ni i ddechrau cerdded i gyfeiriad y clogwyni, fel tair fflamingo yn symud ar y cyd ond heb yr un bywiogrwydd. Yn araf bach daeth y clogwyni serth o galchfaen yn agosach, a dechreuais boeni y byddai'n amhosib mynd heibio iddyn nhw, nes i mi weld eu bod nhw wedi eu hatalnodi ag ogofâu.

Roedd camu allan o wres yr haul i ddüwch ogof fel mynd o ffwrnais i rewgell. Roedd awel yn chwythu o rywle, anadl creadur rhwng y cerrig hir miniog fel dannedd oedd yn dod i lawr o'r nenfwd.

'O! Nefoedd,' meddai fy nhad a dyma ni'n eistedd yno i gael ein gwynt atom.

'Mae yna ddŵr yn rhwla,' meddwn i gan glywed sŵn tincial yn atseinio.

'Odi fe'n saff?' gofynnodd Efa wrth i ni godi.

'Mae o'n saffach nag allan fan yna,' meddai Dad. 'Fe fyddwn ni'n crebachu'n grimp fel tair malwen yng nghanol yr halen yna!'

Roedd goleuni'r haul yn adlewyrchu oddi ar wynebion gwlyb yr ogof gan eu trwytho â rhyw lewyrch nefolaidd bron, ond pylodd y goleuni wrth i ni dreiddio'n ddyfnach. Tynnodd fy nhad y tortsh o'r bag a'i dywynnu o'i gwmpas. Hongiai calchfeini melynwyn, hanner tryloyw o'r nenfwd fel petai llaeth wedi diferu ac yna ailrewi. Yn dirwedd breuddwydiol o ffurfiau rhyfedd, amwys, hylifol.

'Shh!' meddai Efa yn sydyn.

Fe stopion ni'n stond a chlustfeinio.

'Chi'n clywed hwnna?'

*Plip... plop... plwp...*

'Dim ond dŵr.'

Trodd fy nhad ei dorts yn ôl y ffordd y daethon ni.

'Helô?' galwodd, ac fe atseiniodd ei lais i lawr i'r pellter, 'Helô... helô... helô...' ac yna yn ôl tuag atom ni, '... helô... helô... helô.'

Ddaeth dim ateb.

'Ti'n meddwl mai...?' gofynnais i.

'Fe fydden ni wedi ei weld o'n ein dilyn ni ar draws y traeth halen,' meddai fy nhad. Crynodd goleuni'r tortsh yn y tywyllwch.

Rywsut wrth i ni fynd yn ein blaenau i lawr yr ogof roedd yn mynd yn boethach, yr awyr yn drymach ac yn fwy myglyd, fel petai'n estyniad o'r graig uwch ein pennau. Roedd yr awel braf fu wrth geg yr ogof wedi mynd. Ac roedd hynny'n gwneud i mi awchu mwy a mwy am y dŵr y gallwn ei glywed yn atseinio o'm blaen.

*Plip... plop... plwp... scriiich...*

Ond mi'r oedd yna ryw sŵn. Sŵn siffrwd ar ymyl y clyw, a bob hyn a hyn gwichian fel olwyn ar lawr leino, ond ni allwn weld dim o'n cwmpas.

*Plop... scriiich... twit... plop...*

Yn sydyn clywyd trydar uwch na'r arfer a throdd fy nhad ei oleuni yn syth am i fyny.

'O mai God,' meddai.

Roedd y nenfwd uwch ein pennau yn symud. Ond nid tric wedi ei greu gan oleuni'r tortsh oedd hwn. Roedd miloedd ar filoedd o greaduriaid lledrog du yno, yn nyddu a gwasgu a dringo ar draws ei gilydd.

'O... ych!' gwaeddodd Efa.

Gwibiodd ambell greadur dros ein pennau, eu cysgodion wedi eu chwyddo mor fawr ag awyrennau gan oleuni'r tortsh.

'Arg!' Syrthiodd fy nhad ar ei gwrcwd gyda'i ddwylo dros ei ben. 'Dewch,' meddai, a'i lais yn wich. 'Awn ni'n ôl!'

Rhythais arno. 'Be? 'Nân nhw ddim drwg i ni,' meddai fi.

'Dw i'n casáu, casáu, casáu...' meddai. Gwnaeth ddawns bach anwirfoddol yn yr unfan, fel petai haid o'r ystlumod yn dringo drwy ei farf.

'Dydw i ddim yn mynd yn ôl rŵan!' meddwn i. Cydiais yn y tortsh o ddwylo fy nhad.

'Hei!'

'Dewch yn eich blaenau. Wnân nhw'm byd i chi siŵr!' Doeddwn i ddim yn rhy siŵr o fy mhethau, a dweud y gwir, ond ro'n i'n awchu am ddŵr a ddim am fynd yn ôl i'r traeth halen. 'Dim ond byta ffrwythau maen nhw ffor' hyn beth bynnag.'

Heb aros am ateb, martiais yn fy mlaen drwy'r ogof gyda'r tortsh gan orfodi'r ddau arall i ddilyn.

'Wwww, dw i'n casáu, casáu...' mwmiodd fy nhad rywle ar fy sodlau.

'Tewch! Chi sydd i fod yn edrych ar ein holau ni, Dad, nid sgrechian fel merch ysgol.'

'Hoi!'

Pylodd trydar yr ystlumod rywfaint wrth i ni ddringo yn ein blaenau, gan stwffio rhwng dau galchbost oedd fel dau hufen iâ anferth oedd wedi toddi bob ochr i ni.

Wedi rhyw ddeng munud o gerdded ar draws y llawr anwastad a dilyn sŵn y dŵr fe agorodd yr ogof o'n blaenau. Ac wedi'i oleuo gan un paladr o oleuni'r haul yn nenfwd yr ogof roedd llyn eang, llyn a'i wyneb mor llonydd â môr di-amser wedi'i amgáu yn ddwfn o dan y ddaear.

'Dŵr!' meddwn i a syrthio i lawr wrth yr ymyl.

'Odi fe'n saff?' gofynnodd Efa.

Codais ddwy lond llaw o'r dŵr, oedd yn dywyll fel gwin, a'i slochian. 'Ooooo!' meddwn i â rhyddhad. Teimlais yr oerfel adfywiol yn lledu fel gwefr hyd at flaenau fy nhraed a'm bysedd.

Gadewais i fi fy hun hanner llewygu i mewn i'r dŵr. Llamodd fy nghalon â braw wrth i'r oerfel gau amdanaf a herciais yn ôl i'r wyneb â'm dannedd a'm calon yn sgrytian.

'Ti'n iawn?' galwodd Efa, a'i llais yn llenwi'r ogof.

'Y-y-ydw! Mae-e'n i-i-awn unwaith wyt ti i m-m-mewn!'

Gwelais fy nhad yn penlinio i lawr i lepian y dŵr fel cath. 'Mae'n rhaid fod yna ffordd i'r wyneb o fan hyn,' meddai wrth i mi ddringo'n ôl i'r lan. Daliodd ei law dros ei lygad a syllu i fyny ar y trawst o oleuni. 'Dwi ddim isio mynd heibio'r ystlumod yna eto.'

Fe adawon ni Efa yn tynnu amdani i fynd i mewn i'r llyn a mynd i archwilio un o'r twneli cyfagos. Dringai i fyny yn serth am ryw ganllath cyn agor yn geudwll mor fawr ag eglwys gadeiriol gyda phibonwy yn ymestyn fel pibellau organ anferthol ar ei phen draw.

O'r diwedd fe welon ni wawl o'n blaenau a wnaeth i oleuni'r fflachlamp, a ymddangosai mor eithafol yn nhywyllwch yr ogof, bylu yn ddim. Goleuni lliwgalch yr haul. Ac fe gamon ni allan, nid yn ôl i'r traeth halen, ond i ymyl sgert lastwelltog a edrychai allan yn uchel dros y môr. Roedd gwynt main yma, ac roedd hi'n oerach. Gallwn glywed trystio oddi tanom lle'r oedd ewyn y don yn taro'r clogwyni gan daflu llwch dŵr i fyny uwch ein pennau.

'Wow!' meddai fy nhad, a rhoi ei fraich o amgylch fy ysgwyddau. 'Drycha ar yr olygfa.'

Roedd fel bod ar ben blaen llong a gweld dim byd ond glesni'r awyr a'r môr o'n blaenau.

Eisteddon ni i lawr a'n cefnau yn erbyn agoriad yr ogof. 'Dwi'n browd iawn ohonat ti,' meddai fy nhad o'r diwedd.

'Pam?'

'Hebddat ti – ac Efa – fe fyddwn i'n dal yn gorwedd ar yr hen draeth yna. Ond mi wnest ti edrych ar fy ôl.' Edrychodd arna i. 'Fe fyddai dy fam yn falch ohonat ti hefyd.'

Gwasgodd fy nghoes, cyn rhoi ei ben yn ôl yn erbyn y graig a chau ei lygaid.

Teimlais fy nghalon yn codi fel un o'r adar oedd yn esgyn ar y cerrynt o'm blaen.

'Dos i nôl Efa ac mi gawn ni wersylla fan hyn heno,' meddai fy nhad wedyn, gan anadlu'n drwm.

Cydiais yn y tortsh a chamu yn ôl i'r tywyllwch gan gerdded yn gyflymach heb fy nhad a gobeithio y byddai'r llwybr yr un mor uniongyrchol ag ydoedd wedi ymddangos ar y ffordd i fyny. Ond cyn i mi gyrraedd pen draw'r eglwys gadeiriol fe glywais rywbeth a wnaeth i mi oedi.

Lleisiau.

Cododd pinnau bach ar hyd cefn fy ngwddf.

Brodorion?

Na.

Llais Efa, ac….

Diffoddais oleuni'r tortsh a theimlo fy ffordd fesul tipyn i lawr ar hyd y wal tua gwaelod y twnnel, gan glustfeinio'n ofalus.

'Mae'n ddrwg gen i,' meddai un llais.

'Am beth?' gofynnodd y llall. Llais Efa.

'Ti'n gwbod pam… Am Aled.'

Teimlais fy stumog yn troi'n gwlwm tynn. Llais Myfyr. Pam ei fod yn ymddiheuro iddi hi? Fe ddylai fod yn ymddiheuro i mi.

'Ife… damwen o'dd hi?' gofynnodd Efa a chryndod yn ei llais.

'Be ti'n feddwl? Pam fyddwn i isio ei ladd o?'

Symudais yn fy mlaen yn ysgafndroed nes cyrraedd gwaelod y twnnel. Yng ngoleuni pelydr yr haul gallwn ei weld, Myfyr, yn sefyll yno. Yn cydio yn ei ddryll! Ond roedd wedi gostwng y trwyn tua'r llawr.

'Doedd dim angen i ti redeg bant, 'te, o'dd e?' meddai Efa. 'Mi o'n ni i gyd dy angen di'n ôl. Hyd yn oed dy dad.'

'Mi 'nes i lanast o bob dim.'

Symudais gam yn fy mlaen a gweld bod Efa yn arnofio ar wyneb y llun du, fel gofodwr ymysg y sêr. Yn noeth a'i chroen yn ymddangos bron yn glaerwyn o'i gymharu â'r düwch o'i hamgylch.

'Roedd popeth yn *llanast* yn barod,' meddai hi. Siaradai yn ofnus ddistaw ond roedd atsain yr ogof fel pe bai wedi ei chwyddo'n waedd.

'Ti'n siŵr?'

Rhydiodd hi at ymyl y dŵr a dringo allan. Safai yno heb grystyn o glai na baw yn ddilledyn arni. Gallwn weld sut yr oedd newyn wedi anrheithio ei chorff. Roedd yn onglau i gyd lle y bu ynghynt yn gyhyrau llyfn. Ond roedd hi'n dal yn brydferth. Ni edrychai yn ifanc nac yn hen, yn brydferth nac yn hyll, ond roedd hi rhwng y pethau hyn, y naill a'r llall yr un pryd, ei gwaywffon yn ei llaw, ei gwallt euraid yn hongian yn hir dros ei hysgwyddau ac i lawr at ei phen-ôl. Ac roedd ei llewyrch annisgwyl yn mynd dan fy nghroen i'n fwy nag oeddwn i wedi ei ddisgwyl, ar ôl popeth oedden ni wedi bod drwyddo gyda'n gilydd.

'Mi ddes i â dy frwsh gwallt di,' meddai Myfyr.

'O.'

'O'r maes gwersylla. Roeddet ti wedi ei anghofio.'

Estynnodd ef iddi. Ac am eiliad fe safodd yno gyda'r waywffon mewn un llaw a'r brwsh gwallt yn y llall, yn edrych o'r naill i'r llall.

'Ac ma dy waywffon di gyda fi,' meddai hi o'r diwedd.

'Gwaywffon Aled?'

'Ond ti roddodd hi i fi, ontefe?'

'Dw i'm isio hi'n ôl.'

'Iawn. Fe gadwa i'r waywffon. Ac fe gei di'r brwsh.'

'O.'

'Myfyr, ma 'da fi rwbeth i weud.'

Bu saib hir gyda dim ond tincial diferu'r dŵr i darfu arno.

'Ma'n rhaid i fi weud achos alla i ddim stumogi'r peth fel arall,' meddai Efa. 'Cyn iddo fe farw... Fe na'th Aled a fi gysgu 'da'n gilydd.'

*Beth?* Bu bron i mi sgrechian. Teimlwn fel petai hi wedi troi yn yr unfan a thaflu ei gwaywffon yn syth i mewn i fy mherfedd. Teimlais oerfel yn lledu drwy fy nghorff, nid oerfel fel y dŵr adfywiol, ond barrug yn cripian drostaf ac yn rhewi fy nghalon.

*Y bitsh*, meddyliais. *Y ffycin bitsh uffar.*

Safai hi mor syth â'i gwaywffon, yn dal i wynebu Myfyr, fel pe bai'n derbyn ei ffawd beth bynnag a ddaw.

Dim ond edrych i lawr ar ei ddryll wnaeth Myfyr, a dweud: 'O.'

*Coda'r ffycin dryll a saetha'r ast*, meddyliais i.

'O?' gofynnodd hi.

Agorodd Myfyr ei geg i ddweud rhywbeth, cyn oedi. 'Wel… alla i ddim bod yn flin efo dyn 'nes i ei saethu yn ei wyneb,' meddai. 'A deud y gwir mae gwbod ei fod o wedi gneud cam â fi gynta yn dipyn o… ryddhad? Er, dydi o ddim yn gneud yn iawn—'

'Ond ti'n grac 'da fi?'

Gwyrodd ei ben o ochr i ochr a chodi ei war.

'Dwn i'm. Ma 'mhen i ar chwâl, a deud y gwir. Ydi Teleri'n gwbod?'

'Nagyw. A sdim angen iddi.'

*Bitsh.* Roeddwn i eisiau cydio yn y gwddf tenau yna a'i droi.

'Pam deud wrtha i a ddim wrthi hi?' gofynnodd Myfyr.

'Am ei bod hi'n caru Aled a nawr mae e wedi marw a sai moyn torri ei chalon hi ddwywaith, odw i?'

*Rhy hwyr.*

'Mae gen i galon hefyd,' meddai Myfyr.

'Ti'n meddwl gyda hwn,' meddai hi a phwnio ochr ei ben. 'Ma Teleri'n meddwl gyda hon.' Tapiodd ei brest. 'Ac os ydi honna'n torri, fydd hi'n dda i ddim. Dere.'

Troeais y tortsh ymlaen a'u goleuo nhw fel dau leidr banc. Fe godon nhw eu dwylo o'u blaenau, eu llygaid wedi eu gwasgu i'w pennau gan y goleuni annisgwyl.

'Wel, wel, dyma ni bwyllgor yn mynd mlaen fan hyn.'

'Teleri?' gofynnodd Efa.

Doeddwn i ddim am roi iddi'r pleser o wybod mod i wedi clywed amdani hi ac Aled. Roeddwn i wedi penderfynu chwarae gêm hyd yn oed yn fwy creulon efo nhw. Y ferch a ffwciodd fy nghariad a'r brawd a'i saethodd o.

'O'n i wedi amau,' meddais i. Gostyngais y goleuni fel eu bod nhw'n gallu gweld fy ngwyneb. 'Myfyr, ti 'di dod i fy lladd i a Dad hefyd?'

Agorodd ei geg i ateb ond ni allai ddod o hyd i'r geiriau.

'Camgymeriad o'dd e!' meddai Efa.

'Ti ddim mor naïf â hynny?' gofynnais. 'Neu ella mai dyna oedd eich cynllun chi'n dau – o'r dechra? Lladd Aled a fi, wedyn ei lordio hi dros yr ynys yma eich hun?'

'Ca' dy ben, Teleri,' meddai Myfyr, yn fwy bygythiol nag oeddwn i wedi ei weld o'r blaen, a gyda hynny cododd y dryll a chymryd cam tuag ata i.

Codais y fflachlamp i'w lygaid drachefn. 'Yli! Ti'n fy mygwth i rŵan!'

''Nes i'm trio lladd neb, naddo!' gwaeddodd o.

'Teleri, damwen oedd hi!' meddai Efa. 'Sneb fan hyn wedi treial twyllo ti.'

'Ha!' meddwn i.

'Heblaw am dy dad!'

'Dw i'n ei drystio fo mwy na chi'ch dau!' saethais yn ôl.

'Dwi isio siarad efo fo,' meddai Myfyr.

'Iawn,' meddwn i. 'Mi af i â chi'ch dau ato fo. Ond rho'r gwn i fi gynta.'

'Beth?' poerodd Efa.

'Dydw i ddim yn dy drystio di,' meddwn i. 'Yr un ohonoch chi. Rho'r gwn i mi ac mi wna i fynd â chi at Dad.'

'Dy'n ni ddim angen ti,' meddai Efa.

'Ma'r fflachlamp gynna i, a dw i'n gwbod lle ma dad. Pob lwc hebddyn nhw. Fe fyddwch chi'n styc lawr fan hyn am byth.'

Gwgodd Myfyr arna i. 'Hwda, 'ta,' meddai, a thaflu'r gwn wrth fy nhraed. Croesodd ei freichiau.

Yn araf bach, pwysais i lawr, heb dynnu'r golau llachar o'u llygaid nhw, a chodi'r dryll.

'Nawr, ewch o 'mlaen i,' meddwn, gan eu cyfeirio nhw i lawr yr ogof. Mi o'n i'n mwynhau hyn. 'Mi wna i gerdded y tu ôl i chi efo'r gwn.'

'Dim blydi carcharorion y'n ni,' meddai Efa. Ond doedd gan yr ast ddim dewis ond ufuddhau. Fe gerddon nhw i lawr y twnnel – hi'n dal yn hollol noeth, yn cario ei dillad – ac fe ddilynais y tu ôl gyda'r dryll a'r fflachlamp.

'Chwith, dde,' meddwn i fel giard, â gwên ar fy ngwyneb.

Symudais y fflachlamp yn ôl ac ymlaen fel bod eu cysgodion yn dawnsio ar waliau'r ogof o'u blaenau, yn gymysg â siapiau'r calchfeini a chrychau'r waliau, er mwyn eu drysu nhw hyd yn oed yn fwy. Dim ond fi oedd yn gwybod y ffordd.

O'r diwedd gwawriodd goleuni'r haul o'n blaenau ac, heb fod angen fy fflachlamp i, dechreuodd y ddau gamu'n gyflymach.

'Disgwyl,' meddwn i.

Ond cyn pen dim roedden nhw allan o geg y twnnel. Ac yn sefyll ar ymyl y clogwyn o'm blaen, â'i gefn tuag atom, roedd Dad.

Stopiodd Myfyr yn stond. 'Dad?' meddai.

Sythodd ef, cyn cydio'n dynnach yn ei ffon gerdded a throi'n sydyn i edrych ar ei fab. Culhaodd ei lygaid, ond ni ddywedodd air.

'Mi ddes i o hyd iddyn nhw i lawr yn yr ogof,' meddwn i. 'Yn cynllwynio yn ein herbyn ni. Wedi lladd Aled. Isio cymryd drosodd–'

Parhaodd fy nhad i syllu'n fud ar Myfyr. Roedd hwnnw wedi mynd yn welw.

'D-d-damwain oedd hi,' meddai. 'Y-y-ylwch.'

Aeth i ymbalfalu yn ei boced, a thynnu rhywbeth ohoni. Rhyw fath o gadach. Dadlapiodd ef.

Gwelais lygaid fy nhad yn goleuo. Y fflag.

Camodd Myfyr ymlaen a'i chynnig i'w dad. Edrychodd ef ar ei fab, ac yna'r fflag, a chydiodd ef ynddi, nodio ei ben â rhyw fath o ddealltwriaeth, a throi yn ôl i wynebu'r môr.

'Dad?' meddwn i. 'Mi oedden nhw'n cynllwynio yn ein herbyn ni–'

'A be fydden ni'n ei neud hebddyn nhw, hmm?' meddai heb edrych arna i. 'Lle fyddai'r Gymru Newydd wedyn? Myfyr ac Efa yw'r unig obaith.'

Edrychais yn gegrwth arno. 'A be amdana i?'

Ni atebodd, dim ond syllu allan i'r môr ar yr adar yn nofio ar y gwynt.

Edrychais innau ar fy nhraed. A sylweddoli. Heb Aled, ro'n i wedi fy niosg o gynllun fy nhad. Heb Aled, do'n i'n neb.

# RHAN PUMP

# Efa

'BLEEERG.'
    Pwysais i lawr gyda'm dwylo ar fy mhengliniau, yn gwag-gyfogi. Ni ddaeth unrhyw beth i fyny. Efallai fod fy stumog yn rhy wag i hynny. Ond ni allwn gael gwared o'r teimlad afiach y tu mewn i mi.

Pwysais yn erbyn un o'r coed palmwydd ac edrych i lawr ar y bae crwm a'r dŵr glas pefriog. Roedd yn ddiwrnod perffaith. Yr awyr yn boenus o las a dwfn fel petawn i'n edrych i mewn i ffynnon ddiwaelod. Ond roedd disgleirdeb y dydd yn hollol groes i'r storm oedd yn chwyrlïo drwy fy meddwl.

Oeddwn i wedi blino mwy na'r arfer? Eto, roedd yn anodd dweud, am fy mod wedi blino o hyd, ers wythnosau. Cydiais yn fy mronnau yn fy nwylaw. Roedden nhw yn teimlo'n wahanol. Ond beth oedd gwahanol? Doedd dim chwydd amlwg ar fy mol. Ond roedd fy nghorff cyfan wedi teneuo i'r fath raddau nad oeddwn i'n gwybod sut oedd i fod i edrych.

Na, doedd teimlo'n flinedig ac yn ddiflas yn ddim byd newydd, ond roedd bod eisiau taflu i fyny o hyd yn wahanol. Ac nid y bwyd oedd yn anghytuno â fi. Doeddwn i ddim yn pibo. Dim ond yn teimlo rhyw wasgfa droëdig ym mêr fy esgyrn, bron bob awr o'r dydd.

'Ffyc,' meddwn. Teimlad cymysg. Ar y naill law, gobeithio i Dduw nad oeddwn i'n feichiog. Ar y llaw arall, gobeithio i Dduw os oeddwn i'n feichiog ei fod yn fyw. Teimlwn yn gariadus ac yn amddiffynnol dros rywbeth nad oeddwn i'n gwybod a oedd yn bodoli eto – yr oeddwn i'n gobeithio nad oedd yn bodoli.

Ac Aled fyddai'r tad, yn sicr. Doeddwn i ddim wedi cysgu gyda Myfyr ers cyrraedd yr ynys – ddim yn yr hen ogof ofnadwy yna, gyda'i deulu i gyd o fewn clyw.

Efallai y gallwn i gysgu gyda fe nawr ac esgus mai fe oedd y tad? Sut fyddai e'n gallu cadw cownt o'r misoedd mewn lle fel hyn?

Na, mi fyddai e'n gwybod. Doedd gan Myfyr ddim synnwyr cyffredin, ond roedd e ymhell iawn o fod yn dwp.

Teimlais don arall o gyfog y tu mewn i mi, fel petai'r ynys i gyd yn llong a finnau'n sefyll ar y dec. A meddyliais am y babi, yn arnofio yn ei ynys fach ef yng nghanol fy nghroth, mor anwybodus o'r byd mawr y tu allan ag oeddwn i bellach o'r byd y tu hwnt i'r ynys...

Ynysoedd o fewn ynysoedd o fewn ynysoedd... Teimlais ddec y llong yn codi eto a gostwng eto, fy nhu mewn yn troi fel pe bawn yn llygad storm.

Codais a sychu fy ngheg. Ffyc, ffyc, ffyc. Sut oedd hyn yn mynd i weithio? Allwn i prin gadw fy hun i fynd, heb sôn am y babi. A ddylwn i ddweud wrth y lleill? Gofyn am ychydig yn rhagor o fwyd ar fy mhlat? Ond beth os oedd y Capten a Teleri yn dod i wybod mai Aled oedd y tad? Fe fyddwn i'n cael fy ngyrru allan o'r teulu... yn newynu... yn colli'r babi... os oedd yna fabi.

'Ti'n iawn, Efa?'

Llais Myfyr.

'Dw i fan hyn.'

Ysgydwodd y gwrychoedd ac ymddangosodd allan ohonyn nhw. Safodd yn stond a gwyro ei ben a syllu arna i. 'Ti'n OK?'

'Odw.'

'Ti mor wyn â dalen llyfr.'

'Dw i'n iawn,' meddwn i ychydig yn fwy llym nag oeddwn i wedi'i fwriadu. 'Credu mod i jest wedi bwyta rhwbeth od,' ychwanegais. Dechreuais rwbio fy mol, yna rhewi, a symud yn frysiog i rwbio fy mysedd drwy fy ngwallt.

'Hym,' meddai Myfyr, edrych ar fy mol, ac yna troi ei gefn. 'Dan ni'n mynd i lawr i'r traeth mawr i weld a oes unrhyw beth gwerth ei ddal yno.'

Sefais yn syth ac edrych i lawr tua'r traeth eto, ac yna i fyny at begwn y mynydd oedd wrth ganol yr ynys. Ochneidiais wrth feddwl am y diwrnod yna y gwelon ni bod y cwch ar dân. A'r diwrnod y cwrddais ag Aled ar y brig, y diwrnod y bu farw, y diwrnod…

Mynydd y Duwiau. Roedd modd gweld y pegwn hwnnw o bron bob man ar yr ynys, yn nodyn atgoffa creulon o'r hyn a ddigwyddodd o'r blaen, yn ei gwneud yn amhosib trio anghofio.

Camais drwy'r gwrychoedd ac ailymuno â Myfyr, Teleri a'r Capten ar eu taith i lawr ymyl y clogwyn tuag at y traeth hir a oedd yn ymestyn o'n blaenau. Dyma'r bae eang a welwn o'r mynydd – canol pedol ceffyl yr ynys gyda'r ddwy fraich hir yn ymestyn allan bob ochr iddo. Tu cefn i'r traeth roedd llethr graddol wedi ei orchuddio â choed palmwydd a phlanhigion eraill o bob math.

Erbyn hyn roedd Myfyr wedi esbonio ein camgymeriad wrth fynd i chwilio am y brodorion ychydig ddyddiau yn ôl. Roedden ni wedi cerdded o amgylch braich ddeheuol yr ynys yn hytrach na'r ochr ogleddol lle'r oedd pentref y brodorion.

Ond roedd y Capten yn ddigon balch o hynny. 'Gad

iddyn nhw gael eu hochr nhw – am y tro – ac fe gawn ni'r gweddill!'

Fe gerddon ni i lawr ac ar draws y traeth hir, oedd yn filltir dda ar ei draws.

'Dan ni wedi glanio ar ein traed,' meddai'r Capten yn gwerthfawrogi'r gwyrddni o'n hamgylch. Roedd y bae fel petai'n ein cofleidio ni, ac roedd yr haul bellach wedi hwylio o'r golwg dros ochr orllewinol yr ynys gan olygu ein bod ni mewn tamaid o gysgod ac nad oedd hi'n rhy boeth. 'Pam ein bod ni wedi treulio cymaint o amser ar yr hen draeth diawledig yna ar ben ôl yr ynys?'

'Gawn ni weld a oes unrhyw beth i'w ddal fan hyn cyn i ni ddechrau cymharu,' meddai Teleri. 'Dan ni hyd yn oed yn bellach o'r greigres gwrel, ac mae'r dŵr yn fas iawn.'

Roedd y lleill fel petaent yn mwynhau cerdded ar hyd y traeth, dim ond er mwyn cerdded, ond teimlwn i'n lluddiedig iawn. Doeddwn i ddim eisiau mynd yn bell. Gorfodais un goes denau o flaen y llall.

'Be ddiawl?' meddai'r Capten.

Troeais fy mhen i gael gweld. Wedi nythu uwchben y traeth, yng nghanol y coed, yn anweledig o bob cyfeiriad arall, roedd yna adeilad. Ac nid un o fythynnod y brodorion oedd e chwaith. Roedd fila yno. Un gwyn, ar sawl llawr, gyda phyrth a balconïau a cholofnau a waliau gwyn oedd mor llachar â'r tywod. Ac o'i flaen roedd pwll nofio ac ynys farmor yn ei ganol.

'Beth?'

Safais yn stond yn edrych arno, fy ymennydd yn gawl dryslyd. Ar ôl misoedd o fyw ar ddim ni allwn amgyffred y peth. Roedd fel camu o oes y cerrig i foethusrwydd mwyaf eithafol yr unfed ganrif ar hugain.

Edrychais ar y lleill. Roedd eu hwynebau nhw hefyd yn ddryswch llwyr, eu llygaid fel soseri.

'Amhosib,' meddai'r Capten.

'O mai God,' meddai rhywun, ac yna mi sylwais mai fi oedd wedi siarad. 'Ma pobol 'ma... pobol, fel ni. Pobol o'r byd tu fas.'

Llamodd fy nghalon, a gwawriodd dealltwriaeth yn araf bach ar wynebau Myfyr a Teleri hefyd. Efallai fod yna obaith...

Ond tynnodd aeliau'r Capten at ei gilydd fel cymylau stormus.

'Rhaid nad oes neb yn byw yno. Mae'r ynys yn wag...'

'Dyna ddudoch chi cyn i ni weld y brodorion,' meddai Teleri.

'Mae yna rywun yn byw yno,' meddai Myfyr, a'i lais yn canu. 'Ylwch, y gwair – mae o wedi'i dorri.'

Edrychai fel tŷ gwyliau. Un yr oedd rhywun yn amlwg yn byw ynddo ac yn ei gadw mewn cyflwr da.

'Awn ni yno?' gofynnodd Teleri'n awchus.

'Na,' meddai'r Capten. 'Dan ni'm yn gwbod dim byd am bwy sy 'na. Ella y cawn ni ein... ein saethu, neu...'

Gallwn weld ei fod e'n teimlo fel petai'n colli rheolaeth, a doedd e ddim yn hoffi hynny.

Ond doedd Teleri a Myfyr ddim yn gwrando arno. Roedden nhw eisoes wedi mynd, yn brasgamu i fyny'r traeth ar gyflymder oedd yn debycach i redeg.

'Teleri! Myfyr! Dewch yn ôl y funud yma.'

Roeddwn i'n rhy wan i redeg ar eu holau nhw ond fe gymerodd y Capten hyn fel arwydd fy mod i ar ei ochr e.

'Ti 'di'r unig un sy wedi gwrando arna i o'r dechrau, Efa fach,' ffromodd. 'Dwn i ddim lle es i o'i le efo'r plant styfnig 'cw. Mae yna ormod o'u mam ynddyn nhw. Hen beth bengaled oedd hithau hefyd, heddwch i'w llwch.'

Ond doedd dim dewis gyda ni ond dilyn. Yn araf bach fe herciodd y ddau ohonom ni i fyny at ardd flaen y fila. Roedd pob gwelltyn o laswellt wedi'i dorri'n dwt i'r un hyd, hyd at ymyl y lawnt lle y safai'r goedwig yr un mor dywyll a gwyllt ag erioed. Trefn yng nghanol tryblith, a'r naill fel petai'n benderfynol o bwysleisio'r llall.

Roedd Myfyr a Teleri yn sefyll ychydig o'n blaenau, ar ymyl y pwll nofio. 'Paid neidio,' meddai Myfyr. 'Mi fyddi di'n newid lliw y dŵr.'

Gorweddai copi o bapur newydd y *Times* wrth y gwely haul. Cododd y Capten ef.

'Mae'n fis Gorffennaf yn barod,' meddai.

Doedd dim golwg o neb byw.

'Dylen ni fynd i gnocio ar y drws?' gofynnodd Teleri.

'Ti'n edrach fel bwgan brain!' meddai Myfyr.

Safodd Teleri ar ei thraed. 'Ym... Dad?'

Pwyntiodd tuag atom ni. Na, heibio i ni. Tuag at y traeth. Fe edrychon ni draw at y rhuban gwyn o dywod a'r ehangder glas tu hwnt. Roedd rhywbeth yn dod allan o'r môr. Rhywbeth du. Nid rhywbeth ond rhywun. Roedd ganddo draed hir lliw gwyrdd llachar. A rhyw fath o fwgwd ar ei wyneb. Snorcel. Ffliperi. A siwt nofio a orchuddiai bob modfedd o'i gorff.

Tynnodd ei ffliperi a cherdded ar draws y traeth ar draed noeth ac i fyny tuag at yr ardd. Yno oedodd ac edrych arnom ni am eiliad, ei lygaid yn anweledig tu ôl i'r stêm ar ei gogyls.

'Ylm mymff,' meddai.

Cerddodd heibio i ni at y pwll nofio, cyn tynnu ei ffliperi ac yna ei gogls. Daeth dyn penfelyn, canol oed, croenwyn i'r golwg. Roedd hoel y gogls o amgylch ei lygaid o hyd.

'You're in my garden,' meddai. Roedd ganddo acen Seisnig. Dechreuodd ddadsipio ei siwt nofio ac wrth wneud hynny fe edrychodd yn fanylach arnom ni. 'Bloody hell, have you been shipwrecked?'

Edrychodd pawb arno'n gegrwth, cyn i Myfyr ddweud: 'We've been here for months... I don't know how long, exactly.'

'What the hell happened? Ran out of gas?'

Edrychodd y tri ohonom ar y Capten. Tynnodd hwnnw ar ei farf. 'We–we live here,' meddai.

'Live?' Rhychodd y dyn ei dalcen. 'This is a private island. I live here.'

Bu tawelwch llwyr. Ac yna fe ddechreuodd Teleri chwerthin. Chwerthin chwerw. Crychodd ei hwyneb yn wg. 'Mi wnaeth Aled farw am ddim byd!' gwaeddodd. 'Dim byd!' sgrechiodd.

'Teleri!' meddai ei thad.

'Roedd hyn i gyd yn ffyc yp llwyr.' Trodd at ei thad a phwyntio ei bys tuag ato. 'Yr holl beth yn ffycin nonsens o'r dechrau. Fe allen i...' Cododd law i'w fwrw, ond yna daliodd yn ôl rhag gwneud ar y funud olaf a martsio i ffwrdd i lawr tuag at y môr.

'Is she OK?' gofynnodd y dyn. 'What was that she was speaking?'

'Welsh,' poerodd y Capten.

'She seemed upset.'

'She'll be OK. It's been a long few months. I...' Gwthiodd Morys ei ddwylo mewn i'r hyn a oedd yn weddill o'i bocedi. Roedd dagrau yn ei lygaid ac roedd yn trio peidio â dangos hynny.

Fe edrychais i ar Myfyr. Fe gododd ei war. 'Llanast,' meddai.

'Well,' meddai'r dyn, heb fod yn siŵr beth i'w ddweud. 'I'd invite you in for a cup of tea, but...'

Edrychodd arnom ni, ac fe edrychon ni ar ein gilydd, a phawb yn cochi. Roedden ni'n orchuddiedig â chlai, yn drewi o chwys a baw, ein gwallt yn sticio i fyny, a'n dillad yn garpiau amdanom.

Roedd yr holl beth yn teimlo'n swreal, a phob un ohonom mewn perlewyg.

Rhaid fod y dyn wedi deall ein bod ni wedi ein taro'n fud oherwydd fe ddywedodd, 'You can come out on the veranda, how about that?'

'That would be lovely, thank you,' meddai Myfyr, ei Saesneg yn swnio'n rhydlyd.

Trodd y dyn at y fila, 'Betty!' galwodd.

Wedi ychydig eiliadau fe ymddangosodd dynes ar y balconi. Dyfalwn mai un o'r brodorion oedd hi. Roedd wedi ei gwisgo mewn ffrog goch lachar ddi-strap, wedi ei chlymu o amgylch ei gwddf gan fodrwy euraid. Efallai mai hi oedd ei wraig, dyfalais.

'We have... guests for tea,' meddai'r dyn.

Cododd hi un ael denau. 'Guests?'

'Yes.'

'Are they OK?'

'We're about to find out, I think,' meddai'r dyn ac roedd sŵn chwerthin anghrediniol yn ei lais. 'Come up to the veranda.'

'What's your name?' gofynnodd y Capten.

'Smit.'

Estynnodd y Capten law a chymerodd Smit hi yn ochelgar. 'I'm Morys. This is my son Myfyr and his girlfriend Efa. That's my daughter Teleri over there.'

'Pleased to meet you,' meddai Smit, a rhwbio ei law ar ochr ei siorts nofio.

'Teleri, ty'd, dan ni'n cael mynd i'r fila,' gwaeddodd Myfyr ar ei chwaer.

Roedd hi'n eistedd ar y traeth yn edrych allan i'r môr. Meddyliais am eiliad na fyddai hi'n dod ond yna fe ostyngodd ei phen, cyn codi a'n dilyn ni i mewn yn anfoddog.

Y tu mewn i'r tŷ teimlwn hyd yn oed fwy o gywilydd o'r olwg oedd arna i. Doedd e ddim yn help fod waliau'r tŷ, y lloriau teils a hyd yn oed y nenfydau yn wyn i gyd. Roeddwn i mor fudr ro'n i ofn cyffwrdd ag unrhyw beth rhag eu sarnu nhw.

Efallai yn ymwybodol o hynny fe aeth Smit â ni i fyny'r grisiau ac wedyn yn syth yn ôl allan i'r awyr agored, ar y feranda oedd yn edrych allan dros yr ardd. Roedd yna gadeiriau *rattan* plastig yno, heb glustogau arnyn nhw, ac ro'n i'n hapus i eistedd yno gan wybod y byddai'n ddigon hawdd golchi unrhyw hoel oddi arnyn nhw.

Teimlai'r holl beth yn rhyfedd ofnadwy. Fel pe baen ni wedi camu drwy borthdwll a glanio mewn byd hollol wahanol. Oglau gwres yr haul ar blastig. Teimlad gwydr llyfn ar y croen. Sŵn coesau'r cadeiriau'n crafu ar y teils. Roedd y cyfan mor gyfarwydd ond yn estron ar yr un pryd.

Diflannodd Smit am funud a daeth Betty â danteithion i ni. Syllodd pob un ohonom ar y platiau te gyda dŵr yn dod o'n dannedd a'n stumogau'n canu grwndi.

'Disgwyl iddo ddod yn ôl gynta,' meddai'r Capten a'i lais yn wan.

Fe aeth Betty heb ddweud gair ac fe ailymddangosodd Smit, wedi diosg ei siwt nofio a gwisgo crys cotwm gwyn a phâr o siorts *khaki* a het wellt ar ei ben. 'Help yourself to something to eat,' meddai.

Roedd sŵn cloncian tsieina ar y bwrdd ac o fewn eiliadau roedd cegau pob un ohonom yn llawn.

Eisteddodd Smit a'n gwylio ni'n bwyta, ei fysedd wedi eu plethu. Gadawodd i ni orffen. I fwyta pob briwsonyn. Yna fe siaradodd.

'Who knows you're here?' gofynnodd.

Ysgydwodd y Capten ei ben. 'No one.' Pigodd ddarnau o fwyd allan o'i farf.

'You came to live here... deliberately?'

Nodiodd y Capten. Ni ddywedodd yr un ohonom ni ddim. Sylwais yn sydyn y gallwn i fod wedi gweiddi 'We've been kidnapped!' Mynnu bod y dyn yma'n galw'r heddlu. Dyna oedd wedi digwydd wedi'r cwbwl. Roeddwn i yma yn erbyn fy ewyllys. Ond wnes i ddim. Er gwaethaf yr uffern roedd y Capten wedi ein rhoi ni drwyddi, roedden ni'n uned. Yn dylwyth. Wedi tyfu mor ddibynnol ar ein gilydd na allen ni hollti'n hawdd.

Edrychais ar Teleri. Roedd hi'n syllu ar ddim byd, ei cheg ar agor.

'You can't stay,' meddai Smit.

'It's our island too.'

Gwenodd Smit. 'Well, not really. Not at all, really.'

'There are other people here.'

'Yes but they sort of came with the place. You've just turned up. And, no offence, but I don't think you're quite cut out for island life. Look at your legs, man – you need medical attention!'

'You can't kick us off,' meddai'r Capten yn bendant.

'Well, to tell you the truth, I can. The locals are protected by an UN Declaration. You're just some Welsh people.'

'This is an island! In the middle of nowhere. No one *owns* it.'

Ysgydwodd y dyn ei ben. 'This is British territory.'

Chwyddodd llygaid y Capten yn fawr. 'What?'

'Yes. A British overseas territory. The same as hundreds of other small islands around here. There are a few French ones about. Some owned by the Dutch. But this is the Queen's soil. It's as British as Anglesey.'

'Like fuck it is!' meddai'r Capten. Roedd ei wyneb wedi cochi a'i ddyrnau wedi cau'n beli.

Pwysodd y dyn yn ôl yn ei sedd a chroesi ei goesau. 'You don't have any choice, I'm afraid,' meddai'n bwyllog. 'You will have to go. This place is attracting significant investment.' Ymestynnodd ei fraich allan dros y balconi. 'Next year the north arm of the island will be a runway, and this beach here will be a string of hotels and restaurants.' Trodd yn ôl atom. 'You can't escape from civilisation – it will find you in the end.'

'We're not moving an inch.'

'Well, there's very little I can do for you, then,' meddai Smit. 'I can't take you in.' Edrychodd i lawr a gwgu, a meddyliais am funud nad oedd am ddweud dim byd arall a'i fod yn disgwyl i ni adael. Ond yna fe edrychodd arna i. 'How do the rest of you feel about staying here?' gofynnodd.

'I want to go home!' meddwn, a chael fy synnu gan y cryndod yn fy llais.

Edrychodd y Capten arna i gyda dirmyg llwyr, fel petawn i wedi codi dagr a'i blannu yn ei gefn. A theimlwn yn hynod o euog yn fwyaf sydyn. Sut allwn i droi cefn arnyn nhw? Troi cefn ar bopeth oedden ni wedi bod drwyddo gyda'n gilydd? Ond roeddwn i wedi gweld dyfodol o'm blaen, mor agos y gallwn ei gyffwrdd – cael ymolchi, gwisgo mewn dillad cyfforddus a rhoi sgidiau ar fy nhraed, bwyta ac yfed nes fod fy nerth yn dychwelyd. Ac os oedd yna fabi y tu mewn i mi, fe fyddai yntau'n cael ei faethu hefyd ac yn siŵr o oroesi.

Gwenodd Smit arna i. 'Completely understandable. You don't look well,' meddai.

Bu ennyd o ddistawrwydd euog.

'Me too,' meddai Myfyr, gyda'i ben i lawr. 'I want to go too.'

Ysgydwodd Morys ei ben a gostwng ei lygaid.

'And you?' gofynnodd Smit, gan edrych ar Teleri.

Ni atebodd. Roedd ei llygaid yn bell, bell, yn ddwy ffenestr sebonllyd na allwn weld heibio iddyn nhw.

'Gadewch i ni drafod hyn!' meddai'r Capten.

'Sorry?' gofynnodd Smit.

'I need time to discuss this, with my family!'

'Oh yes, that's fine,' meddai Smit. 'I won't be taking the plane out for a week or two, anyway, when the next supplies are needed. You will have time to discuss. But there is no real choice. You will leave, on my plane, or you will be taken off.'

Ysgyrnygodd Morys, a theimlwn yr eiliad honno fod Smit wedi dweud y peth anghywir.

'Betty?' meddai Smit.

'I'll see you to the door,' meddai hi, mewn Saesneg yr un mor gywrain â'i meistr.

Ac yna allan â ni, ar draws yr ardd, ar draws y traeth, ein pennau i lawr mewn tawelwch. Yn ôl i'n hen fyd o grafu byw a llwgu a llyfu cerrig am faeth.

Dringon ni yn ôl i'n gwersyll ar ben y clogwyn ac eistedd i lawr a syllu i'r tân, a phawb ar goll yn eu meddyliau eu hunain. Teimlwn gymaint o gywilydd. Cywilydd am fod eisiau mynd, cywilydd am y ffordd ro'n i'n edrych. Cywilydd am deimlo cywilydd, pan nad o'n i wedi gwneud dim byd o'i le.

Chwyrnodd y Capten. 'Blydi Saeson!' ebychodd. 'Oes yna

ddim cornel o'r byd yma nag ydyn nhw'n ei hawlio i'w hunain? Allwn ni ddim cael un brychieuyn?'

'Felly beth dan ni am neud?' gofynnodd Myfyr.

'Twll tin i'r Sais yna,' meddai'r Capten, a thaflu boncyff arall ar y tân gan dasgu gwreichion i bob cyfeiriad.

'Fi mo'yn mynd gatre,' meddwn i. 'Fi *yn* mynd gatre.'

'I be?' gofynnodd Morys. 'Rhoi'r ffidil yn y to. A ninnau'n dechrau cael trefn ar betha, yn creu ein Cymru Newydd. Sbïwch arnon ni. Mae wedi bod yn anodd, do, ond mi'r ydan ni wedi goroesi.' Trodd at Myfyr a Teleri. 'A lle mae Aled yn hyn i gyd? Ai marw'n ofer 'nath o? Ynta wedi aberthu ei hun dros achos ehangach?'

'Peidiwch â sôn am Aled!' tagodd Myfyr.

'A beth fydd yn digwydd pan dan ni'n mynd yn ôl?' gofynnodd y Capten. 'Bydd pobol yn gofyn cwestiynau wedyn! Fydda i'n mynd i'r carchar am fynd â chi i'r ynys. Bydd Myfyr yn mynd i'r carchar am saethu Aled!' Pwysodd ymlaen. 'Fe fyddan nhw'n gwneud hwyl am ein pennau ni – ein stori ar flaen y *Daily Mail* a'r *Sun*! Y Cymry aeth i greu gwladfa yng nghanol y môr mawr, gwneud cawlach o bethau, methu, a rhedeg o'na!'

'Dw i jest isie gweld Mam a Dad,' meddwn i, a'm hysgwyddau yn ysgwyd. Allwn i ddim dweud dim byd am y babi.

'Wel, Teleri a Myfyr, dwi'n dweud wrthach chi rŵan,' meddai'r Capten. 'Os ewch chi, fyddwch chi ddim yn fy ngweld i byth eto – bydd rhaid iddyn nhw fy ngharia i allan o'r lle 'ma mewn bocs… Teleri?'

Roedd llygaid Teleri yn dal yn fawr ac yn bell fel petai hi'n gweld rhywbeth ofnadwy oedd y tu hwnt i olwg y gweddill ohonom: 'Dw i'm yn gwbod os dw i'n drystio fo,' meddai, gan rwbio ei harddwrn. 'Dio'm yn mynd i hedfan ni'n ôl i Gymru, nacdi? Beth os ydi o'n ein gadael ni i lwgu ar ynys arall – rhwla, dim ond ein bod ni ddim ar ei ynys o?'

'Yn union!' meddai ei thad. 'Ella ei fod o'n rhaffu clwyddau! Ei fod o 'di plannu fflag Jac yr Undeb yma a hawlio'r ynys heb unrhyw awdurdod o gwbwl. Ti'n cytuno, Myfyr?'

Ysgydwodd hwnnw ei ben. 'Dw i ac Efa yn mynd adra,' meddai.

'O's rhaid i ti fod yn gymaint o lipryn?' gofynnodd ei dad. 'C'mon, ti ydi'r un clyfar *i fod*!'

Cyffyrddodd yr haul y môr a diffoddwyd ef, a rhoi taw ar y sgwrs. Dyna un o'r pethau nad oeddwn i wedi arfer ag e ar yr ynys yma. Un funud roedd hi'n ddydd, y nesaf yn nos. Doedd dim cyfnos rhyngddyn nhw. Dim trothwy rhwng y naill a'r llall. Roeddwn i wedi teimlo ers cyrraedd fy mod i ar y trothwy rhwng un Efa a'r llall. Y bore hwnnw ro'n i wedi bod yn barod i ymroi i'r Efa newydd. Efa'r ynys, mor wydn â'r croen dan fy nhraed. Ond dyma fi nawr wedi cael cyfle i fynd yn ôl i'r hen Efa. Anghofio. Iacháu. Meddalu…

Er mod i'n awchu am yr hen fyd, roedd yna rywbeth am yr Efa newydd ro'n i'n ei hoffi hefyd, a do'n i ddim am ei cholli hi'n llwyr. Roedd Aled wedi ymroi i'r ynys yn y diwedd, ro'n i'n bendant o hynny. A phetai e'n fyw, efallai y byddwn i'n teimlo'n wahanol, wedi croesi'r trothwy gydag e, yn barod i aros.

Dwi ddim yn cofio mynd i gysgu'r noson honno. Dim ond eistedd yn ôl a gwylio'r marwor yn y tân yn mudlosgi nes i dywyllwch feddiannu'r cyfan, ac wrth i'r gwreichionyn olaf hedfan i ffwrdd mae'n rhaid fod y gwreichionyn olaf a dasgai yn fy meddwl wedi diffodd hefyd.

# Myfyr

Y R EILIAD Y gofynnodd Smit i ni adael mi ro'n i'n gwybod na fyddai Dad yn mynd. Un diawledig o stwbwrn oedd Dad, yn enwedig pan oedd rhywun am iddo wneud unrhyw beth nad oedd am ei wneud.

'Petai Smit wedi gofyn iddo *aros* fe fyddai wedi nofio hanner ffordd i'r ynys nesa erbyn hyn,' meddwn i wrth Efa.

Fe wersyllon ni ar ben y clogwyn am wythnos arall, yn cysgu yn yr ogof, ac yn dwyn, yn coginio a bwyta wyau'r adar oedd yn clwydo yn y clogwyni, ac weithiau'n mentro i lawr at y traeth i bysgota. Ni aethon ni mor bell â fila Smit ac roedd yn annhebygol yn ein tyb ni y byddai'n dod i chwilio amdanom ni chwaith, nes ei bod hi'n amser i ni gael ein hel oddi yno ar ei awyren.

Ac yna, yn annisgwyl, wrth i ni eistedd o amgylch y tân un dydd, yn ffrio dau wy a darn o diwna, ymddangosodd ef a Betty yn ddisymwth o'r coed a'n cyfarch ni. Gwisgai ef het ledr, siorts *khaki*, crys glas a phâr o sgidiau cerdded. Roedd hi mewn ffrog haf a *trainers*.

'Still keeping at it?' gofynnodd yn siriol.

'You seem disappointed to see us alive,' chwyrnodd fy nhad.

'Plenty to smile about.'

'Don't colonise my face.'

Anwybyddodd Smit ei sylw. 'We're headed up the mountain,'

meddai. 'Going to have a look at things from up top. Where everything is going to go. The runway and so on.'

Ni atebodd fy nhad, dim ond rhythu arno nes fy mod i'n meddwl y byddai ei lygaid yn neidio o'i ben.

'I'm glad to have seen you, anyway,' parhaodd Smit. 'I have a bit of bad news I'm afraid.'

'If it's bad news for you, then it's good news for us,' meddai fy nhad.

'We're in for some bad weather,' meddai. Camodd draw at ymyl y clogwyn, a snwffio'r aer. 'Do you smell that?'

Ysgydwodd fy nhad ei ben.

'Dank,' meddai'r dyn. 'It smells dank. There's a storm coming.'

'I don't smell anything!'

Cododd Smit ei law a phwyntio tuag at y gorwel. 'Do you see those, the purple and yellow clouds?'

Gallwn eu gweld, yn llinell ar y gorwel. Roedden nhw fel cleisiau uwchben y môr gwyrddlas.

'Rain?' ebychodd fy nhad. 'You're trying to scare us off with rain? We're Welsh!'

'What's Welsh for "it's raining cats and dogs"?'

'Mae'n bwrw hen wragedd â ffyn. It's hitting old women with sticks.'

'Here it rains palm trees and chunks of coral the size of your head. And that's just your tropical storms. A hurricane will kill you.'

'Hurricane!' tuchanodd fy nhad.

'It's the season now. There's a big one coming,' meddai Smit. 'It's a few days out. A Category 3 at the moment but it will be bigger by the time it arrives. They're getting worse every year.'

'Well, that sounds like a good reason not to build your holiday homes here then.'

'They can be built to survive. However, flimsy campsites will offer no protection.'

Cyfeiriodd fy nhad dros ei ysgwydd. 'We've got the cave.'

'They flood quickly. The sea rises up from down below and a lot of water comes down off the mountain. And the eye is due to cross right over the island.'

Trodd fy nhad atom ni. 'Peidiwch â gwrando! Trio ein dychryn ni i ffwrdd mae o! Sais sy isio ein hel ni oddi ar ei di– oddi ar *ein* tir.'

Edrychais allan ar y gorwel am yn hir, cyn troi yn ôl at Smit. 'You can tell all that about the storm just by looking at the clouds?'

Nodiodd y dyn ei ben. 'Yes. That and listening to the satellite radio.' Gwenodd. 'So I'm bringing forward our departure,' meddai. 'The plan is to leave in three days.'

'Good,' meddai fy nhad. 'We have a saying in Welsh. Gwynt teg ar dy ôl di. A good wind after you.'

'I'm just leaving until the storm passes. But you're leaving – for good. I can't have you here facing a hurricane and I can't bring you back.'

'Fel y dywedais i,' ffromodd fy nhad, 'mae o'n trio cael gwarad ohonan ni! We're not going anywhere!'

Ysgydwodd Smit ei ben. 'From my perspective, you're going to be gone, one way or another. But I had to offer you all a place, so that my conscience is clear.'

Cododd ei ddwylo i'r awyr bob ochr iddo, yn arwydd ei fod yn siarad yn onest a cherddod yn ôl tua'r mynydd. Trodd cyn mynd.

'What do you call her?' galwodd.

'What?'

Amneidiodd ei law at y mynydd a safai wrth ganol yr ynys. 'The mountain,' meddai.

'Mynydd y Duwiau,' galwodd fy nhad. 'The Mountain of the Gods.'

Daeth gwên i wyneb Smit. 'I like that,' meddai. 'I think I'll put that on the brochures. What do the natives call it again, Betty? Big dungheap?'

'The Big Termite Mound,' meddai hi.

Gwgodd Smit. 'That's terrible. The Mountain of the Gods, I really like that one.'

Trodd a dringo i fyny o'r golwg.

'Mae o'n meddwl ein bod ni'n dwp,' meddai fy nhad.

'He's telling the truth.' Sylweddolon ni fod Betty wedi oedi cyn gadael. 'There really is a hurricane coming.'

'Are you leaving?' gofynnodd Efa.

Edrychodd yn feddylgar, cyn ysgwyd ei phen. 'No. He will beg me to, but no. My place is here, whatever happens. I can't leave my family to face a hurricane alone. We live or die together.'

Nodiodd fy nhad ei ben yn egnïol. 'Dyna'r agwedd,' meddai. 'You stay and fight. We stay and fight. Mi'r ydan ni'n aros i greu'r Cymru Newydd.'

'Many of us will die,' meddai Betty. 'But some may survive.'

Amneidiodd fy nhad ei ben eto, ond ychydig yn llai egnïol. Edrychais ar wyneb Efa ac, fel fi, roedd hi'n ysu am gael mynd. Ni allwn ddarllen wyneb Teleri, oedd fel petai wedi cau i'r byd.

'But you work with Smit,' meddai fy nhad. 'He wants to raze the entire island and build a resort. He's worse than a hurricane.'

Edrychodd Betty'n feddylgar. 'You men come and go. You have big plans. Perhaps you're not so different.'

Syrthiodd ceg fy nhad ar agor. 'I am not like Smit.'

Cododd hi ei gwar. 'But we islanders endure, as we will after the hurricane. All every generation needs to do is make sure the essence of the island is passed on to the next one. If so, we don't really die.'

Trodd Betty a mynd ac ni welon ni neb arall am ddiwrnod arall. Roedd fy nhad yn dawel, yn feddylgar a dechreuais i boeni, oherwydd bob tro yr oedd golwg fel'na ar ei wyneb roedd ar fin gwneud rhywbeth gwirion. Roedd y storm a oedd yn ymgasglu tua'r dwyrain yn ddrych i'r cymylau duon ar ei dalcen.

Yn ddiweddarach fe welais Efa yn dod ata i tra'r oeddwn i lawr ar y traeth yn pysgota.

'Ti'n iawn?' gwaeddais i.

'Shhh,' meddai.

'Be sy?'

'Dy chwaer. Fi'n meddwl bod hi'n gwylio ni.' Trodd ac edrych yn ddrwgdybus i fyny i gyfeiriad y clogwyn.

'Dwi'm yn gweld dim.'

'Cadwa dy lais lawr, rhag ofn.' Closiodd Efa. 'Ma'n rhaid i ni fynd gyda Smit, gadel yr ynys,' sibrydodd.

'Fydd Dad ddim yn fodlon,' meddwn i. 'Ti'n meddwl y gallwn ni ei adael o yma?'

Edrychodd i lawr yn hir. 'Fi'n meddwl bo fi'n dishgw'l.'

Edrychais ar ei bol. 'O.' Saethodd rhyw deimlad trydanol drwy fy nghorff. Fy nghariad i'n disgwyl. 'O!'

Edrychodd arna i'n gonsyrnol.

Yna cofiais am Aled.

'O,' meddwn i. Ar ôl chwyddo mor sydyn roedd fy nghalon fel pe bai'n crebachu'n araf, fel yr aer yn gollwng o falŵn.

'Ie,' meddai hi. 'O.' Trodd ei chorff oddi wrtha i a rhwbio ei phenelin gyda'i llaw. 'Fi'n deall os 'yt ti'n casáu fi... ond ma'n rhaid i fi feddwl am y babi.'

Edrychais allan dros yr ynys, y traeth gwyn a'r goedwig a dyfai dros y ddwy ystlys a ymwithai allan i'r môr. Roedd y cyfan yn rhyfeddol o lonydd a thawel mwyaf sydyn, fel petai'n dal ei wynt ac yn disgwyl neu'n gwylio am rywbeth – beth? Y storm, efallai? Neu fy ymateb i Efa? Ac fe fyddyliais am eiriau Betty, nad oedd pethau yn marw mewn gwirionedd os oedd rhan ohonyn nhw'n cael ei basio ymlaen.

Ac yna cododd fy nghalon rhyw fymryn.

Efallai nad oeddwn i wedi lladd Aled wedi'r cyfan, nid yn gyfan gwbwl beth bynnag. Bodolai rhan ohono y tu mewn i Efa. Ac os allwn i ei hachub hi, a diogelu'r babi, fe fyddai rhan o Aled, o leiaf, yn goroesi.

Gafaelais yn llaw Efa. 'Bydd rhaid i ti fynd, o leiaf, beth bynnag mae fy nhad yn ei ddweud.'

'Ma'n rhaid i ni fynd,' meddai hi, ac edrych i'm llygaid. 'Bydd y babi angen tad, wedi'r cwbwl.'

Cnoais fy ngwefus. 'Dylen ni fynd i siarad â Smit,' meddwn i.

'Ond beth am dy dad a Teleri?'

Ochneidiais. 'Allwn ni ddim gadael iddyn nhw stopio ni.'

Nodiodd hi ei phen, y rhyddhad yn amlwg ar ei hwyneb. 'Fe allen ni fynd nawr.' Edrychodd i lawr y traeth i gyfeiriad y fila, ac yna dros ei hysgwydd tua phen y clogwyn. 'O, na.'

Fe edrychais i hefyd a gweld bod fy nhad a Teleri eisoes ar eu ffordd i lawr tuag atom ni. Anaml fyddai fy nhad yn gadael y gwersyll. Pa bynnag syniad mawr oedd wedi bod yn ffrwtian yn ei feddwl, roedd yn amlwg ei fod ar fin cael ei roi ar waith.

Pan oedd wedi dod yn ddigon agos i ni glywed ei lais, gwaeddodd: 'Dan ni'n mynd draw at y brodorion.'

Plethodd aeliau Efa at ei gilydd. 'O'n i'n meddwl bo chi eisie osgoi nhw?'

'Dwi'n sylweddoli erbyn hyn ein bod ni ar yr un ochr!' meddai fy nhad. 'Yn gynghreiriaid yn erbyn y Sais yma sy am droi eu hynys, ein ynys ni, yn rhyw fath o Lanzarote llawn twristiaid a thai ha'! Mae angen i ni frwydro ochr yn ochr.'

Teimlwn ias oer wrth feddwl am orfod dychwelyd i bentref y brodorion. Gwyddwn nad oedd gen i ddim i'w ofni gan y bobol yno ond fe fyddai mynd yn ôl i'r man lle y saethais i Aled yn ddigon i agor trapddor yr isymwybod a gadael i'r arswyd du gyfogi allan. Rhaid bod rhywfaint o fy mhryder wedi dangos ar fy ngwyneb oherwydd fe fwriodd fy nhad fi ar fy nghefn gyda'i law fawr.

'Paid â bod yn gachgi!' meddai. 'Fe fydda i'n dal y gwn tro 'ma.'

Fi oedd yr unig un oedd wedi bod i bentref y brodorion a gwyddwn ei fod ar gainc arall yr ynys pedol ceffyl i le yr oedden ni'n sefyll. Er mwyn osgoi taith hir, golygai hynny groesi'r bae a dringo i fyny dros ben braich ogleddol yr ynys er mwyn cyrraedd y lan ar y pen arall. Ond roedd fy nhad fel petai wedi cael ail wynt dros yr wythnos ddiwethaf, gyda'r bwyd gwell oedd ar gael y pen yma i'r ynys, ac roedd yn cerdded yn fwy sionc.

Roeddwn i'n ystyried arwain y criw cyfan 'ar goll' er mwyn osgoi cyrraedd pentref y brodorion yn llwyr ond sbwylwyd y syniad hwnnw wedi i ni gerdded heibio i fila Smit. Bryd hynny daeth Betty i'r golwg a charlamu i fyny'r traeth hir gwyn ar ein holau.

'You're moving?' gofynnodd.

'We're going to the village,' atebodd fy nhad.

'I was just on the way there myself,' meddai hi. 'I can show you the best path.'

'What a coincidence,' meddai fy nhad, hanner o dan ei wynt.

'I visit very often,' meddai hi. 'Most afternoons if my work is done for Mr Smit.'

Trodd fy nhad ata i. 'Mae hon 'di dod i ysbïo arnan ni ar ran Smit – betia i ti. Wel does dim ots gen i os ydi o'n dod i wbod be sy gen i mewn golwg. Mae yna ddau ohonyn nhw a degau ohonan ni, gyda'n gilydd.'

Dringon ni i fyny drwy'r goedwig ar ochr ogleddol yr ynys, yn falch o gael cysgod. Taflai pelydrau'r haul batrwm y dail ar lawr fel gwydr lliw. Er gwaethaf drwgdybiaeth fy nhad ohoni roeddwn i'n falch iawn o gael Betty yn arweinydd i ni, yn hytrach nag ein bod ni'n ei baglu hi i mewn i'r pentref fel gofodwyr o blaned arall a – beth wedyn? Siarad yn araf a gwneud stumiau gyda'n dwylo? Rhywbeth fel'na oedd gan fy nhad mewn golwg, mae'n siŵr.

Serch hynny allwn i ddim credu bod Betty'n dweud y gwir ei bod hi'n ymweld bron â bod bob prynhawn oherwydd mi'r oedd hi'n bedair milltir dda o gerdded, hyd yn oed o ddilyn y llwybr cyflymaf, cyn i ni gyrraedd y pentref. Cynyddodd curiad fy nghalon fel drwm wrth i'r bythynnod ar y lan ddod i'r amlwg drwy'r coed. Aeth fy nghorff yn dynn i gyd a theimlwn fel pe bai fy nghoesau am redeg i ffwrdd hebdda i.

'It looks like something out of the stone age,' meddai fy nhad.

Bwriodd Betty bryfyn allan o'i hwyneb gyda'i llaw. 'It's a fair bit better than your campsite.'

'Haven't you told them about...' Chwifiodd fy nhad ei law allan i gyfeiriad y môr. 'Out there.'

Ysgydwodd ei phen. 'Plenty have been out there. Many have stayed, many have returned,' meddai. 'They don't live this way because they're ignorant. They have chosen it because they're knowledgable.'

Tuchanodd fy nhad. 'Well, that knowledge will do them a lot of good when your Mr Smit has turned their village into second homes!'

Syllodd Betty ar y pentref, a'i hwyneb yn ddiystum. 'Ignorance is always more powerful than knowledge. There is more of it in the world. But you should try to live right, even if you're the only one doing so.'

Fe gerddom ni i lawr y llethr tuag at y pentref. Trodd sawl pen i'n hwynebu ni. Des i'n ymwybodol fy mod i'n chwysu, ac nid oherwydd y gwres yn unig. Roedd y diwrnod hwnnw pan saethais i Aled fel clwyf agored yn fy meddwl. Ac wrth ddychwelyd i'r pentref yma roedd fel petai rhywun yn procio'r clwyf hwnnw â'i fys.

'Ti'n iawn, Myfyr?' gofynnodd Efa.

Llyncais, a nodio fy mhen. Teimlai fy ngwddf yn rhy dynn i siarad.

Ymgasglodd tyrfa o blant o'n hamgylch a'n dilyn ni i ganol y pentref gan weiddi a siarad â Betty nes i ni gyrraedd y bwthyn mwy na'r lleill yr oeddwn i ag Aled wedi cael ein harwain ato o'r blaen. Roedd y goelcerth wedi mynd, a dim ond llecyn o ddaear wedi rhuddo yn arwydd iddi fod yno erioed.

Agorwyd llen y bwthyn ac allan ohoni daeth yr hen ddynes, Amá, ei breichiau wedi eu cynnal gan ddwy o'r merched beichiog. Syllodd drwyddom ni gyda'i llygaid cymylog, dall, ac fe ddywedodd Betty ambell air yn ei hiaith ei hun i'n cyflwyno.

Nodiodd yr hen ddynes ei phen tuag atom. 'Idishido,' meddai.

Edrychodd fy nhad arna i. 'Idishido?'

'Paid gofyn.'

Siaradodd yr hen ddynes eto.

'She asks where is the warrior Aled that was with you.'

Teimlais fy nghalon yn mynd i'm gwddf. 'He... died,' meddwn i.

Syrthiodd wyneb yr hen ddynes, a siaradodd yn araf a chysurlon.

'She says that he was a hunter,' meddai Betty. 'He brought death to life and life to death, and in his own death his blood and flesh will feed new life on the island. Aled had shown he understood this.'

Teimlais fy ngwyneb yn cochi. Crynodd fy ngwefus ond llwyddais i lyncu fy nagrau cyn iddyn nhw ddianc. Ond teimlwn rywfaint yn well, y tu mewn, ar ôl clywed hynny.

'We have come to seek common cause with you,' meddai fy nhad, ei ddwylo ar ei gluniau. 'We know that the Englishman hopes to turn this island into a resort – we're Welsh by the way, so much better. We need to work together to stop him, and drive him away.'

Oedodd fel fod Betty yn gallu cyfieithu hyn i'r hen ddynes.

'We came here to escape people like Smit,' aeth fy nhad yn ei flaen. 'Who have already turned our own communities into holiday homes and tourist attractions. So we're in the same boat. Fleeing linguistic and cultural persecution!' Caeodd ei law yn ddwrn a'i chwifio yn yr awyr.

Cyfieithodd Betty, ac yna fe siaradodd yr hen ddynes.

'She says perhaps we could swap places – you can stay here and fight our battles, and we can go to Wales and fight yours.'

Chwarddodd yr hen ddynes, gan ddangos un neu ddau o ddannedd crwca. Ni allai Betty chwaith guddio'r gilwen ar ei hwyneb.

Cochodd fy nhad. 'We thought this island was empty,' meddai. 'But now that we see that it's not, we need to work together, no?'

'And if we throw this Smit into the sea,' cyfieithodd Betty. 'What then? Will you put aside your own way of life and become like us, abandon your language and speak ours, as you wish the English would do in your land?'

Agorodd fy nhad ei geg i siarad ac yna fe'i caeodd eto. 'We came here as persecuted people, to ensure the survival of our language. We came to build a new nation to replace what we have lost.'

'It is always easier to see the worth in your own things,' cyfieithodd Betty. 'You come to build. So does Smit. But you will see that there is nothing that needs building here. The island is the womb of the world. Everything we know and everything we need is birthed from it.'

Aeth yr hen ddynes yn ei blaen gan bwysleisio ambell air. Cochodd clustiau Betty a phesychodd.

'And she says... um... I apologise, this sounds much more poetic in the original language... sorry... that you do not put things in your womb that should not be up there.'

Giglodd yr hen ddynes eto.

'Come with me, she says,' meddai Betty. 'She says she has something instructive to show you.'

Camodd Amá yn ei blaen yn sigledig a chymryd braich fy

nhad, yn gwenu fel giât. Edrychodd ef yn syn ond bodlonodd ar gael ei arwain i ffwrdd gan yr hen ddynes grwca, yn hanner ei chynnal hi a hanner cael ei harwain ganddi i fyny'r bryn.

'Ond sut ydw i'n mynd i ddallt gair o'i phen?' gofynnodd gan edrych arna i cyn gadael.

Gobeithiwn, gyda'm holl galon, nad oedd hi ar fin mynd ag o i'r ogof a cheisio cyflawni'r ddawns yna eto – fe fyddai'n ddigon i roi ffit iddo.

'Come, have something to eat,' meddai Betty a'n harwain ni at fan rhwng y pentref a'r traeth lle'r oedd sawl twmpath o bridd yn gymysg â dail palmwydd. Gwelais fod mwg yn araf godi allan o'r pentyrrau hyn ac roedd yr oglau a ddeuai ohonynt yn ddigon i ddod â dŵr i'm dannedd. Rhoddodd fy stumog y gorau i droi a dechreuodd rwnian fel cath.

'They're ovens,' meddai Betty. 'We cook goat, fish and turtle.'

Wrth edrych yn agosach gallwn weld rhwng y dail lle'r oedd marwor poeth yn llosgi a thalpiau mawr o gig wedi eu gosod yn rhes yn araf goginio. Edrychais ar Teleri ac Efa ac roedd yr un olwg wancus hefyd yn chwithig o amlwg arnyn nhw. Roedd ein hymateb yn amlwg wrth fodd y brodorion a safodd o'n cwmpas â gwên siriol ar wyneb bob un.

Roedd yn amlwg fod amser bwyd yn fater cymunedol yma. Roedd brodorion yr ynys gyfan fel petaent wedi ymgasglu o amgylch y ffwrnesi yn disgwyl am eu cinio. Pan ddaeth yr amser i chwalu'r twmpathau datgelwyd pentyrrau o gig crwban y môr oedd yn hisian â gwres, slesisys o gig gafr a dysglau o bysgod. Ymddangosodd platiadau o bob math o lysiau a ffrwythau lliwgar, a jygiau o sudd a llaeth.

Ro'n i wedi dychmygu y byddwn i'n gwledda nes fy mod i bron yn anymwybodol ond fel yr oedd hi fe ddarganfyddais yn fuan bod fy stumog wedi crebachu i faint dwrn babi ac na allwn stumogi rhagor nag ambell dafell o gig a rhywfaint o sudd ar y tro.

'Lle ma Dad?' gofynnodd Teleri a'i cheg yn orchuddedig â braster. 'Mae angen twchu arno fo yn fwy na neb.'

Fel ag yr oedd fe ddychwelodd fy nhad mewn da bryd a gwelais y nesaf peth at orfoledd ar ei wyneb wrth iddo dynnu ato a bwyta ei siâr, nes fod ei farf bron â bod yn diferu â saim a llaeth.

O'r diwedd pan oedd wedi ei ddiwallu fe orweddon ni yn erbyn un o'r bythynnod yn wynebu'r môr ac ni ddywedodd neb ddim am gyfnod hir. Teimlwn yn fodlon fy myd am y tro cyntaf ers misoedd, heb gnewian cyson newyn a syched y tu mewn i mi. Teimlwn yn hapus. Ie, yn hapus, nid dim ond yn fodlon. Roedd hyd yn oed wyneb gwelw, tenau Efa yn edrych yn gynnes ac yn wridog o amgylch y tân.

'Wyt ti'n iawn?' gofynnais wrthi.

Fe aeth i edrych yn ddifrifol. 'Fi'n teimlo bach yn sâl a gweud y gwir...'

'Wff, a fi. Heb arfar efo stwffio fy ngwynab.'

Gwenais. Ond cyn gynted ag y sylwais fy mod i'n teimlo'n wirioneddol hapus, teimlwn yn euog am hynny. Eisteddwn gyda fy mol yn llawn a gwên ar fy ngwyneb nid canllath o'r lle'r oeddwn i wedi saethu Aled. Ro'n i yma'n fyw yn stwffio fy mol, a fo'n pydru yn ei fedd. A sylweddolais bryd hynny na fyddwn byth yn gyfan gwbwl fodlon fy myd eto. Allwn i fyth adael yr ynys, ddim go iawn, achos fe fyddai euogrwydd ac edifeirwch am yr hyn ddigwyddodd yn garreg yn fy esgid lle bynnag yr awn.

Ond doeddwn i ddim eisiau colli fy hun i'r tywyllwch hwnnw rŵan felly troeais at fy nhad, a gofyn: 'I le'r aeth Amá â chi?'

Roedd golwg ddigon bodlon ar ei wyneb ond daeth cwmwl drosto. 'Hm! Mi aeth hi â fi i weld twmpathau'r morgrug gwyn,' meddai.

Edrychais arno'n hir. 'Morgrug gwyn?'

'Ie. Mi eisteddon ni yno.' Crafodd ochr ei wyneb. 'Am awr efallai, ond roedd yn teimlo fel amser hirach. Yn gwylio'r morgrug yn mynd drwy eu pethau.' Tynnodd ei het oddi ar ei ben a'i defnyddio i sychu ei dalcen. 'Cannoedd a channoedd o forgrug yn gweithio, yn adeiladu eu twmpath. Anferth o beth. Yn dalach na fi.'

Cofiwn y rhesi o dwmpathau anferthol yr oedden ni wedi dod ar eu traws ar ein hail ddiwrnod ar yr ynys, wrth ddringo i'r brig i chwilio am y trysor. Ro'n i wedi mynd heibio iddyn nhw ambell dro wrth gasglu dŵr. Roedd mynwent anferth ohonyn nhw yno.

'Maen nhw'n anferth,' cytunais i.

Gwenodd fy nhad, ac yna codi ei ysgwyddau. 'Ac wedi awr mi oeddwn i bron â mynd i gysgu a mi ofynnais i pam ddiawl oedden ni yno. Ac mi bwyntiodd hi at y morgrug, ac wedyn pwyntio ata i.'

'Pwyntio atach chi?'

Nodiodd ei ben, a chroesi un goes yn araf ar draws y llall, a phlethu ei freichiau.

'A...?'

Roedd fel petai'n cnoi cil ar rywbeth na hoffai ei flas. 'Yna fe aeth hi â fi heibio i'r nythod morgrug byw.' Edrychodd ar ei ddwylo garw. 'I gae llawn *hen* dwmpathau morgrug. Cannoedd ohonyn nhw. Pob un yn... llwyd a difywyd, wedi eu herydu a'u chwalu gan y gwynt.'

'A?'

Cododd ei olygon a syllodd yn ddifrifol arna i.

'Ac yna fe bwyntiodd at y twmpathau marw, a phwyntio ata i.'

'Ti oedd y twmpath?' gofynnais.

'Naci siŵr! Fi oedd y morgrugyn, o hyd.' Fe aeth ei lygaid yn bell.

'Dw i'm yn dallt.'

'O'n i'n meddwl mai ti oedd yr un clyfar! Deud oedd hi fod pob morgrugyn yn gweithio drwy ei oes i adeiladu twmpath, yn meddwl ei fod yn bwysig ac yn adeiladu'r twmpath mwyaf oll.' Ystumiodd gyda'i ddwylo. 'Eu bod nhw'n creu rhwbath gwell a phwysicach nag unrhyw forgrugyn arall a fuodd erioed. Ond cyn bo hir, dim ond twmpath marw sy'n weddill a hwnnw'n troi'n llwch.'

Roedd yn amlwg wedi gwneud argraff ddofn ar fy nhad.

'Felly deud oedd hi fod yr holl beth yn ddibwrpas?'

'Ia, am wn i. A falle mai hi sy'n iawn. Ond y perygl ydi nad oes ystyr i fywyd wedyn, nac oes?' meddai. 'Os nad oes dim byd yn cyfri?' Ysgydwodd ei ben yn lluddiedig. 'Waeth i'r Gymraeg a phopeth arall farw. Dyna ydi pen draw y peth. Ac all neb fyw fel yna, heb fod isio creu na gneud dim.'

Roedd y cysgodion yn dechrau ymestyn a'r haul wedi troi'n lliw rhuddgoch fel y gwnâi cyn diflannu dros ymyl y môr ac roedd rhaid penderfynu lle oeddem ni am fynd.

Pwysodd fy nhad ymlaen i godi. 'Dyna ddigon am dwmpathau! Twmpath o ddail ydi'r cyfan os wyt ti'n gofyn i fi!' Cydiodd yn ei ffon a chodi ar ei draed ar ei goesau crynedig, a chydio mewn rhywbeth arall yr oedd wedi ei osod ar lawr a sgleiniai yn oren yn y machlud haul.

'Yr EPIRB!' meddwn.

'Ia, mi ges i hwn gan Amá. Rhaid ei fod wedi golchi i fyny ar y traeth ar ôl i'r llong suddo...'

Cofiais i Aled gael gafael arno cyn cwrdd â'r brodorion, ond ddywedais i ddim am hynny. Doeddwn i ddim am godi hen grachen.

'Fe allen ni ddefnyddio fe er mwyn gadel,' meddai Efa yn obeithiol.

'Ddudais i ddim am hynny!' meddai fy nhad. 'Ond mi fydd yn gneud y penderfyniad yn haws. Gwbod mai yn ein dwylo ni mae o.' Cododd y ddyfais o'i flaen yn sglein pelydrau olaf yr haul. 'Bydd rhaid i ni gael senedd, 'nôl yn y gwersyll. Penderfynu.'

'Penderfynu beth?' gofynnodd Teleri.

'Beth ydan ni...' meddai fy nhad. 'Cymry neu frodorion?'

O weld ein bod ni'n gadael fe benderfynodd Betty ein harwain yn ôl, ac ni wnaeth hynny unrhyw beth i newid meddwl fy nhad mai cadw llygad arnom ni ar ran Mr Smit oedd hi. Ond roeddwn i'n ddiolchgar iawn o ystyried faint oedd hi wedi dechrau tywyllu. Er fod gan Dad y tortsh gallai'r ynys i gyd fynd i edrych yr un fath gyda'r nos.

Treuliais i'r rhan fwyaf o'r ffordd yn ôl yn meddwl. Yn meddwl am fynd yn ôl i Gymru. Roedd Cymru yn teimlo mor afreal erbyn hyn – yr un mor ddiarth ag y byddai byw ar ynys yng nghanol y môr wedi ymddangos i mi fisoedd yn ôl. Oeddwn i wir wedi byw y bywyd yno, yng nghanol yr holl sŵn a phrysurdeb a phobol? Ac a oeddwn yn hapus mewn gwirionedd? Neu ai math o fabandod ydoedd, wedi fy nythu yng nghanol fy llyfrau, yn saff rhag gorfod profi bywyd, ar wahân i'w brofi drwy eraill ar dudalennau llyfr?

Ro'n i wedi colli fy hun dros yr wythnosau diwethaf. Wedi colli gafael ar yr hen Myfyr. Wedi arnofio yn ddi-angor ar fôr tymhestlog. Ond roeddwn i wedi dechrau ailgydio mewn pethau, wedi dechrau meistroli'r llong, wedi codi hwyl a'i gwylio'n bochio, gan ddefnyddio'r gwynt yn hytrach na brwydro yn ei erbyn.

Roedd rhan ohona i ofn mynd yn ôl, dyna'r gwirionedd amdani. Ofn gorfod croesi'r môr tymhestlog unwaith yn rhagor, rhwng yr ynys a Chymru, rhwng un Myfyr a'r llall.

Syrthiodd Betty yn ôl ambell gam nes ei bod yn cerdded wrth fy ochr, gyda'r tri arall tua'r blaen.

'Your father is silent,' meddai hi.

'Amá told him a story.'

'Oh. Her stories make people happy and sad. Sometimes the same story makes one person sad and another happy. But never the same.' Gwenodd. 'Which story did she tell?'

'Something about termite mounds.'

Cododd ei haeliau. 'And that made him sad?'

'He said it meant that life was pointless.'

Ysgydwodd hi ei phen. 'No. He misunderstood. Yes, every termite mound turns to dust, Amá says. And there is no need for any mound to be bigger than any other.' Dawnsiodd y goleuni yn ei llygaid. 'But every termite must build his mound, because if he fails there will be no termites to build their mounds after him.'

Gwenais. 'Gwinllan a roddwyd i'm gofal yw Cymru fy ngwlad, i'w thraddodi i'm plant, ac i blant fy mhlant, yn dreftadaeth dragwyddol.'

'What does that mean?'

'It's something written by a man called Saunders Lewis. I think it just means our country is a vineyard that we must tend and pass on to our children.'

'He probably meant it as a… what do you call it?' Cnodd ei gwefus a bwrw ei bysedd ar ei phengliniau.

'Erm.' Sylweddolais nad oeddwn i'n cofio'r gair chwaith. 'Trosiad? Metaphor, that's it.'

'Yes. I like trosiad better. He probably meant it as a trosiad, but Amá means it for real. For her, the island *is* her vineyard. The island is the whole world.'

'Unfortunately the rest of the world doesn't agree.'

'No. Your father does not.'

'I suppose he saw our own vineyard in danger, and wanted to plant another one.'

'But there is already a vineyard here, which is just as important as your own,' atebodd Betty. 'It existed before you came here, and it will exist after you have gone.'

'I wish I could say the same for our own.'

Nodiodd ei phen. 'Perhaps, like me, you could go back and make sure.'

# Teleri

CYNYDDODD Y PWYSAU yn yr aer trwy gydol y diwrnod wedyn nes ei fod yn teimlo fel y gallai fynd yn rhy drwm a chwympo ar ein pennau ni fel carreg. Roedd y cymylau oedd yn agosáu ar y gorwel mor ddu â thomenni glo ac yn barod i gau fel dalen ddu dros yr ynys. Diflannodd yr haul ganol dydd am y tro cyntaf ers wythnosau ac roedd yr ynys wedi'i gorchuddio â llewyrch oren peryglus, fel goleuni rhybuddio. Roeddwn i'n disgwyl clywed y taranau unrhyw eiliad, fel ergydion gynnau mawrion, ond ni ddaethant.

'Does dim mellt mewn *hurricane*,' meddai Myfyr. 'Gwynt fertigol sy'n achosi taranau – y dŵr yn rhwbio'n erbyn iâ. Mae gwynt *hurricane* yn llorweddol.'

'Wel, diolch blydi byth dy fod ti yma efo'r fath wybodaeth angenrheidiol!' meddai fy nhad.

'Ond ma hynny'n dangos mai *hurricane* yw e, on'd yw e,' meddai Efa. 'O'dd Smit yn gweud y gwir.'

'Mae angen i ni fynd,' meddai Myfyr. 'Naill ai efo Smit, neu gan ddefnyddio'r EPIRB.'

Ni ddywedodd fy nhad ddim yn ateb i hynny, dim ond croesi ei freichiau a gostwng ei ên nes fod ei wyneb wedi diflannu i'w farf, bron â bod. Gafaelai yn yr EPIRB yn ei gôl, fel pe bai'n pendroni drosto.

'Teleri?' gofynnodd Myfyr.

'Os ydan ni'n mynd, dan ni'n mynd efo'n gilydd,' meddwn i. 'Dad?'

Ysgydwodd hwnnw ei ben. 'Dw i ddim wedi penderfynu. Ond os ydan ni'n mynd, dan ni'n mynd ar ein telerau ein hunain,' meddai a tharo top plastig yr EPIRB.

Tynnodd Myfyr fi naill ochr. 'Allwn ni ddim disgwyl i Dad, mae'r storm bron ar ein pennau ni,' meddai drwy ei ddannedd.

'Felly awn ni ddim,' meddwn i. 'Allwn ni'm gadael ein tad ein hunain mewn storm, efo'i goesau'n pydru!'

'Fe allen ni i gyd farw,' meddai Efa, gan gau ei dwylo dros ei bol.

'Meddai Smit,' meddwn i. 'Ella mai Dad sy'n iawn ac mai deud celwydd mae o. Dan ni 'di goroesi storm ar yr ynys o'r blaen, yn do?'

Gwelais Myfyr ac Efa yn edrych ar ei gilydd, dim ond eiliad o edrychiad. Ond ro'n i'n gwybod yn yr eiliad honno bod cynllun yn cyniwair rhynddyn nhw. Rhwng ei glyfrwch o a'i chyfrwystra hi roedd yna rywbeth yn ffrwtian.

Trodd y ddau a'i anelu hi i lawr y bryn, ar gyflymder braidd yn annaturiol.

'Lle dach chi'n mynd?' gofynnais, gyda'm dwylo ar fy nghluniau.

'Lawr i'r traeth i bysgota,' gwaeddodd Myfyr yn ôl. 'Bydd yn rhy beryglus i ddwyn wyau yn y tywydd yma.'

'A fi hefyd,' meddai Efa yn bypedaidd.

Hanner nodiodd fy nhad fel pe na bai wedi eu clywed nhw o gwbwl.

Codais a dringo i ben y clogwyn ac edrych i lawr ar ehangder y bae. Hyd yn oed y pen yma i'r greigres gwrel roedd pen o ewyn ar y tonnau. Fe fyddai pysgota'n amhosib.

'Maen nhw'n deud c'lwydda,' meddwn i.

'E?' Cododd fy nhad ei wyneb hanner modfedd o'i farf.

'Maen nhw'n cynllunio. Yn mynd i'n gadael ni...'

Cododd ef ei war. 'Hy. Os felly ma'n nhw'n rhy hwyr. Bydd y Sais yna wedi dianc i achub ei groen ei hun erbyn hyn.'

Penderfynais eu dilyn nhw.

Erbyn i mi gyrraedd hanner ffordd i lawr at y traeth, gan lynu yn agos at ymyl y clogwyn, gallwn weld bod Myfyr ac Efa bron â chyrraedd y fila yn barod. Yn dal i gerdded ag arddeliad anghyffredin, yn anwybyddu'r cilfachau lle'r oedd hi'n haws pysgota. Ro'n nhw'n edrych yn ôl bob hyn a hyn ond mi arhosais i allan o'r golwg.

Maen nhw'n mynd i'n gadael ni, meddyliais. Fy ngadael i a Dad i farw. Llifodd rhywbeth tebyg i banic drwy fy nghwythiennau. Teimlwn fy ngwddf yn tynhau nes fy mod i'n ei chael hi'n anodd dal fy anadl.

Gwelais nhw'n cyrraedd y fila ac yn diflannu i fyny'r llwybr i'r ardd. Gyda'r ddau allan o'r golwg, rhedais ar draws y tywod fflat nes fod fy sodlau noeth yn llosgi. Doeddwn i ddim am fynd drwy ddrws y ffrynt rhag iddyn nhw fy ngweld a gwadu popeth. Penderfynais ddringo drwy'r goedwig ar ochr y fila a gweld a allwn i eu dal nhw wrthi fel nad oedden nhw'n gallu rhaffu celwyddau wedyn.

Roedd y goedwig yn drwch ond ymbalfalais drwyddi ar fy mhedwar, gan anwybyddu crafiadau'r dail a'r brigau a brathiadau cyson y pryfaid yr oeddwn i'n tarfu arnyn nhw.

Yn sydyn, dros guro'r tonnau, fe glywais i leisiau.

'Well, "congratulations" is the first thing I should say, I suppose.' Llais Smit.

*Congratulations?* meddyliais. *Am be?*

Pipiais rhwng y boncyffion a dal fy anadl fel mod i'n gallu

clywed yn well. Roedden nhw'n eistedd ar y feranda, lle y bûm i rhyw wythnos ynghynt, er gwaetha'r hyrddiadau o wynt a ddeuai i lawr o ben y mynydd. Doedd Smit yn amlwg ddim eisiau eu budreddi nhw'n y tŷ o hyd.

'I don't really care about myself,' meddai Myfyr. 'I just want to make sure that she's looked after.'

'She'll be treated like a queen,' meddai fo. 'It will all seem like luxury compared to this, having a roof over your head. I'm sorry I hadn't realised what was going on earlier. You're not at fault in any of this. It's criminal what he's done to you. There might be a book or a film in it, I expect. That'll pay its college fees.' Chwarddodd a chodi ei baned yn llwncdestun.

*She'll be treated like a queen? College fees?*

Efallai nad oedd unrhyw fellt yn y storm ond fe fflachiodd un drwy fy meddwl yr eiliad honno gan greu twrw a'm hysgydwodd i'm seiliau. Beth os oedden nhw a Smit wedi bod yn cynllwynio yr holl amser? Yr holl dripiau hynny i ganol yr ynys i 'nôl dŵr'? Efallai iddyn nhw fod yn cynllwynio ers cyn cyrraedd yr ynys...

*It's criminal...*

Yn ofalus, ofalus, dringais i lawr o'r lle y safwn a dianc yn ôl am y traeth, fy mhen yn troi fel yr hyrddwynt ar y gorwel.

Roedd yn amlwg eu bod nhw wedi dod i ryw fath o gytundeb â Smit. Ond i wneud beth? Roeddwn i'n meddwl mai dim ond eisiau gadael yr ynys oedden nhw. Ond roedd yn amlwg bellach fod pethau'n mynd yn ddyfnach na hynny.

Beth bynnag oedd y cynllun, roedd yn amlwg eu bod nhw ar fin cael eu gwobr rŵan. Cael eu trin fel brenin a brenhines. Ond beth oedd y pris y byddai'n rhaid ei dalu?

*It's criminal what he's done to you...*

Ac roedd Myfyr wedi lladd Aled. Wedi ei saethu yn ei wyneb

â'i ddryll. Oedd Aled wedi darganfod rhywbeth? Wedi gweld Myfyr yn cwrdd â Smit? Wedi herio Myfyr, a chael ei saethu yn ddiolch am hynny? A lle bu Myfyr yr holl amser wedyn? Lle'r oedd y corff?

*She'll be treated like a queen... You'll be looked after...*

Dringais y bryn tuag at at ein gwersyll ar y fath gyflymder nes fy mod i'n teimlo fel cyfogi erbyn i mi gyrraedd y brig. Roeddwn i am ddweud y stori i gyd wrth Dad cyn i Myfyr ac Efa gyrraedd yn ôl a chael cyfle i dywallt eu gwenwyn yn ei glust a throi'r stori i siwtio'u hunain. Ond pan gyrhaeddais y gwersyll roedd fy nhad wedi mynd o'r man lle eisteddai ynghynt.

'Dad!' gwaeddais.

Dringais i ymyl y clogwyn i gael gwell golwg ac er rhyddhad imi gwelais ef yn sefyll ar y pen draw lle'r oedd yn ymestyn allan i'r môr. Roedd ei gefn tuag ata i, yn edrych allan tua'r gorwel aneglur ac ar yr adar a droellai yno ar y gwynt.

'Dad,' meddwn i, a rhedeg tuag ato.

'Hmm?' gofynnodd a throi ei ben rhyw fodfedd tuag ata i. Gwelais ei fod yn dal y ddyfais EPIRB yn ei freichiau, y caead wedi agor.

'Ma gen i rwbath i'w ddeud–'

'Ro'n i'n meddwl am dy fam,' meddai, a'i farf yn ystumio â hanner gwên. 'Dydi'r olygfa yma ddim yn rhy annhebyg i'r olygfa o ynys Llanddwyn. Roedden ni'n mynd yno'n reit aml pan oeddan ni'n canlyn. Weithiau dwi'n sefyll fan hyn a gweld dim byd ond y môr a dwi'n meddwl mod i yn ôl yno efo hi wrth fy ochr.'

Edrychais allan ar yr ehangder llwyd i bob cyfeiriad. Edrychai fel pob môr, ymhobman.

'Ges i ofn ar ôl i dy fam farw, ti'n gwbod. Ofn nad oeddwn

i wedi cyflawni dim byd gwerth chweil, a bod amsar yn brin.'
Gosododd un droed ar ben eithaf y tir.

Roedd ei siaradusrwydd sydyn ar ôl dyddiau o dawelwch
bron yn fy atal yn yr unfan. Nid oedd wedi dweud llawer am
fy mam ers ei hangladd.

'Ond dwi'n meddwl mod i'n gweld rŵan,' meddai, gan
fwytho ei farf. 'Dwi wedi dod i benderfyniad. Fedra i ddim
achub Cymru o ben arall y byd i Gymru.'

'Dad, ma Myfyr ac Efa wedi bod yn cynllwynio efo Smit yr
holl amsar!'

Cododd ei aeliau ac yna eu gostwng eto. 'Be?' gofynnodd.
'Am beth wyt ti'n sôn?'

'Fuais i'n clustfeinio arnyn nhw, glywis i Smit yn deud bod
Myfyr ac Efa yn mynd i gael rhyw fath o wobr am ei helpu o,'
meddwn i. 'Bod yn frenin ac yn frenhines yr ynys. Os oeddan
nhw'n fodlon deud dy fod ti wedi troseddu yn eu herbyn
nhw.'

'Deud wrth y Sais yna?'

'Maen nhw wedi bod yn gweithio gyda'i gilydd ar hyd yr
amser,' meddwn i, y geiriau'n pistyllio ohona i. 'Wedi bod yn
tanseilio ac yn dinistrio o'r dechrau. A dw i'n meddwl bod
Aled wedi ffeindio allan a'u bod nhw wedi ei ladd o.'

Syllodd fy nhad arna i a'i geg yn slac. Cododd law grynedig
i'w dalcen. 'Wedi bod yn tanseilio o'r cychwyn cyntaf...
Wrth gwrs, mi ddudish i, yn do? Dim blydi rhyfadd fod fy
nghynllun i wedi syrthio mor fflat.' Edrychodd o'r naill ochr
i'r llall fel petai'n gweld yn glir am y tro cyntaf. 'Ro'n i wedi
cynllunio popeth yn ofalus ond doedd dim byd i'w weld yn
gweithio. A'r blydi Sais yna yng nghanol y cyfan.'

Brasgamodd heibio i mi, yn ôl tua'r maes gwersylla.

'Be ydan ni'n mynd i neud?' gofynnais.

'Gneud beth ddaethon ni i yma i neud,' meddai. Rhoddodd yr EPIRB ar lawr a gosod y caead yn ôl arno, a'i wthio gyda'i droed i mewn i lwyn. Yna cododd ei ddryll. 'Mae'r Sais yna'n meddwl ei bod hi'n *checkmate* arnan ni. Mae o ar fin cael dipyn o sioc.' Ysgydwodd ei ben. 'Myfyr! Fy mab fy hun. Alla i'm coelio'r peth.'

'Yr Efa yna sy 'di troi ei ben o.'

'Rhy debyg i'w fam. Yn rhy hawdd ei arwain. Diolch byth fod gen *ti* rywfaint o fy synnwyr cyffredin i.'

'Ydan ni'n mynd i fynd ar eu hôl nhw?'

'Fysan nhw'n dod 'nôl, ti'n meddwl?'

Dringais i frig y llethr ac edrych i lawr i gyfeiriad y traeth. Ymhell i ffwrdd ar draws y bae gallwn weld dau siâp yn cerdded law yn llaw gerllaw y fila.

'Maen nhw'n dod!' meddwn i.

'I drio'n cael ni i fynd oddi yma o'n gwirfodd, ma'n siŵr.'

'Be 'nawn ni?' gofynnais a'r cyffro'n codi croen gŵydd drosta i gyd.

'Cuddio.'

Ac felly fe aethon ni gefn gwrych ar ochr y llwybr a disgwyl yno, fel helwyr yn aros am ysglyfaeth. Fe aeth hanner awr braidd yn anghyfforddus heibio.

'Ydyn nhw 'di mynd i bysgota, ti'n meddwl?' gofynnodd Dad o'r diwedd.

'Ella'u bod nhw ddim yn dod 'nôl—'

'Shh!'

Fe glywon ni dincian lleisiau yn y pellter yn codi dros chwibanu taer y gwynt.

'Bydd rhaid i ni ddod yn ôl am Aled r'w bryd, yn bydd? Mae'n haeddu hynny...' meddai un llais.

'... os ydan nhw'n ffeindio allan beth ddigwyddodd?' meddai'r llall.

'Ein cyfrinach ni. Mae'n siŵr ei fod yn esgyrn erbyn hyn...'

Cododd fy nhad ar ei draed a gwelais ef yn anelu'r dryll dros ymyl y gwrych. 'Ydach chi'n meddwl rhannu rhai o'ch cyfrinachau chi efo fi a Teleri?' gwaeddodd. ''Ta dim ond ar eich cyfer chi a'r Sais yna maen nhw?'

Codais innau a gweld i'm boddhad bod wynebau'r ddau yn grwn â braw a'u dwylo wedi eu codi o'u blaenau.

'Dad!' ebychodd Myfyr. 'Rho'r gwn i lawr! Blydi hel.'

'Mi saetha i chi'ch dau, y diawliaid, dalltwch hynny. Bradwyr!' poerodd.

'Be ddiawl w't ti'n neud?' gofynnodd Myfyr.

Pwyntiais fys cyhuddgar atyn nhw. 'Mi wnes i glywed chi!' meddwn i, a'm llais yn wich o gynddaredd. 'Fe aethoch chi i weld Smit!'

'Naddo...' dechreuodd Myfyr. 'Roedden ni'n pysgota...'

'Ro'n i yna!' sgrechiais. 'Yn eich gwylio chi ar y feranda. Yn cynllwynio.'

Bu tawelwch am eiliad ac fe edrychodd Myfyr ar Efa. Roedd hi wedi mynd yn goch ac yn crynu drosti.

'Iawn,' meddai Myfyr o'r diwedd, yn dal cledrau ei ddwylo i fyny o'i flaen. 'Ond dach chi'm yn dallt...'

'Dan ni'n dallt digon, rŵan,' sgyrnygodd fy nhad. 'Eich bod chi wedi bod yn ei boced o'r holl amsar.' Crynodd ei fys ar glicied y gwn.

'Dim ond eisiau mynd o'ma, oeddan ni,' meddai Myfyr. 'A dan ni *yn* mynd, yn gadael prynhawn 'ma. Fydd y storm yn rhy wael wedi hynny, medda fo. Ond roeddan ni isio dod 'nôl gynta, i ddeud 'thach chi, i weld oeddach chi isio dod hefyd. I roi cyfla i chi–'

'Celwydd!' meddai fy nhad a dafn o boer yn hedfan o'i geg i ganol ei farf. 'Dach chi isio ni o'ma fel eich bod chi'n gallu meddiannu'r ynys. Dyna'r ddêl, ynde? Dyna oedd y cynllun o'r dechrau. Cael eich cyt.'

'Na, Dad. Mae Efa, ma hi'n…'

Cododd Efa ei dwylo o'i blaen. Powliodd dagrau i lawr ei gruddiau. 'Plis,' meddai, 'alla i esbonio. Dw i'n feichiog.'

Gwelais ddryll fy nhad yn gostwng fodfedd. Goleuodd ei wyneb. 'Yn… feichiog?'

'Bolycs!' meddwn i. 'Rhaffu c'lwyddau.'

'Ti'n disgwyl?' gofynnodd fy nhad wedyn. 'Dwi'n mynd i fod yn dad-cu?'

'Ffycin hel, Dad, yli ei bol hi,' meddwn i, 'mor fflat â bwrdd smwddio!'

'Does dim *rhaid* i chi ddod os nag dach chi isio,' meddai Myfyr. 'Ond plis, plis, plis, gadewch i *ni* fynd. Er mwyn y babi.'

'Yn feichiog,' atseiniodd fy nhad, ei lais yn bell i ffwrdd. Yna daeth ato'i hun a chodi'r dryll drachefn. 'Dewch, i fyny'r bryn i'r gwersyll.'

'Dad, mae'n rhaid i ni fod yno mewn awr! Neu bydd Smit yn mynd hebddan ni.'

'Dan ni ddim yn mynd i nunlle – chitha chwaith. Dan ni'n mynd i sefyll ein tir.' Amneidiodd ei ddryll yn arwydd iddyn nhw fynd i fyny'r bryn tuag at yr ogof.

'Mae angan i ni ddiogelu'r babi,' meddai Myfyr.

'Os yw'r storm yma mor beryglus ag y mae'r Sais yn ei ddeud fe fydd yn gyrru pawb arall oddi ar yr ynys. Yn chwalu'r fila, yn sgubo'r brodorion i'r môr. Ond fe fyddwn ni'n saff yn yr ogof, ar dir uchel fel hyn. A dim ond ni fydd ar ôl wedyn.' Gwenodd. 'Y babi yma fydd dinesydd cyntaf-anedig y Gymru Newydd!'

Fe wnaethon ni orymdeithio i fyny'r bryn, Myfyr ac Efa a'u dwylo dros eu pennau.

'Dach chi'm o ddifri yn mynd i'n saethu ni, ydach chi?' gofynnodd Myfyr, ond cefais yr argraff ei fod yn ceisio argyhoeddi ei hun o hynny gymaint â ni.

'Pam ddim?' gofynnodd fy nhad.

'Wel, fydd eich Cymru Newydd ddim yn tyfu'n fawr iawn hebddan ni.'

'Ti'n iawn. Hwda.' Er syndod, taflodd y dryll i'm dwylo i.

'Dydi Teleri ddim yn mynd i fy saethu i chwaith!' chwibanodd Myfyr.

'Ti'n siŵr, ar ôl i ti saethu Aled?' meddai fy nhad. 'Ti'n mynd i risgio hi?'

Rhoddodd hynny daw ar Myfyr. Gwenais arno'n gas a'i brocio efo baril y gwn.

Roedd Efa'n dal yn ei dagrau ac yn crynu fel cwningen fach. Ond ro'n i'n mwynhau ei gweld hi'n dioddef. Yn crio fel plentyn wedi ei difetha am fod ei chynllun bach wedi chwalu'n ddarnau. Doedd hi'n haeddu dim gwell.

Roedd y gwynt bellach yn chwythu fel trên ar draws pen y clogwyn ac roedd yn rhaid i ni grymu ein pennau i gyrraedd yr ogof er mwyn cysgodi. Aeth Dad i nôl y tortsh.

'Dw i'n mynd i ddod o hyd i le sych i swatio,' meddai. 'Lle fydd y storm yna ddim yn gallu ein cyrraedd ni.'

'Mae'r ogofâu'n llenwi â dŵr,' meddai Myfyr. 'Dydi hi ddim yn saff.'

'Smit dd'wedodd hynny, yn de? Celwydd arall i'n hel ni oddi ar yr ynys. Dan ni ddim yn dwp. Os ydan nhw'n trio gadael, Teleri, saetha nhw. Dwi o ddifri.'

'Â phleser,' meddwn i.

Ond pan adawodd fy nhad fe ddechreuodd y ddau ohonyn nhw bledio arna i wedyn. Rhaid eu bod nhw'n meddwl mod i mor feddal â waliau calch yr ogof.

'Plis, Teleri. Ti'm yn coelio nonsens Dad, wyt ti?'

'Dwi'n ei drystio fo mwy na chi'ch dau. Dwi'n sicr yn trystio fo mwy na Smit.'

Ac er syndod imi fe aeth Efa i lawr ar ei phengliniau. 'Plis, Teleri, gad ni fynd. Er mwyn Aled.'

Edrychais arni'n hurt. 'Be ddiawl sy gin hyn i neud efo Aled?'

Rhoddodd Myfyr ei law ar ei thraws fel petai am ei hatal. Ond roedd yn rhy hwyr.

'Aled yw tad y babi,' meddai Efa.

Teimlwn fel petai'r dryll yr oeddwn i'n ei ddal wedi saethu am yn ôl, i mewn i'm brest, gan wasgaru fy enaid ar wal yr ogof.

'Aled?' meddwn i, a phrin y gallwn glywed fy llais fy hun.

'Do'n i'm yn hapus chwaith,' meddai Myfyr. 'Ond meddwl am y peth. Fydd rhan o Aled yn parhau i fyw.'

'Aled ydi tad dy fabi di?' gofynnais i ag atgasedd.

Cododd Efa ar ei thraed, gan weld, mae'n siŵr, yr olwg beryglus yn fy llygaid.

Chwyrnais fel teigr. 'Mi 'nest ti ladd fy nghariad i,' meddwn i gan bwyntio'r dryll at Myfyr. Ac yna fe anelais y dryll at Efa. 'Ac mi 'nest ti ei ffwcio fo. Pam ddiawl fysach chi'n meddwl y byswn i'n gadael chi'n rhydd?'

'Dan ni i gyd yn mynd i farw,' meddai Myfyr.

'Gwd!' gwaeddais.

# Efa

Rhuodd y gwynt. Bob hyn a hyn codai'n anghyfforddus o debyg i sgrech ddynol, fel pe na bai'r storm yn rym natur ond yn beth maleisus, ymwybodol a oedd am grafangu ei ffordd i lawr yr ogof tuag atom.

Cwtsiais i â Myfyr at ein gilydd. Wydden ni ddim lle'r oedd Teleri – efallai ei bod hi wrth geg yr ogof, yn ei hamddiffyn gyda'r dryll. Efallai ei bod hi ddau gam i ffwrdd, yn gwrando arnom o'r tywyllwch.

Roedd hi wedi ein gorfodi i lawr y twnnel ac at lan y llyn du yng nghrombil yr ogof yr oedden ni wedi dod o hyd iddo wythnosau ynghynt. Y llyn fu mor llonydd bryd hynny ond a oedd nawr yn tasgu wrth i ddŵr raeadru o agoriad yn y nenfwd a byrlymu i fyny fel ager o nentydd tanddaearol.

'Bydd yr ogof yn llenwi,' sibrydais.

Ddaeth dim ateb gan Myfyr, ond gallwn glywed ei anadlu tynn.

''Nôl mewn awr, wedodd Smit,' meddwn i, y pryder yn fagl oer amdana i. 'Fydd e ddim yn aros.'

'Mae'r gwn gin Teleri,' meddai Myfyr.

'Ma'n rhaid i ni dreial.'

Distawodd y gwynt am eiliad, yn ddigon distaw i ni glywed y tonnau'n bomio'r traeth, un ar ôl y llall, fel canonau pell i ffwrdd.

'Myfyr?'

'Dwi ddim isio gneud llanast o bethau eto,' meddai.

'Wnei di ddim.'

''Swn i'n hapus i neud unrhyw beth i achub y babi yna, a tithau hefyd.' Sniffiodd. 'Ond dwi gymaint o ofn gneud llanast o bethau ers lladd Aled.'

'Ti heb neud *llanast* o ddim byd.'

'Ella mai Dad sy'n iawn – y dylen ni aros fan hyn i'r storm basio.'

'Dy dad sy 'di neud cawlach o bethe a fe sy'n dal i neud cawlach o bethe.'

'Dw i wedi trio bob dim er mwyn ei neud o'n hapus. Ond mae fel petai popeth dwi 'di gneud, wedi ei neud o'n fwy blin.'

'Grynda arna i.' Cydiais yn ei fraich a'i dal at fy mrest. 'Fi'n gwbod ei fod e'n dad i ti – ond ma'r dyn off ei ben, Myfyr. Ti'n well na fe. Yn well dyn.'

Ni atebodd.

'Wyt.' Cydiais yn ei fraich arall. 'Ti ganwaith gwell na phob un ohonyn nhw. A ni'n mynd i brofi'r peth.'

Gallwn deimlo ei anadl yn boeth ar fy ngwyneb, hyd yn oed os na allwn ei weld yn y tywyllwch.

'Os wyt ti'n siŵr,' meddai.

'Odw, fi'n siŵr,' atebais

'Reit.' Chwibanodd rhwng ei ddannedd. 'Ond ma'n rhaid i ti adael i fi drio cael y dryll yna oddi arni. Iawn? Beth bynnag sy'n digwydd – hyd yn oed os ydi hi'n fy saethu i'n farw – mae'n rhaid i ti redag. Dallt? Rhedag am dy fywyd – at Smit.'

Bu saib, wedi ei hollti gan sgrech y gwynt, fel petai hwnnw wedi clywed ein cynllun ac wedi cael ei gythruddo ymhellach.

Cofleidiodd Myfyr fi yn y tywyllwch.

'Dwi'n mynd i gael ti oddi ar yr ynys yma,' meddai.

Claddais fy mhen yn ei ysgwydd wrth iddo fy nghofleidio. Ond yna gwaeddais 'Aa!' Ro'n i'n meddwl am eiliad bod llaw oer wedi cydio am fy nhroed. 'Y dŵr!'

Roedd yn llifo yn don ar hyd llawr yr ogof. O fewn eiliadau roedd wedi codi'n uwch na fy migyrnau.

'Shit,' meddai Myfyr.

Cydiodd yn fy llaw a gyda'n gilydd fe deimlon ni'n ffordd ymlaen drwy'r düwch, gan fwytho pob rhigol o'r graig wrth fynd. Er ei bod mor ddu nad oedd modd dweud y gwahaniaeth rhwng agor a chau ein llygaid roedd pibydd y gwynt yn ein harwain at geg yr ogof. Serch hynny ofnais sawl tro ein bod wedi colli ein ffordd, a gallwn glywed rhuthr y dŵr y tu ôl i ni yn codi bron mor swnllyd â chri'r gwynt ymhellach o'n blaenau. Ond yn araf bach dychmygais fy mod yn gallu gweld siapiau amwys bysedd calch wrth i ni agosáu at geg yr ogof a goleuni dydd y tu hwnt.

'Mae'n wael,' meddai Myfyr, ac roedd fy nghalon innau'n suddo wrth wrando ar faldorddi'r gwynt, rhywle rhwng chwiban trên ar ei ffordd i uffern, y diafol yn chwarae organ chwyth, a miloedd o eneidiau coll yn galw mewn lleisiau dolefus.

Erbyn i ni gyrraedd ceg yr ogof roedd wedi tywyllu y tu allan i'r fath raddau nes y bu bron i mi beidio â sylwi ar y agoriad. Ond wrth rythu drwy'r caddug gallwn weld amlinell Teleri wedi ei gwasgu yn erbyn ymyl y graig, er mwyn osgoi y chwistrelliadau o law oedd yna'n pistyllio i lawr yr agoriad tuag atom ni.

Ro'n i'n pendroni sut i fynd heibio iddi pan alwodd Myfyr: 'Teleri!'

'Shh,' meddwn i.

Gwelais y silowét yn gwthio ei hun oddi ar ymyl ceg yr ogof.

'Be ddiawl ydach chi'n neud – ewch yn ôl i lawr!' meddai hi, gan godi'r dryll tuag atom.

'Dan ni'n mynd,' meddai Myfyr yn bendant. Gafaelodd yn dynn yn fy llaw a cherdded yn syth tuag ati. Roedd y gwynt yn ein gwthio'n ôl gan wneud pob cam yn frwydr.

'Ewch yn ôl neu – neu mi 'na i saethu chi!' meddai Teleri a sefyll gyda'i choesau ar led a baril y gwn yn ein hwynebau.

'Saetha, 'ta – naill ai 'nawn ni farw mewn fan hyn neu allan fan yna,' meddai Myfyr.

'Plis, ewch 'nôl,' ymbiliodd Teleri. 'Peidiwch â 'ngadael i.' Roedd ei llygaid yn goch a'i hwyneb yn wlyb, naill ai gan ddagrau neu ddŵr, ac ni welais i olwg mor anobeithiol ar wyneb unrhyw un erioed.

'Mae'n rhaid i ni drio.'

Law yn llaw fe gamon ni heibio iddi.

'Myfyr, ma Dad wedi–' dechreuodd hi ddweud.

Ond erbyn hynny roedden ni wedi camu allan o'r ogof, a chipiwyd ei geiriau o'i cheg gan yr un gwynt â'n lloriodd ni yn y fan a'r lle. Doedd dim byd wedi fy mharatoi am nerth y chwa a gydiodd ynddom, fel mam yn magu plentyn, a'n cario drwy'r awyr ar hyd ymyl y clogwyn cyn ein taflu ar lawr.

Cododd Myfyr ar ei draed a chydio yn fy llaw a'm hanner llusgo ymlaen ac fe ddechreuon ni fynd, fel dwy hen fenyw yn ein cwman, i mewn i'r glaw oedd yn peledu ein croen fel bwledi dyfrllyd, i lawr y bryn serth tua'r bae eang y pen arall.

'Draw fan'na!' meddai Myfyr. I lawr ym mhen pella'r traeth gallwn weld môr-awyren Smit yn bobian i fyny ac i lawr ar y tonnau. Roedd y tonnau hynny eisoes wedi codi'n uwch, uwch, a bron â bod at ardd Smit, fel petai'r storm oedd yn nesáu wedi codi ofn ar y dŵr a'i fod yn ceisio dianc i fyny'r traeth.

Ac yno roedd Smit hefyd, yn chwifio arnom â'i ddwy law uwch ei ben.

'Myf! Eva!' galwodd wrth i ni agosáu.

Fe geisiais i weiddi yn ôl ond llanwyd fy ngheg gan wynt a glaw.

'Where the hell have you been?' gofynnodd wrth i ni gyrraedd. 'We needed to take off an hour ago.' Roedd yn crynu drosto a'i wyneb yn glaerwyn.

'Sori,' poerais.

'We need to get in now.' Cydiodd yn fy llaw.

'Is it safe?' gofynnodd Myfyr.

'I don't know. I'm not even sure I can get her up over the storm with the three of us on board.'

'Would it be easier for two?'

Oedodd. 'I think so.' Gwenodd. 'But you need me to fly the plane! C'mon.'

Cydiodd Smit amdana i a fy llusgo i ganol y tonnau nes ein bod gyferbyn â'r awyren. Yna cododd fi i fyny gerfydd fy ngluniau nes fy mod yn sefyll ar un o draed yr awyren yn y dŵr. Roedd fel ceisio cadw fy nghydbwysedd ar darw mewn ffair oedd yn hercian a throelli i bob cyfeiriad. Gafaelais yn un o'r polion oedd yn cysylltu'r adenydd â chorff yr awyren.

Edrychais yn ôl tua'r lan. Safai Myfyr yn ddisymud.

'Myfyr!' gwaeddais. 'Dere!' Estynnais fy mraich rydd tuag ato.

'Dydw i ddim yn dod,' gwaeddodd.

Teimlais don o ofn yn codi oddi mewn i mi. 'Na!' gwaeddais.

'Mae yna dri ohonach chi ar yr awyren yn barod,' meddai.

Heb ddisgwyl am ymateb, gydag un chwifiad olaf gwaeddodd 'Pob lwc!' a throi a'i bomio hi gyda'i ben i lawr yn ôl ar draws y traeth.

'He's not coming?' gofynnodd Smit.

Ysgydwais fy mhen.

'Brave lad.'

Neidiodd i fyny wrth fy ochr, agor drws yr awyren a 'ngwthio i mewn, gerfydd fy mhen. Llusgodd ei hun i mewn ar fy ôl a gyda chryn ymdrech llwyddodd i gau'r drws. Roedd y gwynt wedi codi eto, gan rwygo yn erbyn y lan fel petai mil o fysedd yn ceisio codi'r coed palmwydd yng ngardd Mr Smit wrth eu gwreiddiau.

'Get yourself strapped in,' meddai. 'This is going to be the worst plane ride of your life, I can guarantee it.'

Dringais i gefn yr awyren fach a gosod y gwregys yn dynn amdanaf. Diflannodd Smit i'r blaen ac wedi ychydig eiliadau clywais yr injan yn tanio. Neu fe deimlais yr injan yn tanio, o leiaf. Swniai'r gwynt fel petai'r ynys gyfan fel oen bach yn sgrechian wrth iddi gael ei rhwygo'n ddarnau.

Efallai y dylwn i fod wedi teimlo rhywfaint o ryddhad fy mod ar yr awyren ac ar fy ffordd adref ond teimlwn yn sâl hyd mêr fy esgyrn. Roedd pump ohonom ni wedi cyrraedd yr ynys fisoedd ynghynt a dim ond un oedd yn gadael. Roedd yr euogrwydd fel crafanc werdd amdana i ac yn fy ngwneud i mi deimlo'n llawer gwaeth na chodi a gostwng yr awyren.

'Hold on,' galwodd Smit, a gallwn glywed y pryder yn ei lais.

Ni allwn weld unrhyw beth drwy'r ffenestri ond tarth llwyd a stribedi o law. Ond teimlais yr awyren yn cyflymu, yn ysgytio drwyddi wrth sgimio'r tonnau. Yna teimlai fel petai llaw fawr wedi cydio yn yr awyren a'i chodi i fyny, ac yna i lawr, ac yna i fyny eto, ac ro'n innau'n teimlo fy mod yn disgyn un eiliad ac yn cael fy ngwasgu i mewn i fy sedd yr eilad nesaf.

'We're up!' gwaeddodd Smit yn orfoleddus, ac roedd rhaid iddo weiddi dros gur di-baid y glaw ar gorff yr awyren. Gallwn glywed cymysgedd o ryddhad a chyffro yn ei lais. 'Fucking hell. I told you this would make a good film.'

Ond yna penderfynodd perchennog pa bynnag law fawr oedd wedi cydio yn yr awyren ollwng fynd. Symudodd popeth yn araf, araf. Gwelais gypyrddau a storfeydd bagiau yn agor yn y cabin a'u cynnwys yn dawnsio o fy mlaen fel pe na bai disgyrchiant yn bodoli. Bwriwyd yr awyren o'r naill ochr fel petai wedi ei tharo gan gar a bwrais fy mhen yn erbyn ochr y sedd. Syrthiodd yr holl gynnwys oedd yn hongian yn yr awyr ar linellau anweledig i lawr y cabin gyda chlec. Edrychais allan drwy'r ffenestr a gallwn weld y môr oddi tanaf... yn araf, araf agosáu...

'Life jacket!' gwaeddodd Smit o'r blaen.

'Where?'

Dwi ddim yn gwybod a glywodd e fi. Ond gwaeddodd: 'Under the seat!'

Ymbalfalais amdani mewn breuddwyd, a dod o hyd i becyn melyn wedi ei lapio mewn cwdyn plastig. Rhwygais y plastig i ffwrdd a thynnu'r siaced am fy mhen. Edrychai'n rhy dila i achub bywyd.

*Dwi'n mynd i farw*, sylweddolais.

Roedd ergyd y môr yn annisgwyl o feddal pan ddaeth ond i'm braw gwelais fod lefel y dŵr wedi codi yn syth at y ffenestr. Tynnais y cortyn i roi aer yn y siaced achub. Teimlais fy nhraed yn gwlychu wrth i'r môr ddiferu i mewn i'r awyren. Ni allwn weld lle'r oedd Smit. Wnes i ddim aros i feddwl sut y gallwn ei achub chwaith – doeddwn i ddim yn meddwl o gwbwl a dweud y gwir, dim ond yn ymbalfalu am unrhyw fodd o oroesi. Datodais y strapiau oedd yn fy nghlymu i'r sedd a chamu at y drws a chydio yn y ddolen a'i agor.

Tywalltodd dŵr oer y môr yn afon i'r caban ac roedd yr awyren bellach yn plymio i lawr, i lawr, trwyn yn gyntaf i'r dyfnderoedd. Rhywsut llwyddais i ddal fy ngafael yn y ddolen ac wrth i'r llanw ergydio yn erbyn pen pella'r tu mewn i'r awyren cefais fy llusgo allan i'r môr.

Wedi ychydig eiliadau dan y dŵr codais i'r wyneb fel corcyn diolch i'r siaced achub. Ni allwn weld llawer oherwydd y dŵr yn fy llygaid ond cefais ambell fflach o donnau yn codi yn fynyddoedd o farmor gwyrdd gwythiennog o'm cwmpas. Llusgwyd fi dan yr wyneb eto a'r cyfan y gallwn wneud oedd ceisio dal fy anadl nes fy mod i bron â byrstio, a gweddïo y byddwn i'n cael fy mhoeri'n ddisymwth yn ôl i'r wyneb cyn i mi foddi.

Dwi ddim yn gwybod faint o amser aeth heibio ond erbyn y diwedd roeddwn wedi rhyw fodloni ar farw. Roeddwn i'n oer, wedi hanner boddi ac yn barod i fynd i gysgu. Cwsg hir, dwfn na fyddwn i'n cael fy styrbo ohono. Rhaid fy mod i *yn* hanner cysgu pan deimlais fy hun yn ergydio yn boenus yn erbyn rhywbeth caled. Fy ymateb cyntaf oedd teimlo bach yn grac – pam na allen i gael llonydd? Ond yna teimlais dywod trwchus, gwlyb rhwng fy mysedd. Gwthiais yn ei erbyn gan geisio codi fy mhen, ond yna codwyd fi gan don arall a chefais fy ngharior i fyny eto, cyn fy ngostwng a theimlo'r tywod gludiog dan fy mysedd unwaith eto. Roedd yn llai o syndod y tro yma felly gwthiais yn ei erbyn â'm coesau gyda fy holl nerth. Codais ar draed sigledig, cymryd hanner dwsin o gamau, a chwympo ar lawr unwaith eto, cyn chwydu allan llond ysgyfaint o ddŵr halen.

Dim ond wrth ddod ata i fy hun y bore wedyn y deallais fod y tonnau wedi fy nghario a'm gollwng yn ddiseremoni yn ôl at lan ynys. Wrth i'r cymylau duon wasgaru a'r heulwen dorri drwyddo gwelais fod yr ynys hon yn ddifywyd, y coed oedd yn dal i sefyll fel rhesi o feddfeini llwyd wedi eu dinoethi o unrhyw wyrddni, a'r gweddill wedi eu diosg neu eu chwythu'n fflat.

'Ble 'yf fi?' gofynnais.

Crwydrais ar hyd y traeth, oedd wedi ei orchuddio â thalpiau o goed palmwydd a chwrel. Dim ond wrth weld fila Smit y sylweddolais nad oeddwn i wedi mynd i unman. Roedd tirlithriad o ben y mynydd wedi llyncu rhan helaeth o'r adeilad, a'r ardd wedi ei hysgubo oddi yno gan ddatgelu seiliau concrid yr adeilad, ond yr un adeilad oedd e.

'Betty?' galwais. 'Myfyr?' Ond atseiniodd fy llais ar draws y diffeithwch di-nod. Tynnais y siaced achub, cerdded draw at y fila ac yfed o un o'r nentydd mwdlyd oedd yn llifo i lawr o dop y mynydd. Golchais yr halen o 'ngheg. *Wel, ro'n i'n fyw*, meddyliais. Er na allwn i lawn gredu'r peth. Ond doeddwn i ddim yn teimlo unrhyw wefr o sylweddoli hynny. Teimlwn fel ysbryd yn cerdded mewn byd cyfochrog i un y byw.

Myfyr? Teleri? Morys? Doedd neb ar ôl.

Arhosais yng nghysgod y fila am ddiwrnod arall, yn magu nerth, cyn penderfynu dringo i fyny at yr ogofâu i weld a allwn i ddod o hyd i unrhyw un, yn farw neu'n fyw. Roedd yn codi'n ddiwrnod poeth arall, yr holl ruthr a oedd wedi rheibio'r tir wedi mynd a gadael llonydd-dra a oedd bron â bod yn sbeitlyd. Dim ond curo'r tonnau ar y traeth oedd yn gyfarwydd. Doedd dim hyd yn oed sŵn adar i'w glywed yn unman. Sylwais na fyddai gen i gysgod er mwyn llochesu ganol dydd hyd yn oed. Byddai'n rhaid i mi gysgu yn yr ogof.

Ond pan gyrhaeddais yr ogof doedd gen i ddim awydd i ymdroi yno yn hwy. Codai oglau diflas, llaith o'r agoriad. Efallai mai fi oedd yn dychmygu'r peth, fod emosiynau'r noson flaenorol wedi gadael craith ar fy nghof, ond roedd naws annifyr i'r lle, fel pe bawn i'n gallu sawru dychryn y rhai a fu fyw ac a fu farw yno. Teimlais ag argyhoeddiad yn nwfn yn fy stumog fod Teleri a Myfyr wedi marw, ac wedi marw yno, gyda'i gilydd. Alla i ddim esbonio beth oedd yn gyfrifol am y teimlad hwnnw ond roeddwn i'n ei synhwyro i'r byw.

'Helô?' Atseiniodd fy llais yn ôl o'r tywyllwch, gan godi rhagor o ofn arna i. Doeddwn i ddim am aros yno. Doeddwn i'n sicr ddim am fynd i mewn i'r düwch i chwilio amdanyn nhw.

Erbyn y bore wedyn penderfynais ddringo'r mynydd i weld a oedd unrhyw ran ohono heb ei gyffwrdd gan y storm. Llusgais fy hun tua'r brig gyda'm cluniau a'm pengliniau yn gwegian yn boenus â phob cam, gan ddringo dros ben y coed oedd wedi eu gwastatáu neu oedd wedi hollti yn eu hanner gan adael rhesi o foncyffion yn codi fel cyllyll o'r pridd.

Cyrhaeddais y pegwn o'r diwedd. Ond yna eisteddais a dechrau wylo. Ni allwn weld dim ond dinistr ym mhob cyfeiriad. Roedd y rhan o'r goedwig lle y cuddiai pentref y brodorion yn gwbwl foel. Sibrydai'r gwynt dros gopa noeth y mynydd, llais bwganaidd a swniai'n rhy debyg o lawer i un Morys, yn dal i grwydro, yn dal i chwilio am drysor nad oedd yn bod.

Cerddais i lawr y mynydd â lwmp poenus yn fy ngwddf, a'm brest yn dynn. Dim ond y fi oedd ar ôl. Dim ond y fi. Yr unig beth byw ar yr ynys, ac am gannoedd o filltiroedd o'm hamgylch, o bosib, ar wyneb y tir o leiaf.

O'n, mi o'n i'n fyw. Ond beth oedd pwynt byw? Dim ond

i farw'n arafach, ac ar fy mhen fy hun bach. Ciciais ddarn mawr o gwrel o'r ffordd wrth gerdded, a dechreuais deimlo'n genfigennus o Myfyr a'r lleill oedd wedi cael marw gyda'i gilydd.

Wrth agosáu at y traeth gwelais dolc yn y ddaear a oedd unwaith wedi'i amgylchynu gan gylch o goed palmwydd. Roedd y rheini bellach wedi torri ymaith, gan adael dim ond bonion y coed. Ond daliodd rhywbeth fy llygaid ar waelod y pant. Fflach o wyrddni ymysg y darnau o risgl coed.

Dringais i lawr yr ymyl a mynd ar fy mhengliniau i gael gwell golwg. Gwthiais y malurion a'r cnau coco wedi hollti o'r neilltu. Yma, ym mhen draw'r pant, wedi ei gysgodi gan y gwynt dwyreiniol, yr oedd blaguryn gwyrdd yn gwthio i fyny drwy'r tir. Yr unig beth byw heblaw amdana i a welais ar yr ynys i gyd.

*Fe ddaw'r cyfan yn ôl yn y pen draw*, meddyliais. *Fe fydd yr ynys yn tyfu'n ôl yn union fel yr oedd hi. Efallai'n gryfach*, meddyliais, *heb bobol arni i'w rheibio.*

Ac yna teimlais ias yn mynd drwydda i, rhyw ias fel a deimlwn wrth geg yr ogof ac ar ben y mynydd. Teimlad nad oeddwn i ar fy mhen fy hun. Teimlad o bresenoldeb. Ond teimlad braf y tro hwn, fel petai hen ffrind yn cadw golwg arna i.

Troeais.

'Aled?'

Hefyd gan yr awdur:

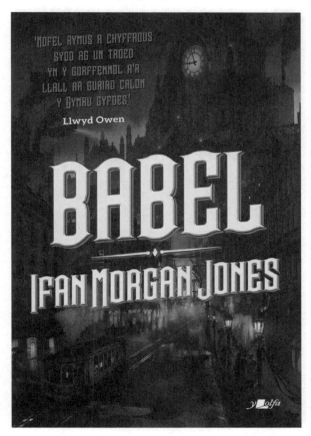

£9.99

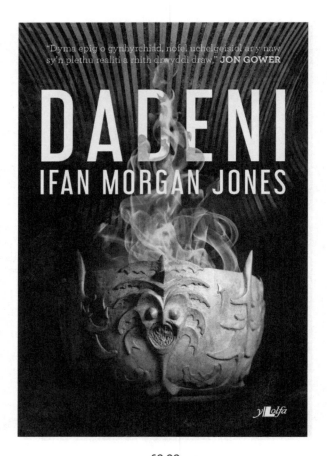

"Dyma epig o gynhyrchiad, nofel uchelgeisiol ar y naw
sy'n plethu realiti a rhith drwyddi draw." **JON GOWER**

# DADENI
## IFAN MORGAN JONES

y Lolfa

£9.99

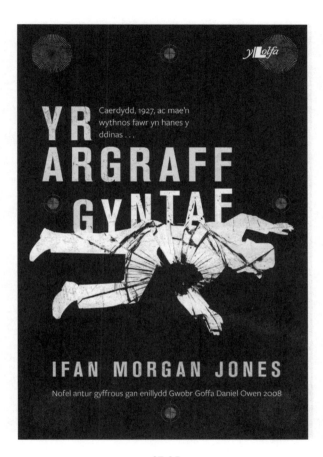

YR
ARGRAFF
GYNTAF

Caerdydd, 1927, ac mae'n wythnos fawr yn hanes y ddinas . . .

IFAN MORGAN JONES

Nofel antur gyffrous gan enillydd Gwobr Goffa Daniel Owen 2008

£7.95

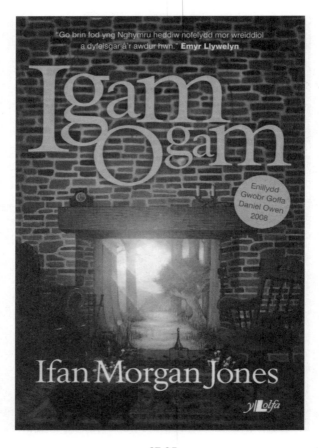

"Go brin fod yng Nghymru heddiw nofelydd mor wreiddiol a dyfeisgar â'r awdur hwn." **Emyr Llywelyn**

Igam Ogam

Enillydd
Gwobr Goffa
Daniel Owen
2008

Ifan Morgan Jones

yl**Lolfa**

£7.95

£8.99

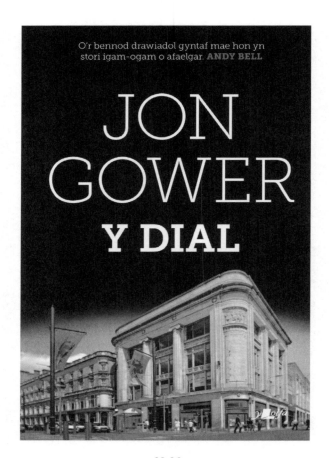

O'r bennod drawiadol gyntaf mae hon yn stori igam-ogam o afaelgar. **ANDY BELL**

# JON GOWER

# Y DIAL

£8.99